✓	Day	Topics	C++ Programs
	6	Today you'll learn important class related C++ topics such as static members, friends, and arrays of objects.	Friend.CPP
			Static.CPP
			Static2.CPP
	7	Today you'll learn about class hierarchy and polymorphism in C++.	Area.CPP
			Area2.CPP
			Salary.CPP
			Salary2.CPP
	8	Today you'll learn about the concept of operator overloading.	Overload.CPP
			String.CPP
	9	Today you'll learn about data conversion in C++.	Convert.CPP
			Convert2.CPP
			Length.CPP
	10	Today you'll write your first C++ Windows application with the Microsoft C++ Foundation Class library.	Say1.CPP (a Microsoft MFC Windows C++ Program)
			Play.CPP (a Microsoft MFC2 program that plays a WAV file and a MIDI file through a sound card)
	11	Today you'll write another C++ Windows application with the Microsoft C++ Foundation Class library.	Say2.CPP (a Microsoft MFC Windows C++ Program)
	12	Today you'll write your first C++ Windows application with the Borland ObjectWindows Library (OWL).	Say1.CPP (a Borland OWL Windows C++ program)
	13	Today you'll write another C++ Windows application with the Borland ObjectWindows Library (OWL).	Say2.CPP (a Borland OWL Windows C++ program)
	14	Today you'll write an animation C++ Windows program with the Borland C++ compiler and the ObjectWindows Library (OWL).	Dog.CPP (a C++ Windows animation program)

Computer users are not all alike.
Neither are SYBEX books.

We know our customers have a variety of needs. They've told us so. And because we've listened, we've developed several distinct types of books to meet the needs of each of our customers. What are you looking for in computer help?

If you're looking for the basics, try the **ABC's** series. You'll find short, unintimidating tutorials and helpful illustrations. For a more visual approach, select **Teach Yourself,** featuring screen-by-screen illustrations of how to use your latest software purchase.

Running Start books are really two books in one—a tutorial to get you off to a fast start and a reference to answer your questions when you're ready to tackle advanced tasks.

Mastering and **Understanding** titles offer you a step-by-step introduction, plus an in-depth examination of intermediate-level features, to use as you progress.

Our **Up & Running** series is designed for computer-literate consumers who want a no-nonsense overview of new programs. Just 20 basic lessons, and you're on your way.

We also publish two types of reference books. Our **Instant References** provide quick access to each of a program's commands and functions. SYBEX **Encyclopedias** and **Desktop References** provide a *comprehensive reference* and explanation of all of the commands, features, and functions of the subject software.

Our **Programming** books are specifically written for a technically sophisticated audience and provide a no-nonsense value-added approach to each topic covered, with plenty of tips, tricks, and time-saving hints.

Sometimes a subject requires a special treatment that our standard series doesn't provide. So you'll find we have titles like **Advanced Techiques, Handbooks, Tips & Tricks,** and others that are specifically tailored to satisfy a unique need.

We carefully select our authors for their in-depth understanding of the software they're writing about, as well as their ability to write clearly and communicate effectively. Each manuscript is thoroughly reviewed by our technical staff to ensure its complete accuracy. Our production department makes sure it's easy to use. All of this adds up to the highest quality books available, consistently appearing on best-seller charts worldwide.

You'll find SYBEX publishes a variety of books on every popular software package. Looking for computer help? Help Yourself to SYBEX.

For a brochure of our best-selling publications:

SYBEX Inc. 2021 Challenger Drive, Alameda, CA 94501
Tel: (510) 523-8233/(800) 227-2346 Telex: 336311
Fax: (510) 523-2373

SYBEX is committed to using natural resources wisely to preserve and improve our environment. As a leader in the computer book publishing industry, we are aware that over 40% of America's solid waste is paper. This is why we have been printing the text of books like this one on recycled paper since 1982.

This year our use of recycled paper will result in the saving of more than 15,300 trees. We will lower air pollution effluents by 54,000 pounds, save 6,300,000 gallons of water, and reduce landfill by 2,700 cubic yards.

In choosing a SYBEX book you are not only making a choice for the best in skills and information, you are also choosing to enhance the quality of life for all of us.

MASTERING
C++
From C to C++ in 2 Weeks

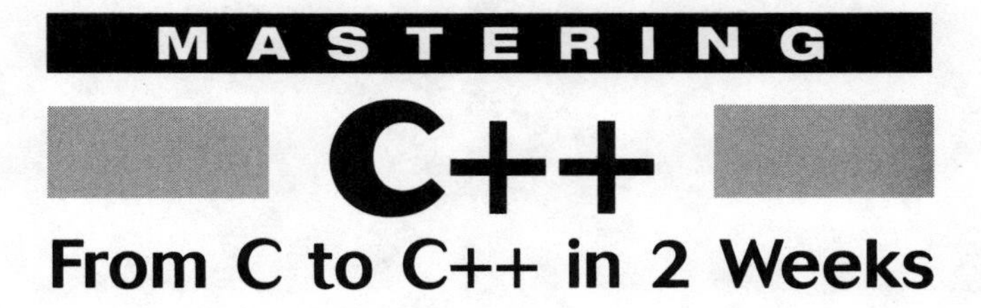

From C to C++ in 2 Weeks

Nathan Gurewich

Ori Gurewich

SAN FRANCISCO · PARIS · DÜSSELDORF · SOEST

Acquisitions Editor: Rudolph S. Langer
Developmental Editor: Gary Masters
Editor: James A. Compton
Technical Editor: Ricardo Birmele
Book Designer: Suzanne Albertson
Production Artist: Helen Bruno
Screen Graphics and Technical Art: John Corrigan
Typesetter: Thomas Goudie
Proofreader/Production Assistant: Sarah Lemas
Indexer: Lynn Brown
Cover Designer: Archer Design
Cover Illustrator: Mike Miller
Cover Art Direction: Ingalls + Associates

Screen reproductions produced with Collage Complete.

Library of Congress Card Number: 93-87414
ISBN: 0-7821-1419-9

Manufactured in the United States of America
10 9 8 7 6 5 4 3 2 1

Warranty

SYBEX warrants the enclosed disk to be free of physical defects for a period of ninety (90) days after purchase. If you discover a defect in the disk during this warranty period, you can obtain a replacement disk at no charge by sending the defective disk, postage prepaid, with proof of purchase to:

SYBEX Inc.
Customer Service Department
2021 Challenger Drive
Alameda, CA 94501
(800)227-2346
Fax: (510) 523-2373

After the 90-day period, you can obtain a replacement disk by sending us the defective disk, proof of purchase, and a check or money order for $10, payable to SYBEX.

Disclaimer

SYBEX makes no warranty or representation, either express or implied, with respect to this software, its quality performance, merchantability, or fitness for a particular purpose. In no event will SYBEX, its distributors, or dealers be liable for direct, indirect, special, incidental, or consequential damages arising out of the use or inability to use the software even if advised of the possibility of such damage.

The exclusion of implied warranties is not permitted by some states. Therefore, the above exclusion may not apply to you. This warranty provides you with specific legal rights; there may be other rights that you may have that vary from state to state.

Copy Protection

None of the programs on the disk is copy-protected. However, in all cases, reselling these programs without authorization is expressly forbidden.

ACKNOWLEDGMENTS

We would like to thank Gary Masters, our developmental editor at SYBEX, who conceived the idea of this book and asked us to write it. Gary worked closely with us, and he made many recommendations and suggestions that helped in the creation of this book.

We would also like to thank Jim Compton, the editor of this book, for his superior work and especially for the suggestions he made about production issues.

We would also like to thank Ricardo Birmele, the technical editor, who not only compiled and linked all the book's programs to verify that they work properly, but also made a number of useful suggestions.

And finally, we would like to thank all the other people at SYBEX who contributed to the creation of this book. Helen Bruno did the chapter art and implemented Suzanne Albertson's design for the book, Thomas Goudie handled the desktop publishing, John Corrigan produced the screen graphics and illustrations, and Sarah Lemas did the proofreading.

CONTENTS AT A GLANCE

TABLE OF CONTENTS

INTRODUCTION

So you want to learn C++? If so, and you have some experience programming in "conventional" C, this book is for you. And you'll be able to learn it in two weeks or less.

Why Move to C++?

As you probably know, C is an "old" programming language that proved itself to be very reliable. Programs produced by C compilers are fast, and the EXE files that are produced are small.

So why should you move from C to C++? During the last several years, a great deal of experience has been accumulated with the C programming language. Programmers have come to demand more from C! Concurrently, PC technology improved and faster computers became available. Naturally, C programs became longer and more complicated. All in all, there was a need for a new programming language that would meet the following specifications:

- The language should be as reliable as C.
- The .EXE files it produces should be as small as possible.
- It should be easy to learn (that is, if a programmer knows C, then moving to the new programming language should be easy, quick, and painless).
- It should be an enhancement to the C language—all the things that were missing from C should be included in the new programming language.
- It should be designed so as to make maintaining long, complex programs as easy as possible.
- It should be compatible with C (so that the existing body of good, working C programs could be salvaged when implementing applications with the new programming language).
- The .EXE files it produce should be as fast as C.

This new programming language has been designed and implemented, and it is called C++.

After reading this book, you'll be able to write C++ programs. The book starts by teaching you how to write C++ programs for DOS (because it is easier to learn C++ with DOS than with Windows), and in the later chapters moves on to the more complex topic of using C++ to write programs for Microsoft Windows.

What's on the Disk?

The accompanying disk include all the book's program examples. During the course of this book, you'll be instructed to compile, link, and execute these programs. We recommend that you actually compile/link the book's programs and experiment with them. That is, change the programs in some ways, and observe the results. After all, the only way to learn a new programming language is by actually writing programs.

A Two-Week Course of Study

The calendar inside the front cover of this book suggests that you read this book in two weeks—a chapter a day. For each chapter, plan to spend an evening trying out the program examples and working through the questions and exercises. However, more advanced C programmers should be able to complete the book in less than 14 days. To summarize, study this book at your own pace. If you think that you can accomplish more than one chapter a day, go for it.

Who Is This Book For?

This book assumes that you already know C. The question is, of course, *how much* C should you know? The answer is: The more C you know, the faster you'll be able to complete this course. However, readers with some basic C programming experience should not have problems completing this book in two weeks.

What Software Do You Need?

This book teaches its material by showing you how to write working C++ DOS programs. All the programs are included on the book's disk. To get the most out of this book, you should compile, link, and execute each program as you study it. Once you understand what a program is supposed to do, go over its code, and try to alter the code in some way. In other words, don't be afraid to experiment with the programs.

To do this, you need a C++ compiler. The C++ compilers that we used were the Microsoft C++ version 7.0 and 8.0 compilers and the Borland C++ version 3.1 and 4.0 compilers.

The Windows programs that are discussed in Chapters 10 through 14 use class libraries provided by the compiler publishers—Microsoft's MFC1 and Borland's OWL 1.0—to write Windows applications. For programmers using the Microsoft version 8.0 (Visual C++) compiler, Chapter 10 also presents a multimedia program (playing a .WAV file and a MIDI file through a sound card) that uses the MFC2 library. These programs will put to use the C++ know-how you develop over the first nine chapters.

As you'll soon see, C++ involves some new concepts that do not exist in C. For example, you'll learn about concepts such as private functions, public functions, constructor functions, destructor functions, and more. To make your study fun and interesting, the book's diskette also contains a limited version of a library that enables you to play sound files (.WAV files) through the PC speaker without any additional hardware (no sound card is needed). It is a limited version in that it enables you to play only the .WAV files supplied on the book's diskette. When practicing with new C++ concepts, take advantage of these libraries, and put them to use. For example, instead of just displaying messages on the monitor or beeping the PC speaker, you can play a real human voice.

How the Book Is Structured

Here is how the book is organized: In Chapters 1 through 9 you'll learn how to use the C++ language by writing many small C++ DOS programs. These programs will teach you the features of C++. Chapters 10 through 14 show how to write Windows programs with the C++ language. These programs use the MFC1 class library from Microsoft and the OWL 1.0 library from Borland. This is *not* a book about Windows programming; and to get the most out of these chapters you should be familiar with the components of a Windows program. Our purpose is to show how you can apply the skills you've acquired over the first nine chapters by taking advantage of C++ classes written by others. (The subject of classes is covered in detail throughout the book.)

- In Chapter 1 you'll learn what C++ is all about, and why it is a good idea to move from C to C++.
- In Chapter 2 you'll write your first C++ DOS program.
- Chapter 3 teaches the concept of references in C++, and other important C++ features.
- In Chapter 4 you'll write several C++ programs that illustrate the most important feature of C++, classes.
- Chapters 5 and 6 teach you how to allocate memory dynamically from within your C++ programs, and other important class-related C++ topics such as static members, friends, and arrays of objects.
- In Chapters 7, 8, and 9 you'll learn about class hierarchy and polymorphism in C++, the concept of operator overloading, and data conversion in C++.
- In Chapters 10 and 11 you'll learn how to write Windows programs that utilize the Microsoft MFC1 class library. (One program uses the MFC2 library.)
- In Chapters 12, 13, and 14, you'll learn how to write Windows programs that utilize the Borland OWL 1.0 classes.

How to Contact the Authors

We'd love to hear from you. If you have any questions, comments, or suggestions about this book, you can contact Nathan Gurewich and Ori Gurewich via CompuServe (CompuServe ID: 72072,312) or at the SYBEX mailing address.

CHAPTER ONE

Why C++?

The *C* in C++ implies that the programming language known as C++ is similar to the C programming language, and the ++ implies that C++ offers much more programming power than C. Over the course of this book you'll see how true both of these statements are. This chapter introduces some basic concepts of C++, and you'll also learn about running the sample programs on the diskette.

Object-Oriented Programming

C++ is an *object-oriented* programming language, which means that it uses *objects* as the building blocks of a program. What are objects? For now think of objects as C++ structures. In C, structures are used only for storing data. For example, the following C statement updates the `Radius` member of the `MyCircle` structure:

```
MyCircle.Radius = 5; /* Update the Radius member */
```

In C++, an object is used not only to store data, but also to perform operations.

For example, the following is valid C++ code:

```
MyCircle.Radius = 5;
MyCircle.ShowIt();
```

There is nothing shocking about the first statement; it simply updates the `Radius` member of the `MyCircle` object. The second statement, however, uses the function `ShowIt()` to display the circle. So as you can see, the object has both data and functions associated with it. In the above C++ code, `Radius` is a data member of the `MyCircle` object, and `ShowIt()` is a function member of the `MyCircle` object.

We'll explore the details of object-oriented programming techniques throughout the book. For now, think of object-oriented programming as a method that lets you write programs in a very modular and structured manner. This means that programs are very easy to maintain and modify as needed.

As you'll soon see, writing an object-oriented program is much easier and takes less time than writing the same program with C.

You can write object-oriented programs using C; however, doing so will be quite difficult, because the C language was not designed for this purpose. On the other hand, applying object-oriented programming techniques with C++ is easy, because the C++ language was designed specifically for writing object-oriented programs.

The C++ language includes in it all the programming tools to let you use object-oriented programming techniques.

C vs. C++

We've just seen one important reason for moving from C to C++: it lets you write object-oriented programs easily. The other reason for moving from C to C++ is that C++ is an easier programming language, even if your programs are not object- oriented.

As you know, C is the most popular programming language for writing professional DOS and Windows applications. The main reasons for its success are these:

- Programs written with C are executed fast.
- The size of the EXE file that is generated after compiling and linking a program with a C compiler is small.
- The C programming language enables you to write modular programs (for example, C uses the concept of functions, and it enables you to link C libraries that were written by others).
- There are several inexpensive C compilers on the market that have proven to be reliable (for example, Microsoft C/C++ Version 7.0, Microsoft Visual C++, and Borland C/C++).

During the last couple of decades, millions of programmers have used the C language to write programs, and naturally, a huge body of experience quickly accumulated. Many programmers started demanding more from C.

The designers of C++ developed a new language that is similar to C and contains solutions to many of the problems that programmers encountered with C. Thus, you may think of C++ as the second version of the C language. As always, the second version of a software product is better than the first. This is why many programmers are moving from C to C++ even if they do not plan to take advantage of its object-oriented capabilities.

C/C++ Compiler Vendors

Because the C++ programming language has become so popular, all the major vendors of C compilers now ship their C compiler as an integrated package that contains both the C and the C++ compiler. For example, Microsoft ships the C/C++ compiler and Visual C/C++ compiler, and Borland ships the C/C++ compiler.

Transporting C Programs to C++

Generally speaking, C is a subset of C++ — every feature of C is also included in C++. This means that a C program can be compiled and linked with a C++ compiler. This feature of the C++ compiler/linker enables C programmers to transport their C programs to C++ easily.

Comments in C++: A Simple Example of an Enhancement

As you'll learn throughout the book, most of the improvements that were incorporated into C++ make sense. In fact, if you were sitting on the committee that determined what enhancements should be made to C, you'd probably come out with the same or similar improvements. One example of an improvement that C++ offers is greater flexibility in the use of comments.

In C, you must enclose a comment within the `/* */` characters. For example, the following lines include C comments:

```
/*============================*/
/* Initialize the variables. */
/*============================*/
/*
 In the following, the variables iMyPrice and iHisCost are
 initialized.
*/
iMyPrice = 30; /* Set the price to 30. */
iHisCost = 40; /* Set the cost to 40.  */
```

As you know, a C comment must start with the characters `/*` and end with the characters `*/`. In your C programming experience, you can probably recall occasions where forgetting to enclose the comment with `*/` caused the C compiler to generate who-knows-how-many errors!

In C++, a comment starts with the characters //, and there is no need to end the comment with any character. Thus, the previous C code fragment is written in C++ as the following:

```
//===========================
// Initialize the variables.
//===========================
//
// In the following, the variables iMyPrice and iHisCost are
// initialized.
//
iMyPrice = 30; // Set the price to 30.
iHisCost = 40; // Set the cost to 40.
```

So which comment syntax is better? Which comment syntax should you use? Recall that C is a subset of C++. This means that you may use either the C comment syntax or the C++ comment syntax in your C++ programs. In fact, you may even use both syntax forms in your C++ programs. The following code fragment contains both C++ comment syntax as well as C comment syntax:

```
/*===========================*/
// Initialize the variables.
/*===========================*/
/*
 In the following, the variables iMyPrice and iHisCost are
 initialized.
*/
iMyPrice = 30; // Set the price to 30.
iHisCost = 40; /* Set the cost to 40. */
```

Although the above code fragment is syntactically correct, most programmers use only the // comment marker throughout their C++ programs.

Another difference is that in C, a comment may occupy several lines, as in the following:

```
/*
 In the following, the variables iMyPrice and iHisCost are
 initialized.
*/
```

In C++, a comment may occupy only a single line. Thus, the previous C comment must be written in C++ as follows:

```
//
// In the following, the variables iMyPrice and iHisCost are
// initialized.
//
```

Using the C++ comment syntax reduces the chances of syntax errors.

Naturally, you will not move from C to C++ just because the improvement that C++ offers to the comment syntax of C. Throughout this book you'll encounter many more C++ improvements.

DOS and Windows C++ Programs

You can write C++ programs for DOS and for Windows. This book starts by teaching how to write C++ programs for DOS and only in the later chapters moves on to writing C++ programs for Windows. As you know, Windows programs tend to be longer and more complicated than DOS programs. It is therefore much easier to learn C++ by writing programs for the DOS platform than by writing for the Windows platform. This way, the example programs are shorter and less complicated, and you'll be able to grasp each concept more easily.

The Book's Diskette

This book includes a diskette that contains all the book's program examples, the libraries that support those programs, and other useful files. In working through this book, you'll compile and run each program, using the appropriate libraries and related files.

All the Windows program examples that are included in the book's diskette have been compiled, linked and tested using the Microsoft C/C++ compiler version 7.0, and the Borland C/C++ compiler. All the DOS programs were also tested using the Microsoft C/C++ version 8.0 compiler as well.

If you are using a different C++ compiler, you'll have to consult its documentation for the exact compile/link commands.

Installing the Book's Diskette

In the following steps you'll install the files from the book's diskette into your hard drive. These files were compressed using the Yoshi compression/de-compression program (also known as LHA or LHArc, and copyright Haruyasu Yoshizaki). This method produces self-extracting files, so you don't need any other software to decompress them.

Here is how you install the book's program files into your C hard drive:

- Insert the diskette into your a: drive (or b: drive).
- Log into the a: drive (or into the b: drive) by typing at the DOS prompt:

  ```
  a:
  ```

  or

  ```
  b:
  ```

- At the DOS prompt type:

  ```
  INSTALL
  ```

  The INSTALL program creates the C:\C2CPLUS\ directory, and automatically copies and decompresses the files.

Here are the subdirectories that you'll find on your hard drive after the INSTALL program successfully installs the book's diskette:

C:\C2CPLUS	README.TXT
C:\C2CPLUS\CH01	The programs for Chapter 1
C:\C2CPLUS\CH02	The programs for Chapter 2
C:\C2CPLUS\CH03	The programs for Chapter 3
C:\C2CPLUS\CH04	The programs for Chapter 4
C:\C2CPLUS\CH05	The programs for Chapter 5
C:\C2CPLUS\CH06	The programs for Chapter 6

C:\C2CPLUS\CH07	The programs for Chapter 7
C:\C2CPLUS\CH08	The programs for Chapter 8
C:\C2CPLUS\CH09	The programs for Chapter 9
C:\C2CPLUS\CH10	The programs for Chapter 10
C:\C2CPLUS\CH11	The programs for Chapter 11
C:\C2CPLUS\CH12	The programs for Chapter 12
C:\C2CPLUS\CH13	The programs for Chapter 13
C:\C2CPLUS\CH14	The programs for Chapter 14
C:\C2CPLUS\LICENSE	The software license agreement for the book's diskette
C:\C2CPLUS\LHA	The Yoshi compression utility with complete documentation
C:\C2CPLUS\WAV	WAV sound files that are used for the sound program examples

In addition to the above directories, the disk contains other directories that include files used throughout this book.

Make sure to read the software license agreement (located in the directory C:\C2CPLUS\LICENSE) before using the software.

Executing before Learning

Throughout the book, you'll be instructed to compile, link, and execute the book's program examples. We recommend that you run each program before studying its code. This way, you'll gain a better understanding of what the code is supposed to accomplish. The book's diskette contains the source code files of the programs.

TIP Before going over the code of the book's programs, make sure to compile/link and execute the programs, and to fully understand what the programs are supposed to accomplish. Remember: understanding the specifications for a program (what it is supposed to do) is the first and most important step in writing that program (in any language).

Executing Your First C++ DOS Program

The following steps show you how to execute the SAYHELLO.EXE program that is included on the book's diskette.

- Log into the directory C:\C2CPLUS\CH01
- At the DOS prompt type:

```
SAYHELLO
```

The SAYHELLO program clears the screen, and displays the message:

```
Hello, have a nice day. Good Bye!
```

The program also plays the audio phrase *Hello, have a nice day. Good Bye!* through the PC speaker. (You do not need any sound card to play this, and you do not need any driver!)

After reading this book, you'll be able to write such C++ programs by yourself.

Executing Your First C++ Windows Program

- Start Windows. That is, at the DOS prompt type:

```
Win
```

- Select Run from the File menu of the Windows Program Manager. Windows responds by displaying the Run dialog box.

- Type inside the Command Line box:

  ```
  C:\C2CPLUS\CH14\Dog.EXE
  ```
- Click the OK button.
  Windows responds by displaying the hour glass cursor, and then the main window of the Dog application appears.
- Select Start Show from the File menu. The dog responds by getting angry, and it starts to bark (real barking) and to move.

To terminate the Dog program:

- Select Exit from the File menu.

Compiling and Linking the C++ Programs

The Microsoft C/C++ compiler and the Borland C/C++ compiler let you compile and link a program from either the DOS prompt or the integrated development environment (IDE).

When you compile and link a program from the DOS prompt, the process is straightforward: you simply type the compile/link command at the DOS prompt, and the compiler/linker generates the appropriate OBJ and EXE files. You specify the various compile/link option settings by typing the appropriate arguments on the DOS command line. (This book shows you the compile/link command and the arguments that should be typed at the DOS prompt.)

When you use the IDE program, you compile and link a program by selecting the compile/link item from a menu, and you specify the various compile/link option settings by selecting the appropriate items from menus and dialog boxes. The result is, of course, 100% identical to that obtained by compiling from the DOS prompt.

In this book, you'll be instructed to compile/link the programs from the DOS prompt. Why? Because we don't know the current settings of your IDE. By using the compile/link batch files that are provided on the book's diskette, you can be sure of using the appropriate option settings for each program.

Of course, you are free to use the IDE program to compile/link the programs. Just be aware that some of the book's program require special settings, and if you don't set the options in the IDE program correctly, you may experience compiling errors and/or run-time errors.

Usually, the IDE program of your C/C++ compiler includes a useful text editor that lets you type your program in a very convenient manner. For example, if you use the Windows version of the IDE program, then the variables appear in a different color and font than the statements of the program, and the comment lines also appear in a different color and font.

If you like using the text editor of your IDE, we recommend that you type the code of the program by using this program for generating the source code file and saving it. But once you complete generating the source code file, exit to the DOS prompt, and compile/link the file from the DOS prompt using the DOS command line that appears in the book. (In the next chapter you'll see an example that shows you how to compile from the DOS prompt.)

NOTE

Some of the book's programs are very sophisticated, and therefore require special compile/link option settings. It is therefore recommended that you use the DOS compile/link command as provided in the book.

From C to C++ in Two Weeks

The subtitle of this book is *From C to C++ in Two Weeks*. This means that if you follow the calendar that appears inside the front cover, you'll be able to complete the book in 14 days (taking about 3–5 hours per day). However, if you are an advanced C programmer and you feel comfortable reading more than the calendar suggests, then go for it! (An experienced C programmer should be able to complete this book in a week.)

What's Next?

Learning how to move from C to C++ is interesting, because you are basically learning how to use the enhancements that C++ offers over C, and how to apply object-oriented programming techniques. So relax, and prepare yourself for a very pleasant journey.

CHAPTER TWO

Your First C++ Program

In this chapter you'll write several simple C++ programs for DOS. These programs demonstrate the differences between C and C++, particularly the enhancements that C++ offers over C.

The last program in this chapter (the Hello program) covers the important topic of C to C++ linkage. This topic is illustrated with a very interesting example, a program that plays a real voice through the PC speaker (without the need for a sound card or driver software).

The .CPP File Extension

The compile/link command for the Microsoft C/C++ compiler is `cl`, and the compile/link command for the Borland C/C++ compiler is `bcc`. For example, to compile and link a C program called TRYME.C with the Microsoft C/C++ compiler, you would type at the DOS prompt:

```
cl TRYME.C
```

and to compile/link the TRYME.C program with the Borland C/C++ compiler, you would type:

```
bcc TRYME.C
```

That is, to compile/link with the Microsoft C/C++ compiler, you run the CL.EXE program, and to compile/link with the Borland C/C++ compiler, you run the BCC.EXE program.

As it turns out, these programs (CL.EXE and BCC.EXE) are used for compiling/linking C++ programs as well as C programs. So how would you tell the compiler whether to compile a C or a C++ program? By the file's extension. If the file to be compiled/linked has a .C extension, then the compiler treats it as a C program. If the file to be compiled/linked has a .CPP file extension, then the compiler treats it as a C++ program. Thus, to compile/link the TRYME.CPP program (a C++ program) with the Microsoft C++ compiler, you would type at the DOS prompt:

```
cl TRYME.CPP
```

and to compile/link TRYME.CPP (a C++ program) with the Borland C++ compiler, you would type:

```
bcc TRYME.CPP
```

Summary: Distinguishing between C and C++ Program Files

The Microsoft and Borland C/C++ compilers recognize a C program by its .C file extension (for example, TABLE.C, TRYME.C).

The Microsoft and Borland C/C++ compilers recognize a C++ program by its .CPP file extension (for example, TABLE.CPP TRYME.CPP).

Sending a Character String to the Screen

The OUTPUT program (Listing 2.1) illustrates how to send characters to the screen in C++. The OUTPUT.CPP program resides in your C:\C2CPLUS\CH02 directory.

Compiling and Linking the OUTPUT Program with the Microsoft C/C++ Compilers

To compile and link the OUTPUT.CPP program with the Microsoft C/C++ compilers:

- Place your PC in a DOS protected mode.

WARNING

The Microsoft C/C++ compiler requires compiling and linking to be performed in the DOS protected mode. You can place your PC in protected mode by executing Windows, and then running MS-DOS from the Program Manager. To execute the MS-DOS program, double click the MS-DOS icon in the Main group of icons. When the DOS prompt appears, your computer will be running in the DOS protected mode. Alternatively, you may use a utility program that places the PC in a DOS protected mode.

- Log into the C:\C2CPLUS\CH02 directory.
- At the DOS prompt type:

```
cl -AH OUTPUT.CPP
```

(Note that in the above, AH must be uppercase.)

The Microsoft C/C++ compiler/linker compiles and links the OUTPUT program. The C:\C2CPLUS\CH02 directory now contains the file OUTPUT.EXE.

Compiling and Linking the OUTPUT Program with the Borland C/C++ Compiler

NOTE **Unlike the Microsoft C/C++ compiler, the Borland C/C++ compiler does NOT require compiling and linking to be performed in a DOS protected mode.**

To compile and link the OUTPUT.CPP program with the Borland C/C++ compiler:

- Log into the C:\C2CPLUS\CH02 directory.
- At the DOS prompt type:

```
bcc -mh OUTPUT.CPP
```

The Borland C/C++ compiler/linker compiles and links the OUTPUT program. The C:\C2CPLUS\CH02 directory now contains the file OUTPUT.EXE.

Executing the OUTPUT.EXE Program

To execute the OUTPUT.EXE program:

- Log into the C:\C2CPLUS\CH02 directory.
- At the DOS prompt type:

```
OUTPUT.EXE
```

Summary: The Compile/Link Model Switches

The compile/link command that you used for compiling the OUTPUT.CPP program with the Microsoft C/C++ compiler is:

```
cl -AH OUTPUT.CPP
```

`cl` is the name of the Microsoft C/C++ compiler/linker program (i.e., CL.EXE).

The `-AH` switch tells the CL program to use the huge model.

Although you can use other models (for example, small, medium, or large), in this book all the DOS programs are compiled with the huge model (unless otherwise specified).

The compile/link command that you used for compiling the OUTPUT.CPP program with the Borland C/C++ compiler is:

```
bcc -mh OUTPUT.CPP
```

`bcc` is the name of the Borland C/C++ compiler/linker program (i.e., BCC.EXE).

The `-mh` switch tells the BCC program to use the huge model. Although you can use other models (for example, small, medium, or large), in this book all the DOS programs will be compiled with the huge model (unless otherwise specified).

The OUTPUT program displays the message:

```
From C to C++ in 2 weeks!
```

Listing 2.1: Source Code for the OUTPUT.CPP Program

```
////////////////////////////////
// Program Name: OUTPUT.CPP
////////////////////////////////

// Program Description:
// This program demonstrates how to send characters to the
// screen.
```

```
////////////////////
// #include files
////////////////////
#include <iostream.h>

///////////////////////////
// Function Name: main()
///////////////////////////
void main(void)
{
cout << "\n From C to C++ in 2 weeks!" << endl;
}
```

Stepping through the OUTPUT Program

The OUTPUT program contains a single statement:

```
cout << "From C to C++ in 2 weeks!" << endl;
```

This statement outputs a string to the screen.

The name `cout` represents the buffer of the standard output device (the screen). The << characters are called the *insertion* operator, and they tell the compiler to stream the data into `cout`. In other words, the `cout <<` operation is equivalent to the `printf()` function in C.

If you use the `printf()` function, you have to `#include` the stdio.h file in your program. Likewise, `cout` requires that you `#include` the iostream.h file in your program.

Note that the `cout` statement also includes the identifier `endl`. When `endl` is streamed into the screen buffer, it acts as a signal to display the data stored there. That is, the `cout` statement is executed in the following sequence: First, the string `From C to C++ in 2 Weeks!` is streamed into the screen buffer. Then `endl` is streamed into the buffer. Finally, `endl` causes the screen to display the characters that are currently inside the buffer.

Note that there is a minor difference between the Microsoft and Borland C/C++ compilers. If you do not include `endl`, a program that was compiled with the Microsoft C/C++ compiler will display the contents of the screen buffer only upon terminating the program, while a program that was compiled with the Borland C/C++ compiler will sometimes display the characters even if you do not include `endl`.

For consistency, you should always include the `endl` as the last data to be streamed.

Summary: The << Insertion Operator

The << symbol is called the insertion operator. This operator tells the C++ compiler the direction of the data stream. **Example:**

```
cout << "From C to C++ in 2 weeks!" << endl;
```

This statement uses the insertion operator to stream the string to the standard output device (that is, the screen).

Tip: Generating a Line-Feed/Carriage Return

After a program streams `endl`, a line feed/carriage return is printed on the display.

Example: These statements:

```
cout << "Table";
cout << "-----" << endl;
```

display the following:

```
Table-----
```

But these statements:

```
cout << "Table" << endl;
cout << "-----" << endl;
```

display the following:

```
Table
-----
```

Streaming Variables to cout

The OUTPUT program streams a string into the screen. In a similar manner, you may stream variables into the screen.

OUTPUT2.CPP (shown in Listing 2.2) demonstrates how to stream a variable into the screen. The OUTPUT2.CPP program resides in your C:\C2CPLUS\CH02 directory.

Compiling, Linking, and Executing the OUTPUT2.CPP Program

To compile and link the OUTPUT2.CPP program with the Microsoft C/C++ compiler:

- Make sure that your PC is in a DOS protected mode.
- Log into the C:\C2CPLUS\CH02 directory.
- At the DOS prompt type:

  ```
  cl -AH OUTPUT2.CPP
  ```

To compile and link the OUTPUT2.CPP program with the Borland C/C++ compiler:

- Log into the C:\C2CPLUS\CH02 directory.
- At the DOS prompt type:

  ```
  bcc -mh OUTPUT2.CPP
  ```

To execute the OUTPUT2 program:

- Log into the C:\C2CPLUS\CH02 directory, and at the DOS prompt type:

  ```
  OUTPUT2
  ```

The program responds by displaying the value of `MyVariable` on the screen. Because `MyVariable` was initialized to 5:

```
int MyVariable = 5;
```

the program displays 5 on the screen.

Listing 2.2: the OUTPUT2.CPP Program

```
////////////////////////////////
// Program Name: OUTPUT2.CPP
////////////////////////////////

///////////////////
// #include files
///////////////////
#include <iostream.h>

//////////////////////////////
// Function name: main(void)
//////////////////////////////
void main(void)
{
int MyVariable = 5;

cout << MyVariable << endl;
}
```

Stepping through the OUTPUT2.CPP Program

The OUTPUT2 program uses the << operator to stream the variable `MyVariable` to the screen:

```
cout << MyVariable << endl;
```

Because `cout` is used in the program, you have to `#include` the iostream.h file:

```
#include <iostream.h>
```

Using the C++ Manipulator

In C, you use the `printf()` function to display formatted data on the screen. For example, in C, you use the following statements:

```
int MyData = 7;
printf("My data is %d.", MyData);
```

to display:

```
My data is 7.
```

Notice that in the above `printf()` function, you have to specify `%d` in the parameter list, telling the C compiler to display the `MyData` variable as an integer. Does this make sense to you? The compiler knows that `MyData` is an integer, so why do you have to specify `%d`? Well, in C++ you don't have to tell the compiler the data type of a variable once you've declared it. Here is how you do it in C++:

```
int MyData = 7;
cout << "My data is " << MyData <<"." << endl;
```

The above statement first streams the string `My data is` to the screen, then streams the value of `MyData` to the screen, and finally sends the character `"."` to the screen. As a result, the screen displays:

```
My data is 7.
```

Notice that the C++ compiler automatically displays the `MyData` variable as an integer. However, suppose that you wish to display the `MyData` variable in hexadecimal notation. Here is how the C `printf()` statement accomplishes this:

```
int MyData = 17;
printf("My data in hexadecimal is %X.", MyData);
```

The screen should display:

```
My data in hexadecimal is 11.
```

(Note: 17 decimal is the same as 11 hexadecimal.)

Now how would you display the `MyData` variable as a hexadecimal number in C++? You know one answer to this—because C is a subset of C++, you can use the `printf()` statement (don't forget to `#include` the stdio.h file).

Alternatively, you may use the C++ hex *manipulator*. A manipulator tells the C++ compiler how to stream the data.

Listing 2.3 shows a program called OUTPUT3.CPP, which resides in your C:\C2CPLUS\CH02 directory. This program demonstrates how to use manipulators in C++.

Compiling, Linking, and Executing the OUTPUT3 Program

To compile and link the OUTPUT3.CPP program with the Microsoft C/C++ compiler:

- Make sure that your PC is in a DOS protected mode.
- Log into the C:\C2CPLUS\CH02 directory.
- At the DOS prompt type:

```
cl -AH OUTPUT3.CPP
```

To compile and link the OUTPUT3.CPP program with the Borland C/C++ compiler:

- Log into the C:\C2CPLUS\CH02 directory.
- At the DOS prompt type:

```
bcc -mh OUTPUT3.CPP
```

To execute the OUTPUT3.EXE program:

- Log into the C:\C2CPLUS\CH02 directory.
- At the DOS prompt type:

```
OUTPUT3
```

The OUTPUT3 program displays:

```
In C:    My data in hexadecimal is 11.
In C++:  My data in hexadecimal is 11.
```

Listing 2.3: Source Code for the OUTPUT3.CPP Program

```
//////////////////////////////
// The OUTPUT3.CPP program.
//////////////////////////////

// PROGRAM DESCRIPTION:
// This program demonstrates how to use manipulators
// in your C++ programs.

//////////////////
// #include files
```

```
//////////////////
#include <stdio.h>      //For the printf().
#include <iostream.h>   //For the cout.

//////////////////////////
// Function name: main()
//////////////////////////
void main(void)
{
int MyData = 17;

// Doing it in C.
printf("\n In C:    My data in hexadecimal is %X.",MyData);

// Doing it in C++
cout << "\n In C++:  My data in hexadecimal is "
     << hex <<  MyData << "." << endl;
}
```

Stepping through the OUTPUT3.CPP Program

The OUTPUT3.CPP program first initializes the `MyData` variable to 17:

```
int MyData = 17;
```

and then uses the `printf()` function to display the `MyData` variable in hexadecimal:

```
printf("In C:    My data in hexadecimal is %X.",MyData);
```

Because the `printf()` function is used, the program `#includes` the stdio.h file.

The program also uses a C++ statement to display the `MyData` variable as a hexadecimal number:

```
cout << "In C++:  My data in hexadecimal is "
     << hex
     << MyData
     << "."
     << endl;
```

The `cout` statement streams the `MyData` variable into the `hex` manipulator. Thus, the C++ compiler displays `MyData` as a hexadecimal number.

In a similar manner, you may use the `oct` manipulator to display data as octal numbers, and you may use the `dec` manipulator to display data as decimal numbers.

Summary: The hex, dec, and oct Operators

To display a variable as a hexadecimal number use the `hex` operator, to display a variable as an octal number use the `oct` operator, and to display a variable as a decimal number use the `dec` operator. **Examples:**

```
cout <<dec << YourData << endl;
cout <<hex << YourData << endl;
cout <<oct << YourData << endl;
```

Using the Standard Input Stream

As previously discussed, `cout` is the standard output device (the screen). `cin` is the standard input device (the keyboard). Listing 2.4 presents the INPUT.CPP program, which illustrates how `cin` is used in C++. The INPUT.CPP program resides in your C:\C2CPLUS\CH02 directory.

Compiling, Linking, and Executing the INPUT.CPP Program

To compile and link the INPUT.CPP program with the Microsoft C/C++ compilers:

- Make sure that your PC is in a DOS protected mode.
- Log into C:\C2CPLUS\CH02
- At the DOS prompt type:

  ```
  cl -AH INPUT.CPP
  ```

To compile and link the INPUT.CPP program with the Borland C/C++ compiler:

- Log into C:\C2CPLUS\CH02
- At the DOS prompt type:

  `bcc -mh INPUT.CPP`

To execute the INPUT.EXE program:

- Log into C:\C2CPLUS\CH02
- At the DOS prompt type:

  `INPUT`

The INPUT program displays:

`Type something:`

and then waits for you to type something. Type:

`SOMETHING`

Then press Enter. The INPUT program responds by displaying:

`You typed:SOMETHING`

Listing 2.4: Source Code for the INPUT.CPP Program

```
/////////////////////////////
// The INPUT.CPP program.
/////////////////////////////

// PROGRAM DESCRIPTION:
// This program illustrates how to use cin.

#include <iostream.h>

//////////////////////////
// Function name: main()
//////////////////////////
void main(void)
{
char TakeIt[255];

cout << "Type something:" << endl;
```

```
cin >> TakeIt;

cout << "You typed:" << TakeIt << endl;
}
```

Stepping through the INPUT.CPP Program

The INPUT program `#includes` the iostream.h file:

```
#include <iostream.h>
```

Both `cout` and `cin` require this file.

The program then defines an array of characters:

```
char TakeIt[255];
```

and then uses `cout` to display the message `Type Something:`

```
cout << "Type something:" << endl;
```

The program then uses `cin` to take data from the keyboard:

```
cin >> TakeIt;
```

(Note that in the above code, the direction of the >> operator is from left to right.)

And finally, the program displays the string that was taken from the keyboard:

```
cout << "You typed:" << TakeIt << endl;
```

As you can see, `cin` is used for reading data from the keyboard. Because the data is flowing from the keyboard to the `TakeIt` variable, the direction of the insertion characters is from `cin` to the `TakeIt` variable:

```
cin >> TakeIt;
```

Prototypes in C++

OK, so now you know how to display data on the screen, and how to read data from the keyboard in C++. Now let's see how you declare function prototypes in C++.

Let's review the purpose of including function prototypes in a program. Suppose that your program includes the function MyFunction(), and that the MyFunction() function has the following prototype:

```
int MyFunction(void);
```

This statement says that the MyFunction() function returns an integer and does not take any parameters. In C, you can write a program that uses MyFunction() and does not include the prototype. However, omitting the prototype is not recommended. Why? Because prototypes enforce consistency. When you've declared a prototype, the C compiler checks each time you call a function to see whether you're using it in accordance with the prototype declaration.

For example, if you define the prototype of the function MyFunction() as:

```
int MyFunction ( void );
```

and later in the program you use the statements:

```
int MyVariable;
...............
...............
...............
MyVariable = MyFunction();
```

then the compiler does not complain. That is, the compiler verifies that the assignment MyVariable = MyFunction() is OK. MyVariable is an integer, and indeed the prototype of MyFunction() declares the function as one that returns an integer. Similarly, the compiler verifies that in your program you did not include any parameters to MyFunction() which also agrees with the function prototype.

However, if you include any of the following statements, the C compiler will complain, because the statements do not agree with the function prototype:

```
MyFunction(); // (Warning) No good! Why did you include
              // a returned value in the prototype of
              // the function if you are not using the
              // returned value???

   float MyFloat;
   MyFloat = MyFunction();   // No good! The function is
                             // supposed to return an integer
                             // not a floating number!

   int MyInteger;
```

```
MyInteger = MyFunction(33); // No good! The function
                            // must not take any
                            // parameters.
```

So do you think its a good idea to include a prototype for every function? Well, the designers of C++ decided that it is a good idea; and unlike C, the new language requires that you include the prototypes for all functions.

C vs. C++

In C, you may or may not (at your own risk) include function prototypes.

In C++ you MUST include prototypes for all functions.

Listing 2.5 lists the code of the ShowIt program. This program illustrates the use of a function call and a function prototype.

The ShowIt.CPP program resides in your C:\C2CPLUS\CH02 directory.

Compiling, Linking, and Executing the SHOWIT Program

To compile and link the ShowIt program with the Microsoft C/C++ compiler:

- Make sure that your PC is in a DOS protected mode.
- Log into the C:\C2CPLUS\CH02 directory.
- At the DOS prompt type:

```
cl -AH ShowIt.CPP
```

To compile and link the ShowIt program with the Borland C/C++ compiler:

- Log into the C:\C2CPLUS\CH02 directory.

- At the DOS prompt type:

```
bcc -mh ShowIt.CPP
```

To execute the ShowIt program:

- Log into the C:\C2CPLUS\CH02 directory.
- At the DOS prompt type:

```
ShowIt
```

The ShowIt program responds by displaying the message:

```
I am here
```

Listing 2.5: Source Code for the SHOWIT.CPP Program

```
/////////////////////////////
// The ShowIt.CPP program.
/////////////////////////////

// PROGRAM DESCRIPTION:
// This program illustrates the use of a function
// prototype.

////////////////
// #include
////////////////
#include <iostream.h>

////////////////
// Prototypes
////////////////
void ShowIt ( char *s );

//////////////////////////
// Function name: main()
//////////////////////////
void main ( void )
{
ShowIt ("I am here");
}
```

```
//////////////////////////////
// Function name: ShowIt()
//////////////////////////////
void ShowIt ( char * s )
{
cout << s << endl;
}
```

C vs. C++

In C, you may use the old style notation of function declaration. For example, you may use the old style:

```
void ShowIt ( s )
char *s
{
   printf("%s",s);
}
```

and you may also use the new style:

```
void ShowIt ( char *s )
{
printf( "%s", s );
}
```

In C++, you MUST use the new style notation of function declaration:

```
void ShowIt ( char *s )
{
cout << s << endl;
}
```

C++ does not accept the old style.

Using Default Parameters in the Function Prototype

C++ lets you specify default values for the parameters of your functions. For example, suppose that you write a function called MULTIPLY.CPP that multiplies numbers. Listing 2.6 lists the code of the MULTIPLY.CPP program, which resides in your C:\C2CPLUS\CH02 directory.

Compiling, Linking, and Executing the MULTIPLY Program

To compile the Multiply program with the Microsoft C/C++ compiler:

- Make sure that your PC is in a DOS protected mode.
- Log into the C:\C2CPLUS\CH02 directory.
- At the DOS prompt type:

```
cl -AH MULTIPLY.CPP
```

To compile the Multiply program with the Borland C/C++ compiler:

- Log into the C:\C2CPLUS\CH02 directory.
- At the DOS prompt type:

```
bcc -mh MULTIPLY.CPP
```

To execute the Multiply program:

- Log into the C:\C2CPLUS\CH02 directory.
- At the DOS prompt type:

```
Multiply
```

The Multiply program displays the following:

```
When using multiply(    ): iResult=30
When using multiply( 4 ): iResult=40
When using multiply(4,5): iResult=20
```

Listing 2.6: Source Code for the MULTIPLY Program

```
////////////////////////////////
// The MULTIPLY.CPP program.
////////////////////////////////

// PROGRAM DESCRIPTION:
// This program illustrates how to assign default values
// for the parameters of a function.

/////////////////
// #include
/////////////////
#include <iostream.h>

/////////////////
// Prototypes
/////////////////
int multiply ( int x=3, int y=10 );

///////////////////////////
// Function name: main()
///////////////////////////
void main(void)
{
int iResult;

iResult = multiply ();
cout << "\n When using multiply(    ): iResult="
     << iResult << endl;

iResult = multiply ( 4 );
cout << "\n When using multiply( 4 ): iResult="
     << iResult << endl;

iResult = multiply ( 4, 5 );
cout << "\n When using multiply(4,5): iResult="
     << iResult << endl;

}

////////////////////////////////
// Function name: multiply()
////////////////////////////////
int multiply (int x, int y)
```

```
{
return x*y;
}
```

Stepping through the MULTIPLY.CPP Program

The Multiply program includes the prototype of the `multiply()` function:

```
int multiply ( int x=3, int y=10 );
```

As shown above, the function returns an integer, and it takes two parameters: `int x`, and `int y`. Unlike C, C++ allows the function prototype to include default values for the parameters. In the `multiply()` function, the default value of the first parameter is 3, and the default value of the second parameter is 10.

The `multiply()` function returns an integer that contains the result of multiplying `x` by `y`:

```
int multiply (int x, int y)
{
return x*y;
}
```

`main()` defines an integer called `iResult`. The first character of `iResult` is `i`, to emphasize that this variable is an integer. This is NOT a C++ requirement, but it is considered a good programming habit. Thus, the string variable `sMyString` starts with the `s` character, the float variable `fMyAmount` starts with the character `f`, the long variable `lMyDistance` starts with the character `l`, and so on.

`main()` calls `multiply()` three times. The first call to `multiply()` contains no parameters:

```
iResult = multiply ();
cout << "\n When using multiply(   ): iResult="
     << iResult << endl;
```

This means that the function should use the default values for the parameters. Thus, the program executes the `multiply()` function as:

```
multiply (3,10);
```

That is, the compiler substitutes the default parameters (3,10).

In the second call to `multiply()`, `main()` uses the statement:

```
iResult = multiply ( 4 );
cout << "\n When using multiply( 4 ): iResult="
     << iResult << endl;
```

That is, the first parameter is 4. This overrides the default value of 3. The second parameter is omitted, so C++ uses the default value of 10. In other words, `multiply(4)` produces the same result as:

```
multiply (4,10);
```

In the third call, `main()` uses:

```
iResult = multiply ( 4, 5 );
cout << "\n When using multiply(4,5): iResult="
     << iResult << endl;
```

This means that both default parameters are overridden, and the `multiply()` function will return the result of multiplying 4 by 5.

C vs. C++

C++ lets you specify default values for the function's parameters in the function's prototype. **Example:**

```
void MyFunction ( int x=3, int y=4 );
```

Using Default Parameters

When calling a function that has default parameters, you can omit some of the parameters of a function, provided that you also omit the parameters that are located to the right of these parameters.

Example: If the prototype of a certain function is:

```
int YourFunction ( int a = 101,
                   int b = 102,
                   int c = 103,
                   int d = 104);
```

Then you may call `YourFunction()` as follows:

```
iResult = YourFunction ();          // Omitting all the
                                    // parameters.

iResult = YourFunction (8);         // Omitting the 2nd,
                                    // 3rd, and 4th
                                    // parameters.

iResult = YourFunction (8,3);       // Omitting the 3rd,
                                    // and 4th parameters.

iResult = YourFunction (8,3,1);     // Omitting the 4th
                                    // parameter.

iResult = YourFunction (8,3,1,4);   // Overriding all the
                                    // default parameters.
```

The following statements are illegal:

```
iResult = YourFunction (8,3, ,5);   // You omitted the 3rd
                                    // parameter, hence you
                                    // MUST omit all the
                                    // parameters that appear
                                    // to the right of the
                                    // 3rd parameter.

iResult = YourFunction ( ,3,4,5);   // You omitted the first
                                    // parameter, hence you
                                    // MUST omit all the
                                    // parameters that appear
                                    // to the right of the
                                    // first parameter.
```

Declaring Variables in C++

In C, you must declare variables at the beginning of the function. For example:

```
void main(void)
{
int  ix;
long ly;
..........................
..........................
..........................
```

```
.. 1,000 lines of code ...
..........................
..........................
..........................
ly = (long) ix*ix;
}
```

Even though ix and ly are used at the end of the function, their declaration must appear at the beginning of the function. Wouldn't it be nicer if you could declare the variables just before you use them? Well, C++ allows it as in:

```
void main(void)
{
..........................
..........................
..........................
.. 1,000 lines of code ...
..........................
..........................
..........................
int  ix;
long ly;
ly = (long) ix*ix;
}
```

Having the declaration of the variables close (geographically) to the code where the variables are used makes the program easier to read and debug.

The DECLARE.CPP program (shown in Listing 2.7) demonstrates how variables are declared at the beginning of the code block that uses these variables. Declare.CPP resides in your C:\C2CPLUS\CH02 directory.

Compiling, Linking, and Executing the DECLARE.CPP Program

To compile the Declare program with the Microsoft C/C++ compiler:

- Make sure that your PC is in a DOS protected mode.
- Log into the C:\C2CPLUS\CH02 directory.
- At the DOS prompt type:

  ```
  cl -AH Declare.CPP
  ```

To compile the Declare program with the Borland C/C++ compiler:

- Log into the C:\C2CPLUS\CH02 directory.
- At the DOS prompt type:

  ```
  bcc -mh Declare.CPP
  ```

To execute the Declare program:

- Log into the C:\C2CPLUS\CH02 directory.
- At the DOS prompt type:

  ```
  Declare
  ```

The Declare program counts from 1 to 5, and then displays the message:

```
n = 3
```

Listing 2.7: Source Code for the DECLARE.CPP Program

```
//////////////////////////////
// Program name: Declare.CPP
//////////////////////////////

// Program Description:
// This program illustrates that in C++, the variables
// don't have to be declared at the beginning
// of the function.

///////////////
// #include
///////////////
#include <iostream.h>

//////////////////////////
// Function Name: main()
//////////////////////////
void main ( void )
{
for ( int iCounter = 1; iCounter < 6; iCounter++ )
    {
    cout << "\n iCounter = " << iCounter << endl;
    }
```

```
int n = 3;
cout << "\n n = " << n << endl;
}
```

C vs. C++

In C, the declaration of the variable must be at the beginning of the function.

In C++, you may place the declarations of the variables close to the statements that use the variables. However, you must declare the variable before using it in a statement.

Scope of Variables

Because C++ lets you declare variables anywhere in a program, you have to be careful and consider the scope of the variables (i.e., the area in the program where the variable is accessible). Consider the following `main()` function, which contains an error:

```
#include <iostream.h>
void main()
{
for (int i=1; i<3; i++)
    {
    int j=3; // j is accessible ONLY within the for() loop
    cout << i;
    }
cout<<i;
cout<<j; // *** ERROR: j is NOT declared ***
}
```

The `i` variable is declared before the `for()` loop starts. Thus, the `i` variable is accessible anywhere in `main()`.

The `j` variable is declared within the `for()` loop. Thus, its scope is only in between the braces (`{` and `}`) of the `for()` loop. If you try to compile the above code, C++ will prompt you with an error, telling you that the `j` variable is unknown. Indeed it is unknown outside the `{}` of the `for()` loop.

WARNING Take advantage of the liberal variable declaration rule that C++ allows, but be careful! Always consider the scope of the variables.

The Scope Resolution Operator

Suppose that you write a C program that uses a global variable with the same name as a local variable:

```
#include <stdio.h>
int MyVar = 3;  /* A global variable. */
void main( void)
{
int MyVar = 4;  /* A local variable. */
printf("MyVar = %d", MyVar);
}
```

In the above `main()` function, the `MyVar` variable is used as both a global variable and a local variable. If you execute the above program, what will it display—3 or 4?

The program will display 4 because C gives preference to the local variable.

Can we instruct the C program to use the global variable instead of the local variable? No, but we can instruct C++ to do so. The SRO.CPP program illustrates how this is done with the *scope resolution operator*. As implied by its name, this operator resolves the issue of global vs. local scope. The symbol for the scope resolution operator is: "`::`".

The SRO.CPP program (shown in Listing 2.8) resides in your C:\C2CPLUS\CH02 directory.

Compiling, Linking, and Executing the SRO.CPP Program

To compile and link the SRO program with the Microsoft C compiler:

- Make sure that your PC is in a DOS protected mode.

- Log into the C:\C2CPLUS\CH02 directory.
- At the DOS prompt type:

  ```
  cl - AH SRO.CPP
  ```

To compile and link the SRO program with the Borland C compiler:

- Log into the C:\C2CPLUS\CH02 directory.
- At the DOS prompt type:

  ```
  bcc -mh SRO.CPP
  ```

To execute the SRO.EXE program:

- Log into the C:\C2CPLUS\CH02 directory.
- At the DOS prompt type:

  ```
  SRO
  ```

The SRO program displays:

```
Results:
-------
I am the local:  iAccount = 100
I am the global: iAccount = 200
```

Listing 2.8: Source Code for the SRO.CPP Program

```
//////////////////////////////////////////////////////
// Program Name: SRO.CPP (Scope Resolution Operator).
//////////////////////////////////////////////////////

// Program Description:
// This program illustrates how to use the scope
// resolution operator.

//////////////
// #include
//////////////
#include <iostream.h>

//////////////////////
// Global variables
//////////////////////
int iAccount = 200;
```

```
///////////////////////////
// Function Name: main()
///////////////////////////
void main ( void )
{
cout << "\n Results:";
cout << "\n -------";
int iAccount = 100;
cout << "\n I am the local:  iAccount = "
     << iAccount;

cout << "\n I am the global: iAccount = "
     << :: iAccount << endl;
}
```

Stepping through the SRO.CPP Program

The SRO.CPP program `#includes` the iostream.h file (because it uses `cout`):

```
#include <iostream.h>
```

and then it declares the global variable `iAccount`:

```
int iAccount = 200;
```

The scope is global because the variable is declared outside `main()`.

The program then displays a header message:

```
cout << "\n Results:";
cout << "\n -------";
```

and then declares the local variable `iAccount`:

```
int iAccount = 100;
```

This `iAccount` variable is local to `main()`, because it is declared in `main()`.

The program then displays the value of `iAccount`. First without the scope resolution operator:

```
cout << "\n I am the local:  iAccount = "
     << iAccount;
```

and then with the scope resolution operator (::):

```
cout << "\n I am the global: iAccount = "
     << :: iAccount;
```

C vs. C++

If a C program uses a local variable that has the same name as a global variable, then the program uses the value of the local variable.

In C++, you can instruct the program to use the value of the global variable with the scope resolution operator. **Example:**

```
cout <<"\n I am the global variable:"<< ::i;
```

Using Inline Functions

A function in C++ can be defined as an *inline* function. The `inline` keyword tells the C++ compiler to treat the function as a macro. The INLINE.CPP program (Listing 2.9) illustrates the inline concept. INLINE.CPP resides in your C:\C2CPLUS\CH02 directory.

Compiling, Linking, and Executing the INLINE.CPP Program

To compile and link the INLINE.CPP program with the Microsoft C/C++ compiler:

- Make sure that your PC is in a DOS protected mode.
- Log into the C:\C2CPLUS\CH02 directory.
- At the DOS prompt type:

  ```
  cl -AH INLINE.CPP
  ```

To compile and link the INLINE.CPP program with the Borland C/C++ compiler:

- Log into the C:\C2CPLUS\CH02 directory.

- At the DOS prompt type:

  ```
  bcc -mh INLINE.CPP
  ```

To execute the INLINE.EXE program:

- Log into the C:\C2CPLUS\CH02 directory.
- At the DOS prompt type:

  ```
  INLINE
  ```

The INLINE program responds by displaying:

```
I am at the beginning of main().
In the inline() function.
In the inline() function.
In the inline() function.
In the inline() function.
I am at the end of main().
```

Listing 2.9: Source Code for the INLINE.CPP Program

```
//////////////////////////////
// Program Name: INLINE.CPP
//////////////////////////////

// Program Description:
// This program illustrates how to use inline functions.

//////////////
// #include
//////////////
#include <iostream.h>

//////////////////////////////////////
// Function name: ShowIt()
// Note: This is an inline function.
//////////////////////////////////////
inline void ShowIt ( char *s )
{
cout << "\n" << s;
}

//////////////////////////
// Function Name: main()
//////////////////////////
```

```
void main (void )
{
cout << "\n I am at the beginning of main()";
ShowIt ("In the inline() function.");
ShowIt ("In the inline() function.");
ShowIt ("In the inline() function.");
ShowIt ("In the inline() function.");
cout << "\n I am at the end of main()";
}
```

Stepping through the INLINE.CPP Program

The `main()` program calls the `ShowIt()` function four times. The `ShowIt()` function looks like a regular function, except that the keyword `inline` appears as the first word of its declaration:

```
inline void ShowIt ( char *s )
{
cout << "\n " << s;
}
```

The word `inline` tells the C++ compiler to substitute the text:

```
cout << "\n In the inline() function.";
```

whenever there is a call to `ShowIt()`.

In other words, the inline function serves the same role as `#define`.

What are the advantages of using inline functions? As you recall, whenever a function is executed, the program executes various overhead operations (saving the registers of the CPU to the stack, and so on). However, when an inline function is executed, these overhead tasks are avoided, because the inline function is just a code substitution. Thus, you should use an inline function for any operation that is repeated throughout your program, so that the operation will be performed as fast as possible.

NOTE

The C++ compiler will substitute the code of the inline function only if the inline function contains no more than a few lines of code. If your inline function contains too many lines, then the compiler will treat the inline function as a regular function. To summarize, you do not have full control whether the compiler will treat the inline function as a macro or as a regular function. If you want to be 100 percent sure that the repeated code is treated as a macro, use `#define` statements.

User-Defined Data Types

Both C and C++ programs can use user-defined data types (enumeration). In C, you have to precede an enumerated variable with the keyword `enum` every time that variable appears in the code. In C++, however, you only need to precede the enumerated variable with the `enum` keyword once, in the declaration statement.

The ENUM.CPP program (shown in Listing 2.10) demonstrates how enumerated variables are used in C++. This program resides in your C:\C2CPLUS\CH02 directory.

Compiling, Linking, and Executing the ENUM.CPP Program

To compile and link the ENUM.CPP program with the Microsoft C/C++ compiler:

- Make sure that your PC is in a DOS protected mode.
- Log into the C:\C2CPLUS\CH02 directory.
- At the DOS prompt type:

  ```
  cl -AH ENUM.CPP
  ```

To compile and link the ENUM.CPP program with the Borland C/C++ compiler:

- Log into the C:\C2CPLUS\CH02 directory.

- At the DOS prompt type:

  `bcc -mh ENUM.CPP`

To execute the ENUM.EXE program:

- Log into the C:\C2CPLUS\CH02 directory.
- At the DOS prompt type:

  `ENUM`

The ENUM program responds by displaying the message:

```
My number = one
My number = two
My number = three
two + three = 3
```

Listing 2.10: Source Code for the ENUM.CPP Program

```
/////////////////////////
// The ENUM.CPP program.
/////////////////////////

// Program Description:
// This program illustrates the use of the enumerated (user
// defined) data type.

////////////
// #include
////////////
#include <iostream.h>

//////////////////////
// Enum definition
//////////////////////
enum number {one, two, three, four, five};

//////////////////////////
// Function Name: main()
//////////////////////////
void main ( void )
{
number MyNumber;

MyNumber = one;
```

```
if ( MyNumber == 0 )
    {
    cout << "\n My number = one";
    }

MyNumber = two;
if ( MyNumber == 1 )
    {
    cout << "\n My number = two";
    }

MyNumber = three;
if ( MyNumber == 2 )
    {
    cout << "\n My number = three";
    }

MyNumber = (number) ( two + three );
if ( MyNumber == 3 )
    cout << "\n two + three = 3";
}
```

Stepping through the ENUM.CPP Program

The ENUM.CPP program defines a user-defined data type called `number`:

```
enum number (one, two, three, four, five);
```

So from now on, the data type `number` is treated by the compiler just like `int`, `char`, and so on.

As you know, `int` is defined in such a way that it can hold integers, and `char` is defined in such a way that it can hold characters. The ENUM.CPP program defines `number` so that it can hold `one`, `two`, `three`, `four`, or `five`.

In `main()`, a variable called `MyNumber` is defined to be of type `number`:

```
number MyNumber;
```

(Just as you define `char c;` and `int i;`, for example.)

Then the program assigns the value of `one` to the `MyNumber` variable:

```
MyNumber = one;
```

(Just as you assign `i = 55;` for integers.)

When assigning value to `MyNumber`, you must assign a value that the `number` data type accepts (`one`, `two`, `three`, `four`, or `five`).

The program then uses an `if()` statement to check the value of `MyVariable`:

```
if ( MyNumber == 0 )
   {
   cout << "\n My number = one";
   }
```

The above `if()` statement proves that the compiler actually treats the `MyNumber` variable as an integer. The first accepted value of `number` is `one`. Because this value appears as the first element in the `enum` definition, the compiler assigns 0 to this value. Similarly, `two` appears as the second element in the `enum` definition, so the compiler assigns 1 to this value. In other words, as far as the compiler is concerned, it treats the values of `MyNumber` as follows:

```
one   = 0
two   = 1
three = 2
four  = 3
five  = 4
```

The program then assigns the result of `two + three` to `MyNumber`:

```
MyNumber = (number) ( two + three );
```

Note that because the compiler consider `two` as the integer 1, and `three` as the integer 2, the result of `two+three` is the same as `1+2=3`. However, `MyNumber` is not `int` (it is `number`), so you must use casting `(number)`.

The `if()` statement verifies that indeed `MyNumber` is equal to 3:

```
if ( MyNumber == 3 )
   cout << "\n two + three = 3";
```

Overloaded Functions

You'll now learn about *overloaded* functions, a very important C++ concept. To understand this concept, consider a C program that includes a function called `AddIt()`. This function takes two numbers as its parameters, adds them, and then returns the result.

You may write the AddIt() function as follows:

```
/* The AddIt() function */
int AddIt ( int x, int y )
{
return x+y;
}
```

The above AddIt() function can take only integers as its parameters. What would you do if your C program also needs an AddIt() function that returns the result of adding two float numbers? You'd probably write the following function:

```
/* The fAddIt() function */
float fAddIt ( float x, float y )
{
return x+y;
}
```

In a similar way, you'd have to write separate AddIt() functions to handle long numbers and double numbers. The main() function of this program would have to include statements such as AddIt() (for adding integers), fAddIt() for adding float numbers, and so on. Wouldn't it be more convenient if the compiler could automatically determine which function you intended to use?

In C++, you can write functions with identical names, where each function handles a different data type. These function are called *overloaded* functions.

The AddIt.CPP program (shown in Listing 2.11) illustrates how to write overloaded functions in C++. This program resides in your C:\C2CPLUS\CH02 directory.

Compiling, Linking, and Executing the ADDIT.CPP Program

To compile ADDIT.CPP with the Microsoft C/C++ compiler:

- Make sure that your PC is in a DOS protected mode.
- Log into the directory C:\C2CPLUS\CH02
- At the DOS prompt type:

```
cl -AH AddIt.CPP
```

To compile ADDIT.CPP with the Borland C/C++ compiler:

- Log into the directory C:\C2CPLUS\CH02
- At the DOS prompt type:

  ```
  bcc -mh AddIt.CPP
  ```

To execute the AddIt.EXE program:

- Log into the directory C:\C2CPLUS\CH02.
- At the DOS prompt type:

  ```
  AddIt
  ```

The AddIt program responds by displaying:

```
1 + 2 = 3
1.1 + 2.1 = 3.2
```

Listing 2.11: Source Code for the ADDIT.CPP Program

```
////////////////////////////
// Program Name: AddIt.CPP
////////////////////////////

// Program Description:
// This program demonstrates how to write overloaded
// functions.

//////////////
// #include
//////////////
#include <iostream.h>

////////////////
// Prototypes
////////////////
int   AddIt ( int   ia, int   ib );
float AddIt ( float fa, float fb );

/////////////////////////
// Function Name: main()
/////////////////////////
void main ( void )
```

```
{
int iResult;
int ia = 1;
int ib = 2;
iResult = AddIt (ia, ib);
cout << "\n 1 + 2 = " << iResult;

float fResult;
float fa = 1.1;
float fb = 2.1;
fResult = AddIt (fa, fb);
cout << "\n 1.1 + 2.1 = " << fResult;
}

///////////////////////////
// Function Name: AddIt()
// (overloaded function)
///////////////////////////
int AddIt ( int a, int b )
{
return a+b;
}

///////////////////////////
// Function Name: AddIt()
// (overloaded function)
///////////////////////////
float AddIt ( float a, float b )
{
return a+b;
}
```

Stepping through the AddIt.CPP Program

The ADDIT.CPP program has two prototypes:

```
int   AddIt ( int   ia, int   ib );
float AddIt ( float fa, float fb );
```

Both prototypes have an identical function name, `AddIt()`; however, the functions return values of different data types and their parameters are different.

The first AddIt( ) function adds two integers:

```
int AddIt ( int a, int b )
{
return a+b;
}
```

and the second AddIt( ) function adds two float numbers:

```
float AddIt ( float a, float b )
{
return a+b;
}
```

main( ) initializes the integers ia and ib, and calls the AddIt( ) function:

```
int ia = 1;
int ib = 2;
iResult = AddIt (ia, ib);
cout << "\n 1 + 2 = " << iResult;
```

So which AddIt( ) function will be executed, the first or the second? Well, the C++ compiler is smarter than the C compiler. It sees that the parameters of the AddIt( ) function are integers, so it concludes that the first AddIt( ) function should be executed.

main( ) then calls the AddIt( ) function again:

```
float fa = 1.1;
float fb = 2.1;
fResult = AddIt (fa, fb);
cout << "\n 1.1 + 2.1 = " << fResult;
```

Which AddIt( ) function will be executed now? The AddIt( ) function that has two floating numbers as its parameters (i.e., the second AddIt( ) function will now be executed).

By using overloaded functions, you let the compiler do the work of figuring out which function you intend to use. This makes the program easier to read, because main( ) calls one single function, AddIt( ), instead of iAddIt( ), fAddIt( ), lAddIt( ) and so on.

Tip: Parameter Lists and Overloaded Functions

When determining which overloaded function you intended, the C++ compiler makes its determination based on the parameters of the overloaded function. Thus, you cannot have two functions with the identical list of parameters (even if the returned value is different).

Example: The following is illegal:

```
int   ShowIt ( int s );
float ShowIt ( int s );
```

because the parameter lists are identical.

The following is legal:

```
int   ShowIt ( int s, int t );
int   ShowIt ( int s );
```

because the parameter lists are not identical.

A Practical Use of Overloaded Functions

The STRING.CPP program, shown in Listing 2.12, illustrates a practical use for overloaded functions. As you recall, the `strcpy()` function in C copies a string, and the `strncpy()` function copies only a portion of the string.

For example,

```
strcpy ( to, from );
```

copies the contents of `from` to `to`, while

```
strncpy ( to, from, 2 );
```

copies the first two characters of `from` to `to`.

By using overloaded functions, you can write two overloaded `stringcpy()` functions. One performs the `strcpy()` operation, and the other performs the `strncpy()` operation. The C++ compiler will always be able to determine which function you intend to use, by examining the parameter list.

The STRING.CPP program (shown in Listing 2.12) resides in your C:\C2CPLUS\CH02 directory.

Compiling, Linking, and Executing the STRING.CPP Program

To compile the STRING.CPP program with the Microsoft C/C++ compiler:

- Make sure that your PC is in a DOS protected mode.
- Log into the C:\C2CPLUS\CH02 directory.
- At the DOS prompt type:

```
cl -AH STRING.CPP
```

To compile the STRING.CPP program with the Borland C/C++ compiler:

- Log into the C:\C2CPLUS\CH02 directory.
- At the DOS prompt type:

```
bcc -mh STRING.CPP
```

To execute the STRING.EXE program:

- Log into the C:\C2CPLUS\CH02 directory.
- At the DOS prompt type:

```
STRING
```

The String program responds by displaying:

```
This is my string
Th
```

Listing 2.12: Source Code for the STRING.CPP Program

```
/////////////////////////////
// The STRING.CPP program.
/////////////////////////////

// Program Description:
// This program illustrates how to use overloaded functions
// to combine the strcpy() and the strncpy() functions.

/////////////
// #include
/////////////
#include <iostream.h>
#include <string.h>

///////////////
// Prototypes
///////////////
void stringcpy ( char *to, const char *from);
void stringcpy ( char *to, const char *from, int length );

////////////////////
// Global Variables
////////////////////
static char My_String1[255];
static char My_String2[255];

///////////////////////////
// Function Name: main()
///////////////////////////
void main ( void )
{
stringcpy( My_String1, "This is the string");
cout << "\n My_String1 = " << My_String1;

stringcpy( My_String2, "This is the string", 2);
cout << "\n My_String2 = " << My_String2;
}

//////////////////////////////////
// Function Name: stringcpy()
//////////////////////////////////
void stringcpy ( char *to, const char *from)
{
```

```
strcpy ( to, from );
}

//////////////////////////////////
// Function Name: stringcpy()
//////////////////////////////////
void stringcpy ( char *to, const char *from, int length)
{
strncpy ( to, from, length );
}
```

Stepping through the STRING.CPP Program

The STRING program `#includes` the iostream.h file (because `cout` is used in the program), and the string.h file (because `strcpy()` and `strncpy()` are used in the program).

The program then declares two prototypes:

```
void stringcpy ( char *to, const char *from);
void stringcpy ( char *to, const char *from, int length );
```

These are the prototypes of the `stringcpy()` overloaded functions.

The first `stringcpy()` function uses the `strcpy()` function:

```
void stringcpy ( char *to, const char *from)
{
strcpy ( to, from );
}
```

and the second `stringcpy()` function uses the `strncpy()` function:

```
void stringcpy ( char *to, const char *from, int length)
{
strncpy ( to, from, length );
}
```

The program defines two global variables:

```
static char My_String1[255];
static char My_String2[255];
```

and then the main() function copies the string This is the string into the My_String1 variable, by using the overloaded function stringcpy():

```
stringcpy( My_String1, "This is the string");
cout << "\n My_String1 = " << My_String1;
```

How does the compiler determine which of the two stringcpy() functions to use? By inspecting the parameter list. Because the stringcpy() function contains two parameters that agree with the prototype of the first stringcpy() function, it knows to use the first stringcpy() function.

The cout statement displays the contents of My_String1:

```
My_String1 = This is my string
```

main() then executes the stringcpy() function again:

```
stringcpy( My_String2, "This is the string", 2);
cout << "\n My_String2 = " << My_String2;
```

However, because now the stringcpy() function contains three parameters that agree with the prototype of the second stringcpy() function, the C++ compiler knows to use the second stringcpy() function.

The cout statement displays the contents of My_String2:

```
My_String2 = Th
```

Th are the first two characters of the This is my string string.

Linking C and C++

If you take an existing C program, change its file extension from .C to .CPP, and try to compile/link it as a C++ program, probably the program will NOT compile and link without errors! Why? Because although C is a subset of C++, there are some minor differences (discussed throughout this book). Once you've mastered these differences, would it make sense to go over the code of an existing C program, and modify it to be compatible with C++? This is NOT a good idea because:

1. The C program that you are trying to convert to C++ may include thousands of lines, and thus the conversion process will consume too much time!

2. It is also possible that you are using a C program that was compiled with a C compiler to a library (LIB file), and you don't even have access to the C source code.

Don't worry! The designers of C++ thought about the above possibilities, and the C++ compiler includes a feature that enables you to link C code to your C++ programs without making a single change to the C code. To demonstrate this, we'll use a version of the time-honored Hello program.

Almost all programming books start by showing the reader how to write a simple program, called HELLO, that displays the message "Hello" on the screen. Our version of the Hello program, however, plays the spoken word "Hello" through the PC speaker as well as displaying it on the screen (you don't need any drivers, and you don't need any sound card). To do this, the C++ program uses an existing C library.

Listing 2.13 shows the source code of the HELLO.CPP program.

Executing the Hello Program

To execute the Hello program:

- Make sure that your PC is at the regular DOS prompt. i.e., not is a.DOS shell of Windows.
- Log into the C:\C2CPLUS\CH02 directory.
- At the DOS prompt type:

  ```
  HELLO
  ```

The Hello program responds by displaying the message Hello on the screen, and by playing an audio message through the PC speaker.

Listing 2.13: Source Code for the HELLO.CPP Program

```
/////////////////////////////////////////
// PROGRAM NAME: HELLO.CPP
/////////////////////////////////////////

// (C) Copyright TegoSoft Inc. 1991, 1992, 1993
// (R) All Rights Reserved.
```

```
// TegoSoft Inc.
// P.O. Box 389, Bellmore, NY 11710
// Phone:(516)783-4824

// PROGRAM DESCRIPTION:
// This program displays & says Hello.

////////////////
//  #include
////////////////

//////////////////////////////
// Standard C++ header files.
//////////////////////////////
#include <iostream.h>

/////////////////////////////
// Standard C header files
/////////////////////////////
#include <conio.h>
#include <dos.h>

#ifdef _MSC_VER
   #include <graph.h>
#endif

#include <process.h>
#include <signal.h>
#include <stdio.h>
#include <string.h>

/////////////////////////////////////////////////////////////
// Using an existing C library
// Library Name: TegoDMS.LIB or TegoDBL.LIB
// Note:
// The book's diskette includes the limited version of
// the library. The limited version can play only these
// WAV files that were supplied with the book's diskette.
// To play any other WAV file, you need to use the full
// version. To purchase the full version of the library,
// call:
// TegoSoft Inc.
// Box 389, Bellmore, NY 11710
// Phone:(516)783-4824
// Full version library price:
```

```
// $29.95 + $5.00 shipping & Handling
////////////////////////////////////////////////////////////////////
#ifdef _MSC_VER
   #pragma message (" ")
   #pragma message (" Compiling with the MS C/C++ compiler")
   #pragma message ("     using the TegoSoft Sound library")
   extern "C"
        {
        #include "c:\C2CPLUS\TegoMS\sp1.h"
        #include "c:\C2CPLUS\TegoMS\sp2.h"
        #include "c:\C2CPLUS\TegoMS\sp3.h"
        }
#endif

#ifndef _MSC_VER
   extern "C"
        {
        #include "c:\C2CPLUS\TegoBL\sp1.h"
        #include "c:\C2CPLUS\TegoBL\sp2.h"
        #include "c:\C2CPLUS\TegoBL\sp3.h"
        }
#endif


//////////////////////////
// Function Name: main()
//////////////////////////
void main ( void )
{
int    iOpenResult;

// Clear the screen.
#ifdef _MSC_VER
   _clearscreen(_GCLEARSCREEN);
#endif

#ifndef _MSC_VER
   clrscr();
#endif


// Display a "Please wait" message.
cout << "\n Please wait..." << endl;
```

```
// Open a sound session with the file HELLO.WAV
iOpenResult =
   sp_open_wav_session ( "C:\\C2CPLUS\\WAV\\HELLO.WAV" );

// Clear the "Please wait" message.
// Clear the screen.
#ifdef _MSC_VER
   _clearscreen(_GCLEARSCREEN);
#endif

#ifndef _MSC_VER
   clrscr();
#endif

// If the sound file was not opened successfully exit.
if ( iOpenResult != 1 )
   {
   cout << "\n Can't open the sound file!" << endl;
   exit(0);
   }

// Clear the screen, and display the Hello message.
#ifdef _MSC_VER
   _clearscreen(_GCLEARSCREEN);
#endif

#ifndef _MSC_VER
   clrscr();
#endif

cout << "\n Hello, have a nice day. Good-Bye." << endl;

// Play the WAV file.
_disable();   // Disable interrupts during playback
              // (for better quality).
sp_play_byte_range ( SP_START_OF_FILE, SP_END_OF_FILE );
_enable();    // No need to disable interrupts anymore.

}
```

Stepping through the HELLO.CPP Program

The code of the Hello program for the Microsoft C/C++ compiler is a little different than the code for the Borland C/C++ compiler, because of some minor differences between the two compilers. For example, to clear the screen in Microsoft, you use the statement:

```
_clearscreen(_GCLEARSCREEN);
```

while to clear the screen with Borland, you use the statement:

```
clrscr();
```

It looks as if you need two separate CPP files, one for Microsoft and one for Borland. However, by using a little trick, you can have a single CPP file that is compatible with both the Microsoft as well as the Borland C/C++ compiler.

Here is the trick: When you compile with either of the Microsoft C/C++ compilers (version 7.00 or Visual C++ version 8.00), the compiler automatically `#defines` a constant:

```
#define _MSC_VER 700
```

or

```
#define _MSC_VER 800
```

You don't see the above `#define` line in the CPP file, but as far as the compiler is concerned, this line (although invisible), does exist.

On the other hand, if you compile with the Borland C/C++ compiler, the compiler does not `#define` the `_MSC_VER` macro.

The trick is to include the following statements in HELLO.CPP:

```
// Clear the screen.
#ifdef _MSC_VER
   _clearscreen(_GCLEARSCREEN);
#endif

#ifndef _MSC_VER
   clrscr();
#endif
```

The `#ifdef _MSC_VER` statement tells the compiler to compile all the statements between `#ifdef` and `#endif` only if `_MSC_VER` is `#defined`. When you compile with the Microsoft compiler, `_MSC_VER` is `#defined`, and the compiler compiles the statement `_clearscreen(_GCLEARSCREEN)`.

The `#ifndef _MSC_VER` statement tells the compiler to ignore the statement between the `#ifndef` and `#endif` if `_MSC_VER` is not `#defined`. To summarize, if you compile with the Microsoft compiler, the `_clearscreen(_GCLEARSCREEN)` statement is compiled, and the `clrscr()` is not compiled.

Likewise, when you use the Borland compiler, the `_MSC_VER` is not `#defined`. This means that the statement `_clearscreen(_GCLEARSCREEN)` is not compiled, and the statement `clrscr()` is compiled.

Using the above trick, you can instruct the compiler to compile or not to compile certain statements based on the particular compiler that you are using.

The Standard C Header Files of HELLO.CPP

The HELLO.CPP program `#includes` the iostream.h file (because it uses `cout`), and it also uses several standard C header files.

In general, the Microsoft C header files have the same names as the Borland header files. However, there is one h file, called graph.h, that is used by the Microsoft compiler, and is not supported by the Borland compiler.

Accordingly, the following `#ifdef` statement is used:

```
#ifdef _MSC_VER
   #include <graph.h>
#endif
```

#including the TegoSoft Sound Header Files

The HELLO.CPP program plays WAV files, and you therefore must link the program with the TegoSoft C library.

TIP

Throughout the book, you'll learn C++ by writing many simple C++ programs. To make the learning interesting and fun, some of the program examples use audio prompts instead of just using the `cout` statements.

Every DOS program that plays WAV files must `#include` the sp1.h, sp2.h, and sp3.h files.

However, this library was created by using a C compiler, and the HELLO.CPP program is written for a C++ compiler. So you must tell the C++ compiler that the sp1.h, sp2.h and sp3.h are C code. You do this by using the `extern` keyword as follows:

```
extern
{
#include <name of a C header file>
}
```

That is, you type the `extern` keyword, and then you enclose all the C header files with curly brackets `{}`.

Summary: The extern Keyword

To tell the C++ compiler that the program uses functions from a C library, use the `extern` keyword as follows:

```
extern
{
#include <name of a C header file>
}
```

You can `#include` as many h files as are needed between the curly brackets of the `extern` keyword.

If you are using the Microsoft C++ compiler, you have to include the following statement:

```
extern
{
#include "c:\C2CPLUS\TegoMS\sp1.h"
#include "c:\C2CPLUS\TegoMS\sp2.h"
#include "c:\C2CPLUS\TegoMS\sp3.h"
}
```

and if you are linking with the Borland C++ compiler, you have to include the following statement:

```
extern
{
#include "c:\C2CPLUS\TegoBL\sp1.h"
#include "c:\C2CPLUS\TegoBL\sp2.h"
#include "c:\C2CPLUS\TegoBL\sp3.h"
}
```

Because HELLO.CPP supports both the Microsoft and Borland C++ compilers, it uses the following statements:

```
#ifdef _MSC_VER
   #pragma message (" ")
   #pragma message (" Compiling with the MS C/C++ compiler")
   #pragma message ("     using the TegoSoft Sound library")
   extern "C"
        {
        #include "c:\C2CPLUS\TegoMS\sp1.h"
        #include "c:\C2CPLUS\TegoMS\sp2.h"
        #include "c:\C2CPLUS\TegoMS\sp3.h"
        }
#endif

#ifndef _MSC_VER
   extern "C"
        {
        #include "c:\C2CPLUS\TegoBL\sp1.h"
        #include "c:\C2CPLUS\TegoBL\sp2.h"
        #include "c:\C2CPLUS\TegoBL\sp3.h"
        }
#endif
```

Notice that the Microsoft C/C++ compiler supports the `#pragma message` statement. This statement prints a message during the compilation (for cosmetic reasons only).

For example, the following statement

```
#pragma message ("I'm here now")
```

displays the message

```
I'm here now
```

when the compiler encounters the `#pragma` message statement during the compiling.

The main() Function of HELLO.CPP

The `main()` function defines an integer `iOpenResult`:

```
int    iOpenResult;
```

It then clears the screen:

```
// Clear the screen.
#ifdef _MSC_VER
   _clearscreen(_GCLEARSCREEN);
#endif

#ifndef _MSC_VER
   clrscr();
#endif
```

and displays the message `Please wait...`:

```
cout << "\n Please wait..." << endl;
```

`main()` then opens a sound session by using the `sp_open_wav_session()` function from the TegoSoft library:

```
iOpenResult =
   sp_open_wav_session ( "C:\\C2CPLUS\\WAV\\HELLO.WAV" );
```

TIP

All functions from the TegoSoft library start with the characters sp_.

The returned value of sp_open_wav_session() is an integer that indicates whether the sound session was successfully opened.

If the returned value is 1, then the WAV session was opened successfully; if the returned value is not 1, then the WAV session could not be opened (for example, because you specified a WAV file that does not exist).

main() examines the returned value from the sp_open_wav_session() function:

```
if ( iOpenResult != 1 )
   {
   cout << "\n Can't open the sound file!" << endl;
   exit(0);
   }
```

If the WAV session was not opened successfully, the program terminates.

If the WAV session was opened successfully, the cout statement is used to display a message:

```
cout << "\n Hello, have a nice day. Good-Bye." << endl;
```

NOTE

Opening a WAV session does not, by itself, play the WAV file. To play the WAV file, you must use the sp_play_byte_range() function. However, before executing sp_play_byte_range(), you must first open the WAV session with the sp_open_wav_session() function.

main() then plays the WAV file with the sp_play_byte_range() function:

```
// Play the WAV file.
_disable();  // Disable interrupts during playback
             // (for better quality).
sp_play_byte_range ( SP_START_OF_FILE, SP_END_OF_FILE );
_enable();   // No need to disable interrupts anymore.
```

Note that the prototypes of sp_open_wav_session() and sp_play_byte_range() are declared in the sp1.h, sp2.h, and sp3.h files.

Before using the sp_play_byte_range() function, we execute the _disable() function, which disables all interrupts (for a better playback quality).

When the playback is completed, the interrupts are enabled by using the `_enable()` function.

The parameters of the `sp_play_byte_range()` function indicate the starting and ending point of the audio section in the WAV file. For example, to play from byte location 10,000 to byte location 1,000,000, use this statement:

```
sp_play_byte_range ( 10000L, 1000000L );
```

You can use the macro `SP_START_OF_FILE` to play from the beginning of the file. For example, to play from the beginning of the WAV file up to byte location 25,000, use this statement:

```
sp_play_byte_range ( SP_START_OF_FILE, 25000L );
```

You can use the macro `SP_END_OF_FILE` to specify that the ending point is the end of the WAV file. For example, to play from byte location 40,000 to the end of the WAV file, use this statement:

```
sp_play_byte_range ( 40000L, SP_END_OF_FILE );
```

and to play the entire WAV file, you can use this statement:

```
sp_play_byte_range ( SP_START_OF_FILE,
                     SP_END_OF_FILE );
```

`SP_START_OF_FILE` and `SP_END_OF_FILE` are `#define`d in sp1.h, sp2.h, and sp3.h.

Compiling and Linking the HELLO.CPP Program with the Microsoft C/C++ Version 7.00 Compiler

To compile and link the HELLO.CPP program with the Microsoft C/C++ version 7.0 compiler:

- Make sure that your PC is in a DOS protected mode.
- Log into your C:\C2CPLUS\CH02 directory.
- At the DOS prompt type:

  ```
  cl -AH HELLO.CPP C:\C2CPLUS\TegoMS\TegoDMS.lib
                   C:\C700\LIB\GRAPHICS.LIB
  ```

Note that although the above command line is shown on two lines because of space limitations, it must be typed as a single command. The above compile/link command line will be used frequently throughout the book. Because this compile/link line requires a lot of typing, it is best to create a batch file for it. Your C:\C2CPLUS\CH02 directory contains the file TegoMS7.BAT. This file contains the following lines:

```
echo off
cls
Echo  ---------------------------------------------------
Echo    Compiling and linking with the MS C++ Ver 7.00
Echo      and the TegoSoft C++ for DOS sound library.
Echo  ---------------------------------------------------
cl -AH  %1 C:\C2CPLUS\TegoMS\TegoDMS.lib
               C:\c700\lib\Graphics.lib
```

Note that the last two lines actually appear on a single line in the file.

To compile and link the HELLO.CPP program with the Microsoft C/C++ version 7.00 compiler and the TegoMS7.BAT file:

- Make sure that your PC is in a DOS protected mode.
- Log into your C:\C2CPLUS\CH02 directory.
- At the DOS prompt type:

  ```
  TegoMS7 HELLO.CPP
  ```

Compiling and Linking the HELLO.CPP Program with the Microsoft Visual C/C++ Version 8.00 Compiler

The Microsoft Visual C++ compiler uses the file CL.EXE version 8.00. It is therefore referred to as the Microsoft Visual C/C++ version 8.00 compiler.

To compile and link the HELLO.CPP program with the Microsoft Visual C/C++ version 8.0 compiler:

- Make sure that your PC is in a DOS protected mode.
- Log into your C:\C2CPLUS\CH02 directory.
- At the DOS prompt type:

  ```
  cl -AH HELLO.CPP C:\C2CPLUS\TegoMS\TegoDMS.lib
                   C:\MSVC\LIB\GRAPHICS.LIB
  ```

Note that although the above command line is shown on two lines because of space limitations, it must be typed as a single command.

The above compile/link command line will be used frequently throughout the book. Because this line requires a lot of typing, it is best to create a batch file for it. Your C:\C2CPLUS\CH02 directory contains the file TegoMS8.BAT. This file contains the following lines:

```
echo off
cls
Echo  ------------------------------------------------
Echo    Compiling and linking with the MS Visual C++
Echo      and the TegoSoft C++ for DOS sound library.
Echo  ------------------------------------------------
cl -AH  %1 C:\C2CPLUS\TegoMS\TegoDMS.lib
              C:\MSVC\lib\Graphics.lib
```

Note that the last two lines actually appear on a single line in the file.

To compile and link the HELLO.CPP program with the Microsoft Visual C/C++ compiler and the TegoMS8.BAT file:

- Make sure that your PC is in a DOS protected mode.
- Log into your C:\C2CPLUS\CH02 directory.
- At the DOS prompt type:

  ```
  TegoMS8 HELLO.CPP
  ```

Compiling and Linking the HELLO.CPP Program with the Borland C/C++ Version Compiler

To compile and link the HELLO.CPP program with the Borland C/C++ compiler:

- Log into your C:\C2CPLUS\CH02 directory.
- At the DOS prompt type:

  ```
  bcc -mh HELLO.CPP C:\C2CPLUS\TegoBL\TegoDBL.lib
  ```

The above compile/link command line will be used frequently throughout the book. Because this line requires a lot of typing, it is best to create a batch file for it. Your C:\C2CPLUS\CH02 directory contains the file TegoBL.BAT. This file contains the following lines:

```
echo off
cls
Echo  ---------------------------------------------------
Echo    Compiling and linking with the Borland C++
Echo      and the TegoSoft C for DOS sound library.
Echo  ---------------------------------------------------
bcc -mh %1 C:\C2CPLUS\TegoBL\TegoDBL.lib
```

To compile and link the HELLO.CPP program with the Borland C/C++ compiler and the TegoBL.BAT file:

- Log into your C:\C2CPLUS\CH02 directory.
- At the DOS prompt type:

  ```
  TegoBL HELLO.CPP
  ```

Linking with Other Libraries

As you can see from the `cl` and `bcc` compile/link commands, the HELLO.CPP program requires that you link with the TegoSoft library.

Thus, when compiling with the Microsoft compilers, you must include the library C:\C2CPLUS\TegoMS\TegoDMS.LIB, and when compiling with the Borland compiler, you must link with the C:\C2CPLUS\TegoBl\TegoDBL.LIB library.

The Microsoft compile/link command link also requires that you link with the GRAPHICS.LIB library, because the HELLO.CPP program uses the `_clearscreen()` function. (This library came with your Microsoft compiler.)

TIP

As you can see, this book concentrates on compiling/linking C++ programs with the Microsoft and Borland C/C++ compilers, which are currently the most widely used C++ compilers. Programmers often need to switch between these two major compilers. For example, you may be currently developing a program with one of these compilers, but in the future, you may join a group of programmers using the other major compiler. Thus, it is a good idea to always write your programs in such a way that they will be compatible with both compilers.

Exercises

Problems

1 How does the C/C++ compiler distinguish between a C program and a C++ program?

2 What is the output of the following statement:

```
cout >> "I am here!" >> endl;
```

Solutions

1 The C/C++ compiler distinguishes between a C and a C++ program by the file-name extension of the program. A file that has a .C extension is treated by the compiler as a C program, and a file that has a .CPP extension is treated by the compiler as a C++ program.

2 This statement contains a syntax error. The correct syntax is:

```
cout << "I am here!" << endl;
```

That is, the direction should be from right to left.

CHAPTER THREE

Using References in Your C++ Programs

C++ is a highly structured programming language. As such, like C, it uses the concept of functions. Because functions play a vital role in C++, this chapter is devoted to reviewing the topic of passing parameters to functions, as well as introducing a new method of passing parameters to functions that exists in C++ but not in C.

As a C programmer moving to C++, no doubt you are already eager to do some real, useful C++ work. Well, you are almost there! This chapter discusses the important C++ concept of *references*. This topic is still part of C++ syntax; but don't worry, the chapter is a short one, and it is necessary. We'll move on to object-oriented aspects of C++ in the next chapter. So relax, and enjoy this chapter.

Aliases

The unary operator (&) is used in C++ for declaring a *reference*. The following statements illustrate the use of the unary operator:

```
int iMyVariable;
int &iAmount = iMyVariable;
```

The first statement defines the `iMyVariable` variable as an integer, and the second declares the `iAmount` variable as the *alias* name for `iMyVariable`. From now on, you can use in your program either `iMyVariable` or `iAmount`. In other words, you've told the C++ compiler that the `iMyVariable` has two names. The ALIAS.CPP program demonstrates that this is the case.

Compiling, Linking, and Executing the ALIAS.CPP Program

The ALIAS.CPP program (shown in Listing 3.1) resides in your C:\C2CPLUS\CH03 directory.

To compile the ALIAS.CPP program with one of the Microsoft C/C++ compilers:

- Make sure that your PC is in a DOS protected mode.
- Log into the C:\C2CPLUS\CH03 directory.
- At the DOS prompt type:

```
cl -AH ALIAS.CPP
```

To compile the ALIAS.CPP program with the Borland C/C++ compiler:

- Log into the C:\C2CPLUS\CH03 directory.
- At the DOS prompt type:

  ```
  bcc -mh ALIAS.CPP
  ```

To execute the ALIAS.EXE program:

- Log into the C:\C2CPLUS\CH03 directory.
- At the DOS prompt type:

  ```
  ALIAS
  ```

The ALIAS.EXE program responds by displaying this (the addresses may be different when executed on different PCs):

```
iMyVariable = 3
iAccount = 3

iMyVariable = 5
iAccount = 5

iMyVariable = 8
iAccount = 8

Address of iMyVariable = 0x151f0ffe
Address of iAccount    = 0x151f0ffe
```

Listing 3.1: Source Code for the ALIAS.CPP program

```
///////////////////////////
// Program Name: ALIAS.CPP
///////////////////////////

// Program Description:
// This program illustrates how to create an alias to a
// variable.

////////////
// #include
////////////
#include <iostream.h>

/////////////////////////
// Function Name: main()
```

```
/////////////////////////
void main ( void )
{
int iMyVariable = 3;
int &iAccount = iMyVariable;

cout << "\n iMyVariable = " << iMyVariable;
cout << "\n iAccount = " << iAccount << endl;

iMyVariable = iMyVariable + 2;
cout << "\n iMyVariable = " << iMyVariable;
cout << "\n iAccount = " << iAccount << endl;

iAccount = iAccount + 3;
cout << "\n iMyVariable = " << iMyVariable;
cout << "\n iAccount = " << iAccount;

cout << "\n Address of iMyVariable = " << &iMyVariable;
cout << "\n Address of iAccount   = " << &iAccount << endl;
}
```

Stepping through the ALIAS Program

The ALIAS.CPP program defines and initializes `iMyVariable`:

```
int iMyVariable = 3;
```

and then uses the unary operator to declare the `iAccount` variable:

```
int &iAccount = iMyVariable;
```

From now on, the program can refer to either `iMyVariable` or to `iAccount`.

The program displays the values of `iMyVariable` and `iAccount`:

```
cout << "\n iMyVariable = " << iMyVariable;
cout << "\n iAccount = " << iAccount << endl;
```

Because the compiler considers both variables to be the same, the results of the `cout` statements are:

```
iMyVariable = 3
iAccount = 3
```

The program then increases the value of `iMyVariable` by 2:

```
iMyVariable = iMyVariable + 2;
```

and displays the values of the variables again:

```
cout << "\n iMyVariable = " << iMyVariable;
cout << "\n iAccount = " << iAccount << endl;
```

This means that now `iMyVariable` is 3+2=5, and its alias (`iAccount`) is also equal to 5. In other words, changing the value of `iMyVariable` automatically changes the value of `iAccount`.

The program then changes the value of the alias `iAccount`:

```
iAccount = iAccount + 3;
```

and displays the values of the variables again:

```
cout << "\n iMyVariable = " << iMyVariable;
cout << "\n iAccount    = " << iAccount << endl;
```

Because now `iAccount` is equal to 5+3=8, the program automatically changes the value of `iMyVariable` to 8.

And finally, to prove that indeed these two variables have the same address, the program displays the address of these variables:

```
cout << \n Address of iMyVariable = " << &iMyVariable
cout << \n Address of iMyVariable = " << &iAccount << endl
```

Because both variables reside in the same memory location, the program displays the same address for these variables.

Summary: Using the & Operator in C++

The C++ compiler interprets the & operator according to the context of the statement, either as address or as reference.

Example 1: In the following statement, the & operator is used for creating a reference variable (an alias variable):

```
int &iAccount = iMyVariable;
```

Example 2: In the following statement, the & operator is used for extracting the address of the variable:

```
cout << \n Address of iMyVariable = " << &iMyVariable
```

Passing Parameters to Functions

In C, you can pass parameters to a function in two ways:

- Passing the variable by value.
- Passing the pointer of the variable (i.e., passing the address of the variable).

When you pass a variable to a function by value, the function creates its own new copy of the variable. This means that there is a copy of the passed variable in a different location in memory.

When you pass the pointer of a variable to a function, the function uses the same memory location for the passed variable.

It is important to understand that when you pass a variable by value to a function, the called function cannot change the value of the variable in the calling function (because the called function does not have access to the address of the variable). For example, in the following statements, `main()` executes `MyFunction()`, and passes to it the `iMyVariable` variable by value:

```
#include <iostream.h>
void MyFunction ( int i ); // The prototype.
void main ( void )
{
int iMyVariable = 5;
MyFunction ( iMyVariable );
cout << "\n iMyVariable = " << iMyVariable << endl;
}

void MyFunction ( int i )
{
i = i + 3;
}
```

`MyFunction()` increases the value of `i` by 3. However, because the parameter was passed by value, the value of `iMyVariable` remains the same. In other words, the `cout` statement will print:

```
iMyVariable = 5
```

On the other hand, when you pass the pointer of a variable to a function, the called function can change the value of the variable in the calling function:

```
#include <iostream.h>
void MyFunction ( int *pi ); // The prototype.
void main ( void )
{
int iMyVariable = 5;
MyFunction ( &iMyVariable );
cout << "\n iMyVariable = " << iMyVariable;
}

void MyFunction ( int *pi )
{
*pi = *pi + 3;
}
```

In the above statements, the address of `iMyVariable` was passed to `MyFunction()`. `MyFunction()` increases the value of the variable by 3. This means that the `cout` statement in `main()` will display the message:

```
iMyVariable = 8
```

Should you pass parameters to a function by value or should you pass the address of the variable? If the called function does not need to change the variable of the calling function, pass the parameter by value. On the other hand, if the called function needs to change the value of the passed parameter, pass the pointer of the parameter.

Passing parameters by value slows down the program. The called function has to create a new variable, a process that takes some time, because it involves various overhead operations. This is particularly true when the passed variable is a large structure.

It would be nice if you could pass a parameter to a function in such a way that the called function will not have to create a new variable (for faster execution), and it will not be able to change the value of the passed parameter (a restriction required by a modular structured programming language).

Indeed, the designers of C++ invented a third way of passing parameters: *by reference*. When you pass parameters by reference, the called function uses the same address of the variable (that is, it does not create a new variable in a different location

Summary: Passing Variables by Reference

In a well-structured program, the called function should not change the values of the parameters that are passed to it.

For example, when you use the `printf()` function in C and C++, you pass to it the variable that will be printed:

```
iMyVariable = 3;
printf( "The variable is: %d", iMyVariable);
```

And of course, `printf()` doesn't change the value of `iMyVariable`.

As you can see, the developers of C designed `printf()` (and many other functions) NOT to change the parameters that are passed to it. You should do the same.

in memory). But can the called function change the value of the passed parameter? It depends how you pass the parameter! If you include the keyword `const`, the change won't be permitted; if you omit `const`, it will be permitted. The BYREF.CPP program illustrates how to pass parameters by reference, using `const` so that the called function cannot change the value of the passed parameter.

Compiling, Linking, and Executing the BYREF.CPP Program

The BYREF.CPP program (Listing 3.2) resides in your C:\C2CPLUS\CH03 directory.

To compile and link the BYREF.CPP program with the Microsoft C/C++ Ver. 7.0 compiler:

- Make sure that your PC is in a DOS protected mode.
- Log into the C:\C2CPLUS\CH03 directory.
- At the DOS prompt type:

```
TegoMS7 BYREF.CPP
```

To compile and link the BYREF.CPP program with the Microsoft Visual C/C++ Ver. 8.0 compiler:

- Make sure that your PC is in a DOS protected mode.
- Log into the C:\C2CPLUS\CH03 directory.
- At the DOS prompt type:

```
TegoMS8 BYREF.CPP
```

To compile and link the BYREF.CPP program with the Borland C/C++ compiler:

- Log into the C:\C2CPLUS\CH03 directory.
- At the DOS prompt type:

```
TegoBL BYREF.CPP
```

To execute the BYREF.EXE program:

- Log into the C:\C2CPLUS\CH03 directory.
- At the DOS prompt type:

```
BYREF
```

Listing 3.2: Source Code for the BYREF.CPP Program

```
/////////////////////////////
// Program Name: BYREF.CPP
/////////////////////////////

// Program Description:
// This program illustrates how to pass
// parameters by reference.

////////////
// #include
////////////
#include <iostream.h>
#include <string.h>
#include "C:\C2CPLUS\MORE\TegoDOS.h"

/////////////////////////
// Structure definition
/////////////////////////
struct MYSTRUCTURE
{
```

```
int MyInteger;
char MyString[255];
} ;

///////////////
// Prototypes
////////////////
void MyFunction_ByRef ( const MYSTRUCTURE &MyStructure );

//////////////////////////
// Function Name: main()
//////////////////////////
void main ( void )
{
MYSTRUCTURE MyStructure;
int iOpenResult;

// Open a sound session.
iOpenResult =
 sp_open_wav_session ( "C:\\C2CPLUS\\WAV\\MOVE.WAV" );
if ( iOpenResult != 1 )
 cout << "\n Can't open the sound session" << endl;

//////////////////////////////
// Initialize the MyStructure
//////////////////////////////
MyStructure.MyInteger = 5 ;
strcpy ( MyStructure.MyString,
        "From C to C++ in 2 Weeks" );

MyFunction_ByRef ( MyStructure );
}

////////////////////////////////////
// Function Name: MyFunction_ByRef()
////////////////////////////////////
void MyFunction_ByRef ( const MYSTRUCTURE &My )
{
/////////////////////////////////////////////////////////////
// This function cannot change the value of the passed
// parameters. i.e., the following is NOT allowed:
//
// My.MyInteger = 11;
// strcpy ( My.MyString, "I am in MyFunction_ByRef()");
/////////////////////////////////////////////////////////////
```

```
// Display the contents of the structure
/////////////////////////////////////////
cout << "\n" << My.MyInteger;
cout << "\n" << My.MyString << endl;

// Play the entire WAV file.
_disable();
sp_play_byte_range ( SP_START_OF_FILE, SP_END_OF_FILE );
_enable();
}
```

Stepping through the BYREF Program

The BYREF.CPP program first defines the structure `MYSTRUCTURE` to be composed of an integer and a string:

```
struct MYSTRUCTURE
{
int MyInteger;
char MyString[255];
} ;
```

Then BYREF declares a function prototype:

```
void MyFunction_ByRef ( const MYSTRUCTURE &MyStructure );
```

In this prototype, the parameter of the `MyFunction_ByRef()` function is passed by reference (`&MyStructure`) and it is prefixed with the keyword `const`. This means that `MyFunction_ByRef()` will not be able to change the value of the parameter that is passed to it.

The `main()` function declares `MyStructure` to be of type `MYSTRUCTURE`:

```
MYSTRUCTURE MyStructure;
```

and then initializes the members of the `MyStructure` structure:

```
MyStructure.MyInteger = 5 ;
strcpy (MyStructure.MyString,
        "From C to C++ in 2 Weeks" );
```

`main()` then calls the `MyFunction_ByRef()` function:

```
MyFunction_ByRef ( MyStructure );
```

The MyFunction_ByRef() function displays the value of the structure that was passed to it:

```
5
     From C to C++ in 2 Weeks
```

Modifying the Code of BYREF.CPP

MyFunction_ByRef() does not create a new structure. It uses the same structure that was passed to it, just as if you passed the address (pointer) of the structure. However, can MyFunction_ByRef() change the value of the structure? Let's try it. Change the code of the MyFunction_ByRef() function so that it looks as follows:

```
////////////////////////////////////
// Function Name: MyFunction_ByRef()
////////////////////////////////////
void MyFunction_ByRef ( const MYSTRUCTURE &My )
{
/////////////////////////////////////////////////////////////
// This function cannot change the value of the passed
// parameters. i.e., the following is NOT allowed:
//

     My.MyInteger = 11;
     strcpy ( My.MyString, "I am in MyFunction_ByRef()");


/////////////////////////////////////////////////////////////
// Display the contents of the structure
/////////////////////////////////////////////
cout << "\n" << My.MyInteger;
cout << "\n" << My.MyString << endl;

_disable();
sp_play_byte_range ( SP_START_OF_FILE, SP_END_OF_FILE );
_enable();
}
```

The first two statements of the function attempt to change the value of the structure! Will it work? To find out, recompile the modified BYREF.CPP program just as you compiled the original version, following the steps shown earlier for your compiler.

No matter which compiler you use, the result is the same: the compiler responds by prompting you with an error message, telling you that `MyFunction_ByRef()` cannot modify the member of the structure!

It is interesting to note that if you try to change only the value of the `My.MyString` member, the Borland compiler and the Microsoft C/C++ version 8.00 compiler prompt you with an error; however, the Microsoft C/C++ version 7.00 compiler does not. (As stated above, the compiler is supposed to prompt you with an error).

Summary: When to Pass by Reference

The BYREF.CPP program demonstrates how to pass a parameter to a function by reference.

This technique should be used when: (1) You don't want the called function to create a new variable in memory (for faster execution), and (2) you don't want the called function to change the value of the passed parameter (in modular programming, it should not).

Passing Parameters to a Function

OK, you know how to pass parameters to a function by value, by pointer, and by reference. So which of the three methods should you use?

If you are passing a small amount of data (`int`, `char`, `long`, etc.), and you don't want the called function to change the value of the passed parameter, pass the parameter by value.

If you are passing data and you do want the called function to be able to change the value of the passed parameter, pass the pointer (address) of the parameter.

If you are passing a large amount of data (e.g., large structures), and you don't want the called function to change the value of the passed parameter, pass the parameter by reference as demonstrated in the BYREF.CPP program.

Note that if you pass a parameter to a function by reference and don't use the `const` keyword, the called function will still be able to change the value of the parameter.

Summary: Using the const Keyword

To prevent the called function from changing the value of a parameter passed by reference, the parameters in the function prototype must be preceded with the `const` keyword. **Example:**

```
// The prototype
void MyFunction_ByRef ( const MYSTRUCTURE &MyStructure );

void main ( void )
{
// This is how you call the function.
MyFunction_ByRef ( MyStructure );
}

// Here is the function.
void MyFunction_ByRef ( const MYSTRUCTURE &My )
{
....................................
... This function cannot change  ...
... the parameter My.            ...
....................................
}
```

More About the const Keyword

As experienced C programmers may know, you can also use `const` when passing the address of a variable to a function, to prevent the function from changing the value of the variable. The BYPTR.CPP program (shown in listing 3.3) illustrates this method.

Compiling, Linking, and Executing the BYPTR.CPP Program

To compile the BYPTR.CPP program with one of the Microsoft C/C++ compilers:

- Make sure that your PC is in a DOS protected mode.
- Log into your C:\C2CPLUS\CH03 directory.
- At the DOS prompt type:

```
cl -AH BYPTR.CPP
```

To compile the BYPTR.CPP program with the Borland C/C++ compiler:

- Log into your C:\C2CPLUS\CH03 directory.
- At the DOS prompt type:

```
bcc -mh BYPTR.CPP
```

To execute the BYPTR.EXE program:

- Log into your C:\C2CPLUS\CH03 directory.
- At the DOS prompt type:

```
BYPTR
```

The BYPTR program responds by displaying the integer 6, and then it displays the string:

```
From C to C++ in 2 Weeks
```

Listing 3.3: Source Code for the BYPTR.CPP Program

```
//////////////////////////////
// Program Name: BYPTR.CPP
//////////////////////////////

/////////////////////////////////////////////////////////////
// Program Description:
// This program illustrates how to pass a parameter to a
// function by pointer and still prevent the called
// function from changing the value of the passed parameter.
/////////////////////////////////////////////////////////////
```

```
/////////////
// #include
/////////////
#include <iostream.h>
#include <string.h>

///////////////////////
// Structure definition
///////////////////////
struct MYSTRUCTURE
{
int MyInteger;
char MyString[255];
} ;

///////////////
// Prototypes
///////////////
void MyFunction_ByPtr ( const MYSTRUCTURE *My );

/////////////////////////
// Function Name: main()
/////////////////////////
void main ( void )
{
MYSTRUCTURE MyStructure;

/////////////////////////////
// Initialize the MyStructure
/////////////////////////////
MyStructure.MyInteger = 6 ;
strcpy (MyStructure.MyString,
 "From C to C++ in 2 Weeks" );

MyFunction_ByPtr ( &MyStructure );
}

///////////////////////////////////
// Function Name: MyFunction_ByPtr()
///////////////////////////////////
void MyFunction_ByPtr ( const MYSTRUCTURE *My )
{
//////////////////////////////////////////////////////////
// This function cannot change the value of the passed
// parameters. i.e., the following is NOT allowed:
```

```
//
// My->MyInteger = 11;
// strcpy ( My->MyString, "I am in MyFunction_ByRef()");
/////////////////////////////////////////////////////////////////
// Display the contents of the structure
/////////////////////////////////////////////
cout << "\n" << My->MyInteger;
cout << "\n" << My->MyString << endl;
}
```

Stepping through the BYPTR Program

The BYPTR.CPP program `#includes` the iostream.h file (because the program uses `cout`) and the string.h file (because the program uses the `strcpy()` function):

```
#include <iostream.h>
#include <string.h>
```

The program then defines the `MYSTRUCTURE` structure:

```
struct MYSTRUCTURE
{
int MyInteger;
char MyString[255];
} ;
```

and the prototype of the `MyFunction_ByPtr()` function:

```
void MyFunction_ByPtr ( const MYSTRUCTURE *My );
```

As you can see from the prototype, the parameter of the `MyFunction_ByPtr()` function is:

```
(const MYSTRUCTURE *My)
```

This means that `main()` has to pass the address of the structure, and that the function is unable to change the values of the structure.

The `main()` function declares `MyStructure` to be of type `MYSTRUCTURE`:

```
MYSTRUCTURE MyStructure;
```

and then assigns values to the members of the `MyStructure` structure:

```
MyStructure.MyInteger = 6 ;
strcpy (MyStructure.MyString,
```

```
        "From C to C++ in 2 Weeks" );
```

main() then executes the MyFunction_ByPtr() function as follows:

```
MyFunction_ByPtr ( &MyStructure );
```

This statement means that main() executes the MyFunction_ByPtr() function, and it passes the address of the MyStructure structure as a parameter (as defined in the prototype of the function).

The MyFunction_ByPtr() function looks like this:

```
void MyFunction_ByPtr ( const MYSTRUCTURE *My )
{
...
...
...
}
```

Again, note the const keyword and the * character in the parameter section of the function.

The function displays the values of the structure members as follows:

```
cout << "\n" << My->MyInteger;
cout << "\n" << My->MyString << endl;
```

Because the parameter is passed as const, the compiler will refuse to accept any statement that attempts to modify the value of the parameter. You can verify this by changing the code of MyFunction_ByPtr() as follows:

```
/////////////////////////////////////
// Function Name: MyFunction_ByPtr()
/////////////////////////////////////
void MyFunction_ByPtr ( const MYSTRUCTURE *My )
{
/////////////////////////////////////////////////////////////
// This function cannot change the value of the passed
// parameters; i.e., the following is NOT allowed:
//

// The following two statements cause
// compiling errors.
My->MyInteger = 11;
strcpy ( My->MyString, "I am in MyFunction_ByRef()");

/////////////////////////////////////////////////////////////
```

```
// Display the contents of the structure
/////////////////////////////////////////////
cout << "\n" << My->MyInteger;
cout << "\n" << My->MyString << endl;
}
```

The first two statements in the above function attempt to change the values of the structure members, and hence when you compile it, the compiler will complain.

Let's compare the BYPTR.CPP program with the BYREF.CPP program: both programs are executed quickly (because the program doesn't create a new copy of the variable as it must do when the parameter of the function is passed by value), and both prevent the function from changing the value of the passed parameter. However, the programs use different syntax. The function in the BYREF.CPP program uses the following syntax:

```
cout << "\n" << My.MyInteger;
cout << "\n" << My.MyString << endl;
```

In the BYPTR.CPP program, the function uses this syntax:

```
cout << "\n" << My->MyInteger;
cout << "\n" << My->MyString << endl;
```

Using the period character instead of the -> character makes the program easier to read and write. (As you'll see in the next chapter, C++ uses the period (.) character a lot.)

Exercise

Problem

What is the purpose of passing parameters by reference?

Solution

When a program passes parameters by reference, the called function does not create a new copy of the passed parameter (for faster execution), and the called function cannot change the value of the passed parameter (a restriction required by structured programming).

CHAPTER
FOUR

Using Classes in C++

In this chapter you'll learn about the most important concept in C++, *classes*. As you'll soon see, classes in C++ are as important as variables and structures in C.

What Is a Class?

Classes in C++ are similar to structures in C. A structure in C serves as a place to hold data. A C++ class, on the other hand, serves as a place to hold data as well as a place to hold functions (the instructions for working with that data). Each instance of a class is called an *object*. Throughout this chapter, you'll learn how to use classes and objects.

Structures in C

To understand the advantages that classes offer, let's briefly review how structures work in C. For example, you can define a structure called `CIRCLE` as follows:

```
struct CIRCLE
{
int radius;       /* Member of the structure. */
};
```

Within the program you can define `MyCircle` to be an instance of the `CIRCLE` structure:

```
struct CIRCLE MyCircle;
```

Your program can then initialize the member of the `MyCircle` structure:

```
MyCircle.radius = 3;
```

Thereafter, your program can use the `MyCircle` structure in a variety of ways. For example, you can write functions that calculate the area of the circle, the circumference of the circle, and so on. Listing 4.1 presents such a program, called CCIRCLE.C.

Listing 4.1: Source Code for the CCIRCLE.C Program

```
/*------------------------------------------------------*/
/* Program Name: CCIRCLE.C                              */
/* This program calculates the area and circumference  */
/* of circles.                                          */
```

```
/*------------------------------------------------------*/

/*--------------*/
/* #include     */
/*--------------*/
#include <stdio.h>
#include <dos.h>

#ifdef _MSC_VER_
  #pragma message ("Compiling with the MS C/C++ compiler ")
  #pragma message ("and the TegoSoft sound/multimedia lib.")

  #include "C:\C2CPLUS\TegoMS\sp1.h"
  #include "C:\C2CPLUS\TegoMS\sp2.h"
  #include "C:\C2CPLUS\TegoMS\sp3.h"
#endif

#ifndef _MSC_VER_
       #include "C:\C2CPLUS\TegoBL\sp1.h"
       #include "C:\C2CPLUS\TegoBL\sp2.h"
       #include "C:\C2CPLUS\TegoBL\sp3.h"
#endif


/*---------*/
/* #define */
/*---------*/
#define MY_CIRCLE_ENDS 51500L

/*-----------------------------*/
/* define the CIRCLE structure */
/*-----------------------------*/
struct CIRCLE
{
int radius;
};

/*------------*/
/* prototypes */
/*------------*/
void CalcArea   ( int rd );
void CalcCircum ( int rd );

/*----------------------*/
/* Function Name: main() */
```

```
/*----------------------*/
void main( void )
{
int iOpenResult;

struct CIRCLE MyCircle;
struct CIRCLE YourCircle;

iOpenResult =
   sp_open_wav_session ( "c:\\c2cplus\\wav\\circle.wav" );
if ( iOpenResult != 1 )
   printf ("\n Can't open the sound session" );

MyCircle.radius   = 2;
YourCircle.radius = 3;

/* Calculate area and circumference of MyCircle */
printf ("\n MY CIRCLE...");
_disable();
sp_play_byte_range ( SP_START_OF_FILE, MY_CIRCLE_ENDS );
_enable();
printf ( "\n MyCircle.radius = %d", MyCircle.radius );
CalcArea   (2);
CalcCircum (2);

printf ("\n");

/* Calculate area and circumference of YourCircle */
printf ("\n YOUR CIRCLE...");
_disable();
sp_play_byte_range ( MY_CIRCLE_ENDS, SP_END_OF_FILE );
_enable();
printf ( "\n YourCircle.radius = %d", YourCircle.radius );
CalcArea   (3);
CalcCircum (3);
}

/*---------------------------*/
/* Function Name: CalcArea() */
/*---------------------------*/
void CalcArea ( int rd )
{
float fArea;

fArea = 3.14 * rd * rd;
```

```
printf ("\n The area is: %f", fArea );
}

/*------------------------------*/
/* Function Name: CalcCircum() */
/*------------------------------*/
void CalcCircum ( int rd )
{
float fCircum;

fCircum = 2 * 3.14 * rd;
printf ("\n The circumference is: %f", fCircum );
}
```

The CCIRCLE.C program resides in your C:\C2CPLUS\CH04 directory.

Executing the CCIRCLE.EXE Program

The CCIRCLE.C program is already compiled and linked, and its EXE file is in your C:\C2CPLUS\CH04 directory. To execute the CCIRCLE.EXE program:

- Make sure that your PC is in a regular DOS mode, not a DOS protected mode. (You can execute the program while in protected mode, but for better sound quality, use a regular DOS mode).
- At the DOS prompt type:

  `CCIRCLE`

The program responds by displaying the radius, areas, and circumferences of the `MyCircle` circle (radius=2), and the `YourCircle` circle (radius=3). Before displaying the values of each circle, the program announces the name of the circle through the PC speaker.

Compiling and Linking the CCIRCLE.C Program

Although you already have the CCIRCLE.EXE file on your hard drive, the following steps show how you can compile and link the CCIRCLE program by yourself, in case you want to modify the program and experiment with its source code.

To compile the CCIRCLE.C program with the Microsoft C/C++ version 7.0 compiler (as a C program):

- Make sure that your PC is in a DOS protected mode.
- Log into the C:\C2CPLUS\CH04 directory.
- At the DOS prompt type:

```
TegoMS7 CCIRCLE.C
```

To compile the CCIRCLE.C program with the Microsoft Visual C/C++ version 8.0 compiler (as a C program):

- Make sure that your PC is in a DOS protected mode.
- Log into the C:\C2CPLUS\CH04 directory.
- At the DOS prompt type:

```
TegoMS8 CCIRCLE.C
```

To compile the CCIRCLE.C program with the Borland C/C++ compiler (as a C program):

- Log into the C:\C2CPLUS\CH04 directory.
- At the DOS prompt type:

```
TegoBL CCIRCLE.C
```

Writing the CCIRCLE Program in C++ with a Class

So is there anything wrong with the CCIRCLE.C program? Not at all! That's the way to write such programs in C. Is it easy to read and understand the CCircle.C program? Yes. The CCircle.C program is not that complicated. Of course, if the program had to deal with hundreds of circles (`MyCircle`, `YourCircle`, `HisCircle`, `HerCircle`, ...), then it would be a little difficult to follow which area and circumference are being calculated at any particular point.

Now wouldn't it be nicer if you could write the main() function as follows:

```
//////////////////////////
// Function Name: main()
//////////////////////////
void main( void )
{
Circle MyCircle   ( 2 ); // Define MyCircle   with radius=2
Circle YourCircle ( 3 ); // Define YourCircle with radius=3

MyCircle.DisplayRadius ();
MyCircle.CalcArea      ();
MyCircle.CalcCircum    ();

YourCircle.DisplayRadius ();
YourCircle.CalcArea      ();
YourCircle.CalcCircum    ();
}
```

The above code would accomplish the same thing as the CCIRCLE.C program; however, it is easier to write and to read.

Let's go over the code of main(). The first two statements are:

```
Circle MyCircle   ( 2 );
Circle YourCircle ( 3 );
```

The above statements define MyCircle as an object of a class called Circle. The 2 inside the parenthesis defines the radius of MyCircle as 2. Similarly, the YourCircle object is defined as another object of the class Circle, and the radius of this circle is 3.

The program then uses the DisplayRadius() function to display the radius of the MyCircle() function:

```
MyCircle.DisplayRadius();
```

and the CalcArea() and CalcCircum() functions are used to calculate and display the area and circumference of MyCircle:

```
MyCircle.CalcArea   ();
MyCircle.CalcCircum ();
```

The main() function then displays the radius, area, and circumference of YourCircle:

```
YourCircle.DisplayRadius ();
YourCircle.CalcArea      ();
YourCircle.CalcCircum    ();
```

As you can see, reading and writing C++ code is almost self-explanatory. For example, to calculate the area of the MyCircle object, you simply use the name of the object and then the name of the function, separated by a period:

```
MyCircle.CalcArea();
```

You can think of this syntax as "noun-dot-verb": the object name is the noun, identifying what will be acted upon; and the function name is the verb, identifying the action.

Creating Your First Class

In order to write code as elegant as the main() function we've just looked at, you have to know how to declare the Circle class. The bad news is that creating the class is not as easy as creating the CIRCLE structure in C. The good news is that once you create the class, you are done with it, and throughout your C++ program you may use elegant code that is easy to read and write.

OK, are you ready? Here is the definition of the Circle class:

```
/////////////////////////////
// Define the Circle class
/////////////////////////////
class Circle
{
public:
    Circle ( int r );          // The constructor function.
    void DisplayRadius();      // Display radius.
    void CalcArea();           // Calculate area.
    void CalcCircum();         // Calculate circumference.
    ~Circle();                 // The destructor function.
private:
    int radius;                //  Data member.
};
```

If you did not faint, let's go over the Circle class definition (it's not at all difficult).

You start by typing the class keyword (to indicate that you are defining a class), then you type the name of the class (for example, Circle), the curly brackets ({}) that enclose the class definition, and finally a semicolon:

```
class Circle
{
.........................................
....... Here you type the definition .....
....... of the class.                .....
.........................................
};
```

Inside the curly brackets you have two sections to the class definition, public and private (you'll learn more about the public/private distinction later in this chapter):

```
class Circle
{
public:
     .........................................
     ... Here are the public definitions ....
     .........................................
private:
     .........................................
     ... Here are the private definitions ....
     .........................................
};
```

The code that you write inside the public section should look as follows:

```
public:
  Circle ( list of parameters ); // Constructor
  ....................................
  ... Functions that will "work" ....
  ... on the object.             ....
  ....................................
  ~Circle();  // Destructor
```

That is, the first line in the public section is:

```
Circle ( List of parameters );
```

The above line is the prototype of the *constructor* function. (You'll learn about constructor and destructor functions in detail later in this chapter.) For example, the prototype of the constructor of the Circle class is:

```
Circle ( int r );   // The constructor.
```

In the `Circle` class, the constructor function has a single parameter (the integer `r`).

Member Functions

The class definition contains prototypes of functions. These functions are called the *member functions* of the class. **Example:** In the `Circle` class, the member functions are:

```
Circle ( int r );           // The constructor function.
void DisplayRadius();       // Display radius.
void CalcArea();            // Calculate area.
void CalcCircum();          // Calculate circumference.
~Circle();                  // The destructor function.
```

As shown in the above prototypes, in the `Circle` class the `Circle()` function (the constructor function) has a single parameter, and all the rest of the functions do not have parameters.

The Destructor Function

The last line of the `public` section is the prototype of the *destructor* function. In the case of the `Circle` class, the prototype of the destructor function looks as follows:

```
~Circle();    // Destructor.
```

Note the tilde (~) character that precedes the destructor function. (The ~ character appears to the left of the 1 key on most keyboards.)

Member Functions

In between the constructor function and the destructor function you type the prototypes of the functions that will "work" on the objects of the class. These functions are called *member functions*:

```
public:
  Circle ( list of parameters ); // Constructor
  ..................................
  ... Functions that will "work" ....
```

```
  ... on the object.                ....
  ... (member functions)            ....
  ...................................
  ~Circle(); // Destructor
```

The C++ CIRCLE.CPP program uses three member functions: `DisplayRadius()`, `CalcArea()`, and `CalcCircum()`, and so you type these three functions in between the constructor function and the destructor function:

```
public:
    Circle ( int r );           // The constructor function.
    void DisplayRadius();       // Display radius.
    void CalcArea();            // Calculate area.
    void CalcCircum();          // Calculate circumference.
    ~Circle();                  // The destructor function.
```

The Private Section

In the `Circle` class, the private section contains the list of the variables that are used by the class. The `Circle` class uses only one variable, so the private section is written as follows:

```
private:
    int radius;
```

The Constructor Function

You've seen that the declaration of the `Circle` class contains the prototype of the `Circle()` constructor function. However, unlike the prototypes of other functions, a constructor function prototype does not mention the return value of the function (because a constructor function does not have a returned value).

Who executes the `Circle()` constructor function? It is executed automatically whenever you define a new object that belongs to this class. For example, in `main()` you defined two objects that belong to the `Circle` class, `MyCircle` and `YourCircle`:

```
Circle MyCircle   ( 2 );
Circle YourCircle ( 3 );
```

This means that the `Circle()` constructor function is executed automatically twice: when the `MyCircle` object is created, and again when the `YourCircle` Object is created.

WARNING

You must give the constructor function the same name as its class. For example, if your program includes a `Circle` class, then the name of the constructor function for this class must be `Circle()`. If your program includes a `Square` class, its constructor function must be named `Square()`.

OK, you know when the constructor function is executed. But what does the code of the constructor function look like? Here is the `Circle()` constructor function:

```
/////////////////////////////////////
// Function Name: Circle()
// (constructor)
////////////////////////////////////
Circle::Circle( int rd )
{
radius  = rd;
cout << "\n *** I'm in the constructor function!!! ***";
}
```

WARNING

A constructor function cannot include the `Return` statement.

As stated, the `Circle()` constructor function does not include a returned value. The word `Circle::` that precedes the function name tells the compiler that this constructor is the constructor of the `Circle` class. (Recall that the `::` symbol is known as the *scope resolution operator*.) The `Circle()` constructor function has one parameter (as defined in its prototype).

The constructor function assigns the value of its parameter to the data member `radius`:

```
radius  = rd;
```

In other words, the initialization statement that appears in `main()`:

```
Circle MyCircle   ( 2 ); // Creating the MyCircle object
```

causes the automatic execution of the `Circle()` constructor function. The parameter (2) that appears in the object-creation statement in `main()` is passed to the `Circle()` constructor function. The statement inside the `Circle()` constructor function assigns the value 2 to the `radius` data member.

Why didn't `main()` assign the value of 2 to `radius` directly? The answer is that `main()` does not have access to the `radius` variable, because you defined `radius` in the `private` section of the class definition.

Had you defined an `int radius` variable in `main()`, this `radius` variable would have been completely different from the `radius` variable that is defined in the class; that is, it would occupy a different memory location.

So who has access to the `radius` data member? Only the member functions of the class.

Note that the code inside the `Circle()` constructor function does not define the `radius` variable. Why? Because the constructor function can use any of the data members of the class without declaring them.

In a similar manner, when `main()` executes the statement that creates the second object:

```
Circle YourCircle ( 3 );
```

the program executes the `Circle()` constructor function again. This means that 3 is passed as a parameter to the `Circle()` constructor function, and the statement inside the `Circle()` constructor function assigns the value 3 to the data member `radius`.

So is `radius` now equal to 2 or 3? Well, it depends which object you are talking about. If you are talking about the `MyCircle` object, `radius` is equal to 2, but if you are talking about the `YourCircle` object, `radius` is equal to 3. In other words, although `radius` looks like a single integer variable, it is actually several variables! If your `main()` creates another object of the `Circle` class (for example, `HerCircle`), then the program will automatically generate another `radius` variable for this object.

Note that the `Circle()` constructor function also includes the statement:

```
cout << "\n *** I'm in the constructor function!!! ***";
```

We've included this statement in the `Circle()` constructor function to demonstrate two points:

- The `Circle()` constructor function is executed twice. When you execute the Circle.CPP program, you'll see the message:

  ```
  *** I'm in the constructor function!!! ***
  ```

  appear twice on your screen. This will prove that indeed the `Circle()` constructor function is executed twice: once when `main()` creates the `MyCircle` object, and again when `main()` creates the `YourCircle` object.
- The `Circle()` constructor function is an ordinary function; except for the fact that it does not return any value, you can include in it code to do anything you like.

Because the constructor function is executed upon creating each object of a class, it provides a good place to initialize the data member(s) of the object.

The Code Inside the Destructor Function

As stated above, the code inside a constructor function usually initializes the data members of the object, because this function is executed whenever the object is created. Likewise, the code inside the destructor function is executed whenever the object is destroyed.

Just like the constructor function, the destructor function does not include a returned value. Thus, it looks like this:

```
Circle::~Circle()
{
...........................................
... The code of the destructor function. ...
...........................................
}
```

What code would you write inside the destructor function? Any instructions that you want to have automatically executed whenever the object is destroyed. In main(), the MyCircle object and the YourCircle object are destroyed when the program terminates. So let's add the following code inside the ~Circle() destructor function:

```
Circle::~Circle()
{
cout << "\n I'm out of here!";
}
```

When the program terminates, you'll see on the screen:

```
I'm out of here!
I'm out of here!
```

Why do you see the message twice? Because the ~Circle() destructor function was executed twice: Once when the MyCircle object was destroyed, and again when the YourCircle object was destroyed.

WARNING

The destructor function does not have parameters, and it does not return any value. Also, you MUST name the destructor function with the same name as the class name. For example, the name of the destructor function of the class `Circle` is `~Circle()`, and the name of the destructor function of the class `Square` is `~Square()`.

Putting It All Together

Now it's time to put together a program based on the elements we've just discussed.

Listing 4.2 shows the CIRCLE.CPP program. Everything inside this listing should be familiar to you. The only new items are the DisplayRadius(), CalcArea(), and CalcCircum() member functions (that is, the functions whose prototypes appear in the class declaration). The code inside these three functions is ordinary C/C++ code. The only new thing about these three member functions is that they do not have to define the radius variable. Why? Because these functions are member functions of the Circle class. This means that the data member of the class (radius) is accessible by these member functions.

Listing 4.2: Source Code for the CIRCLE.CPP Program

```
////////////////////////////////
// Program Name: CIRCLE.CPP
////////////////////////////////

// Program Description:
// This program illustrates how to use a class.

/////////////
// #include
/////////////
#include <iostream.h>

//////////////////////////////
// Define the Circle class
//////////////////////////////
class Circle
{
public:
    Circle ( int r );        // The constructor function.
    void DisplayRadius();    // Display radius.
    void CalcArea();         // Calculate area.
    void CalcCircum();       // Calculate circumference.
    ~Circle();               // The destructor function.
private:
    int radius;
};

//////////////////////////////////
// Function Name: Circle()
// (constructor)
//////////////////////////////////
Circle::Circle( int r )
{
radius  = r;

cout << "\n *** I'm in the constructor function!!! ***";
}

//////////////////////////////////
// Function Name: DisplayRadius()
//////////////////////////////////
void Circle::DisplayRadius()
{
```

```
cout << "\n Radius: " << radius;
}

////////////////////////////////
// Function Name: CalcArea()
////////////////////////////////
void Circle::CalcArea()
{
float fArea;

fArea = 3.14 * radius * radius;
cout << "\n Area: " << fArea;
}

////////////////////////////////
// Function Name: CalcCircum()
////////////////////////////////
void Circle::CalcCircum()
{
float fCircum;

fCircum = 2 * 3.14 * radius;
cout << "\n Circumference: " << fCircum;
}

/////////////////////////////////////
// Function Name: ~Circle()
// (destructor of the Circle class)
/////////////////////////////////////
Circle::~Circle()
{
cout << "\n I'm out of here!";
}

/////////////////////////
// Function Name: main()
/////////////////////////
void main( void )
{
Circle MyCircle   ( 2 );
Circle YourCircle ( 3 );

MyCircle.DisplayRadius ();
MyCircle.CalcArea      ();
MyCircle.CalcCircum    ();
```

```
YourCircle.DisplayRadius ();
YourCircle.CalcArea      ();
YourCircle.CalcCircum    ();
}
```

Notice that the member functions (`DisplayArea()`, `CalcArea()`, and `CalcCircum()`) all use the `radius` variable. But which `radius` variable will be used? The `radius` variable of the `MyCircle` object, or the `radius` variable of the `YourCircle` object? Well, it depends what you are talking about! These functions are executed by `main()` as follows:

```
MyCircle.DisplayRadius ();
MyCircle.CalcArea      ();
MyCircle.CalcCircum    ();

YourCircle.DisplayRadius ();
YourCircle.CalcArea      ();
YourCircle.CalcCircum    ();
```

In the first three statements, the functions appear after the period of the `MyCircle` object. Hence, they use the `MyCircle` object's `radius` data member. In the last three statements, the functions appear after the period of the `YourCircle` object. Hence, they use `YourCircle`'s `radius` data member.

Also note the syntax of the first line of the member functions. For example, the first line of the `DisplayRadius()` function is:

```
void Circle::DisplayRadius()
```

and the first line of the `CalcArea()` function is:

```
void Circle::CalcArea()
```

In these statements, the scope-resolution operator (`::`) is used to tell the compiler that the functions are members of the `Circle` class.

Compiling, Linking, and Executing the CIRCLE.CPP Program

The Circle.CPP program resides in your C:\C2CPLUS\CH04 directory. To compile the CIRCLE.CPP program with the Microsoft C/C++ compiler:

- Make sure that your PC is in a DOS protected mode.
- Log into the C:\C2CPLUS\CH04 directory.
- At the DOS prompt type:

```
cl -AH CIRCLE.CPP
```

To compile the CIRCLE.CPP program with the Borland C/C++ compiler:

- Log into the C:\C2CPLUS\CH04 directory.
- At the DOS prompt type:

```
bcc -mh CIRCLE.CPP
```

Note that in the above compile/link statements you used the `-AH` and `-mh` switch to tell the compiler to compile with the huge model. However, you may specify other models as well.

To execute the CIRCLE.CPP program:

- Log into the C:\C2CPLUS\CH04 directory.
- At the DOS prompt type:

```
CIRCLE
```

The program responds by displaying the message:

```
*** I'm in the constructor function!!! ***
*** I'm in the constructor function!!! ***
```

Then the program displays the radius, area, and circumference of first the `MyCircle` object and then the `YourCircle` object. Finally, the program displays the message:

```
I'm out of here!
I'm out of here!
```

Congratulations! You now know how to create classes, and how to use them in a C++ program. Classes are the most important topic in C++. So if you are not sure that you understand what we've done so far, we recommend that you read this material over again before you continue reading this book.

Using a Pointer to an Object

You'll now learn how to use a pointer to an object. You may define a pointer to an object as follows:

```
Circle  HisCircle ( 4 );
Circle *HisCirclePtr = &HisCircle;
```

Thereafter, your program can execute the member functions as follows:

```
HisCirclePtr->DisplayRadius();
```

To see how pointers work with C++ classes, modify the CIRCLE.CPP program so that its `main()` function looks as shown in Listing 4.3. (The rest of CIRCLE.CPP remains the same.)

To compile and link the modified CIRCLE.CPP program with the Microsoft C/C++ compiler:

- Make sure that your PC is in a DOS protected mode:
- Log into the C:\C2CPLUS\CH04 directory.
- At the DOS prompt type:

  ```
  cl -AH CIRCLE.CPP
  ```

To compile and link the modified CIRCLE.CPP program with the Borland C/C++ compiler:

- Log into the C:\C2CPLUS\CH04 directory.
- At the DOS prompt type:

  ```
  bcc -mh CIRCLE.CPP
  ```

To execute the modified CIRCLE.CPP program:

- Log into the C:\C2CPLUS\CH04 directory.
- At the DOS prompt type:

  CIRCLE

The program responds by displaying:

```
*** I'm in the constructor function!!! ***
*** I'm in the constructor function!!! ***
*** I'm in the constructor function!!! ***
```

The message from the constructor function appears three times because the constructor function was executed three times, once for each of the object-creation statements in `main()`.

Then the program displays the radius, area, and circumference of the `MyCircle`, `YourCircle`, and `HisCircle` objects, and finally, the program displays the message:

```
I'm out of here!
I'm out of here!
I'm out of here!
```

The destructor function is executed three times, because three objects are destroyed upon terminating the program.

Listing 4.3: The Modified main( ) Function of CIRCLE.CPP

```
//////////////////////////
// Function Name: main()
//////////////////////////
void main( void )
{
Circle MyCircle   ( 2 );
Circle YourCircle ( 3 );

// Create an object HisCircle of class Circle.
Circle  HisCircle (4);

// Define a pointer to the HisCircle object.
Circle *HisCirclePtr = &HisCircle;

MyCircle.DisplayRadius ();
```

```
MyCircle.CalcArea       ();
MyCircle.CalcCircum     ();

YourCircle.DisplayRadius ();
YourCircle.CalcArea      ();
YourCircle.CalcCircum    ();

HisCirclePtr->DisplayRadius ();
HisCirclePtr->CalcArea      ();
HisCirclePtr->CalcCircum    ();
}
```

Using a Reference to an Object

You may also define a reference to an object as follows:

```
Circle  HerCircle ( 5 );
Circle &HerCircleRef = HerCircle;
```

Thereafter, your program can execute the member functions as follows:

```
HerCircleRef.DisplayIt();
```

Listing 4.4 shows the code of the modified `main()` function of CIRCLE.CPP after another object (`HerCircle`) is declared. As shown, `main()` uses the reference `HerCircleRef`.

Listing 4.4: Modifying the main( ) Function of the CIRCLE.CPP Program Again

```
//////////////////////////
// Function Name: main()
//////////////////////////
void main( void )
{
Circle MyCircle   ( 2 );
Circle YourCircle ( 3 );

Circle  HisCircle (4);
Circle *HisCirclePtr = &HisCircle;
```

```
// Create the HerCircle object.
Circle  HerCircle ( 5 );

// Create a reference to the HerCircle object.
Circle &HerCircleRef = HerCircle;

MyCircle.DisplayRadius ();
MyCircle.CalcArea      ();
MyCircle.CalcCircum    ();

YourCircle.DisplayRadius ();
YourCircle.CalcArea      ();
YourCircle.CalcCircum    ();

HisCirclePtr->DisplayRadius ();
HisCirclePtr->CalcArea      ();
HisCirclePtr->CalcCircum    ();

HerCircleRef.DisplayRadius ();
HerCircleRef.CalcArea      ();
HerCircleRef.CalcCircum    ();
}
```

Including Member Functions in the Private Section

You've seen that `main()` can access only these member functions that are included in the public section of the class declaration.

You can also include member functions in the `private` section of the class declaration. But can `main()` access these private member functions? No. Only member functions can call a private member function (hence the name *private*).

Here is a modified version of the `Circle` class definition:

```
//////////////////////////////
// Define the Circle class
//////////////////////////////
class Circle
{
public:
```

```
    Circle ( int radius );   // The constructor function
    void DisplayRadius();    // Display radius.
    void CalcArea();         // Calculate area.
    void CalcCircum();       // Calculate circumference.
    ~Circle();               // The destructor function.
private:
    void I_Am_2();
    void I_Am_3();
    int radius;
};
```

As shown, the private section now includes the prototypes of two member functions: `I_Am_2()` and `I_Am_3()`.

So what is the difference between a member function that is declared in the `public` section and one declared in the `private` section? A member function declared in the `public` section can be called from any point in the program. For example, `DisplayRadius()` is a member function that is declared in the `public` section of the class declaration. This means that `main()` can call `DisplayRadius()`. On the other hand, a member function that is declared in the private section can be called only from a member function of the class.

Here is the code of the `private` member functions:

```
//////////////////////////////
// Function Name: I_Am_2()
// (private member function)
//////////////////////////////
void Circle::I_Am_2()
{
if ( radius == 2 )
    cout <<"\n +++ The radius is 2 +++" << endl;
}

//////////////////////////////
// Function Name: I_Am_3()
// (private member function)
//////////////////////////////
void Circle::I_Am_3()
{
if ( radius == 3 )
    cout <<"\n +++ The radius is 3 +++";
}
```

As stated, you can't call `I_Am_2()` or `I_Am_3()` from `main()`. However, you can call these functions from `DisplayRadius()` (because `DisplayRadius()` is a member function).

Here is the modified `DisplayRadius()` function:

```
///////////////////////////////////////
// Function Name: DisplayRadius()
///////////////////////////////////////
void Circle::DisplayRadius()
{

cout << "\n Radius: " << radius;

I_Am_2();
I_Am_3();
}
```

Notice that `DisplayRadius()` (a member function) calls the `I_Am_2()` and `I_Am_3()` private functions without the need to precede the function with a period and the name of the object. That is, `DisplayRadius()` calls `I_Am_2()` as follows:

```
I_Am_2();
```

not as follows:

```
MyCircle.I_Am_2();
```

Note also that the private member function `I_Am_2()` uses the data member `radius`. So the question is: Who owns this `radius`—`MyCircle`, `HisCircle`, or `HerCircle`? It depends how `DisplayRadius()` was called.

If `DisplayRadius()` was called from `main()` as follows:

```
MyCircle.DisplayRadius();
```

then when the `I_Am_2()` function is called from `DisplayRadius()`, the variable `radius` is the radius of `MyCircle`.

Similarly, if `DisplayRadius()` was called from `main()` as follows:

```
HerCircle.DisplayRadius();
```

then when the `I_Am_2()` function is called from `DisplayRadius()`, the variable `radius` is the radius of `HerCircle`.

Summary: Who Can Call Private and Public Member Functions

A **private** member function can be called only from another member function.

A **public** member function can be called from any point in the program.

Note the similarity between global and local variables in C and public and private functions in C++. In C++ you can restrict the accessibility of functions!

Different Functions with Identical Names

One of the nice things about C++ is the fact that it lets you name different functions with identical names. For example, you can have a function called `DrawIt()` as a `private` or `public` member function in the `Circle` class. But if your program also defines the `Square` class, then you can also have a function called `DrawIt()` as a `private` or as a `public` member function in the `Square` class.

Assume that your C++ program declares two classes: the `Circle` class and the `Square` class. Also assume that each class includes a public member function called `DrawIt()`. The `main()` function can use the following statements to draw the circle and the square:

```
MyCircle.DrawIt();
MySquare.DrawIt();
```

Naturally, C++ would know that in the above two statements, the first `DrawIt()` function refers to the `DrawIt()` function of the `MyCircle` object, and the second `DrawIt()` function refers to the `MySquare` object. The `DrawIt()` function itself must be preceded with the global resolution (`::`) characters, to let the C++ compiler know which class owns this function.

Here is the DrawIt() function that belongs to the Circle class:

```
void Circle::DrawIt()
{
....
....
....
{
```

Here is the DrawIt() function that belongs to the Square class:

```
void Square::DrawIt()
{
....
....
....
{
```

The BIRTH.CPP Program

The BIRTH.CPP program declares and uses a class called Date. This program illustrates an important, widely used technique that takes advantage of the constructor function. As you know, the constructor function is automatically executed whenever your program creates an object. Thus, it is a good place to insert code that checks the validity of the object's values.

Executing the BIRTH.EXE Program

The BIRTH.CPP program was already compiled and linked, and its EXE file resides in your C:\C2CPLUS\CH04 directory.

To execute the BIRTH.EXE program:

- Make sure that your PC is NOT in a DOS protected mode.
- Log into the C:\C2CPLUS\CH04 directory.
- At the DOS prompt type:

  ```
  BIRTH
  ```

The program is supposed to display data. Instead, however, it simply laughs and announces "Invalid data" repeatedly. It does this because the constructor function has tested the data and found it invalid. To terminate the program, press any key.

Compiling and Linking the BIRTH.CPP Program

Although you already have the BIRTH.EXE file on your hard drive, the following steps show you how you can compile and link the BIRTH program by yourself, in case you want to modify the program and experiment with its source code. The BIRTH.CPP program resides in your C:\C2CPLUS\CH04 directory.

To compile the BIRTH.CPP program with the Microsoft C/C++ version 7.00 compiler:

- Make sure that your PC is in a DOS protected mode.
- Log into the C:\C2CPLUS\CH04 directory.
- At the DOS prompt type:

```
TegoMS7 BIRTH.CPP
```

To compile the BIRTH.CPP program with the Microsoft Visual C/C++ compiler:

- Make sure that your PC is in a DOS protected mode.
- Log into the C:\C2CPLUS\CH04 directory.
- At the DOS prompt type:

```
TegoMS8 BIRTH.CPP
```

To compile the BIRTH.CPP program with the Borland C/C++ compiler:

- Log into the C:\C2CPLUS\CH04 directory.
- At the DOS prompt type:

```
TegoBL BIRTH.CPP
```

The BIRTH.CPP program is shown in Listing 4.5.

Listing 4.5: Source Code for the BIRTH.CPP Program

```
////////////////////////////////
// Program Name: BIRTH.CPP
////////////////////////////////

// Program Description:
// This program illustrates how to use the Date class.

//////////////////////
// #include (C++)
//////////////////////
#include <iostream.h>
#include "c:\c2cplus\more\TegoDOS.h"

//////////////////////
// Global variables
//////////////////////
int iOpenResult; // The result of opening the sound session.

///////////////////////////
// Define the Date class
///////////////////////////
class Date
{
public:
   Date ( int mn,          // The constructor function #1.
          int dy,
          int yr );
   Date ();                // The constructor function #2.
   void VerifyDate();      // Verify that the date is an
                           // acceptable date.
   void DisplayIt();       // Function that displays the date.
   void ChangeDate( int,   // Change date.
                    int,
                    int );
    ~Date();               // The destructor function.

private:
    int month, day, year;
};

/////////////////////////////////////
// Prototype of regular functions
/////////////////////////////////////
```

```
void Laugh_if_invalid_data ( void );

////////////////////////////////
// Function Name: Date()
// (constructor function #1)
////////////////////////////////
Date::Date(int mn, int dy, int yr)
{
month = mn;
day   = dy;
year  = yr;

VerifyDate ();
}

////////////////////////////////
// Function Name: Date()
// (constructor function #2)
////////////////////////////////
Date::Date ()
{
// Default values.
month = 10;
day   = 1;
year  = 1885;
}

//////////////////////////////////
// Function Name: VerifyDate()
//////////////////////////////////
void Date::VerifyDate()
{
static int MaxDaysInMonth[] =
               {  0,
                 31, 28, 31, 30,
                 31, 30, 31, 31,
                 30, 31, 30, 31 };

if ( month > 12 )
   Laugh_if_invalid_data();

if ( month < 1 )
   Laugh_if_invalid_data();

if ( year < 1 )
```

```
   Laugh_if_invalid_data();

if ( day < 1 )
   Laugh_if_invalid_data();

if ( day > MaxDaysInMonth [month] )
   Laugh_if_invalid_data();
}

///////////////////////////////
// Function Name: DisplayIt()
///////////////////////////////
void Date::DisplayIt()
{
static char *MonthName[] =
         { "Zero",
           "January", "February", "March",
           "April",   "May",      "June",
           "July",    "August",   "September",
           "October", "November", "December" };

cout << "\n Month: " << MonthName[month]
     << "   Day:   " << day
     << "   Year:  " << year << endl;
}

////////////////////////////////////
// Function Name: ~Date()
// (destructor of the Date class)
////////////////////////////////////
Date::~Date()
{
cout << "Good-Bye (from the destructor function)" << endl;
}

////////////////////////////////
// Function Name: ChangeDate()
////////////////////////////////
void Date::ChangeDate ( int i, int j, int k )
{
month = i;
day   = j;
year  = k;
}
```

```
//////////////////////////
// Function Name: main()
//////////////////////////
void main( void )
{
int month; // Local variable

// Display a "Please wait" message.
cout << "\n Please wait..." << endl;

// Open a sound session with the file HELLO.WAV
iOpenResult =
  sp_open_wav_session ( "C:\\C2CPLUS\\WAV\\INVALID.WAV" );

// If the sound file was not opened successfully exit.
if ( iOpenResult != 1 )
   {
   cout << "\n Can't open the sound file!" << endl;
   exit(0);
   }

// Create the MyBirthday object.
Date MyBirthday;

// Create the HisBirthday object.
Date HisBirthday ( -4, 18, 1884 );

MyBirthday.DisplayIt  ();
HisBirthday.DisplayIt ();

MyBirthday.ChangeDate ( 3, 4, 1994);
MyBirthday.DisplayIt  ();
}

//////////////////////////////////////////////
// Function Name: Laugh_if_invalid_data()
//////////////////////////////////////////////
void Laugh_if_invalid_data( void )
{
cout << "\n Invalid Data..." << endl;
cout << "\n ( PRESS ANY KEY TO EXIT... )" << endl;

while (1)
     {
   _disable();  // Disable interrupts during playback (for
```

```
                    // better quality).
   sp_play_byte_range ( SP_START_OF_FILE, SP_END_OF_FILE );
   _enable();    // No need to disable interrupts anymore.

   if ( kbhit() )
     exit(0);
   }
}
```

#Including the Tegosoft Library for Playing WAV Files

The BIRTH.CPP program plays WAV files through the PC speaker, and hence you must `#include` in it the C:\C2CPLUS\MORE\TegoDOS.h file.

```
#include "c:\c2cplus\more\TegoDOS.h"
```

Declaring the Date Class

The BIRTH.CPP program declares the `Date` class as follows:

```
//////////////////////////////
// Define the Date class
//////////////////////////////
class Date
{
public:
    Date ( int mn,          // The constructor function #1.
           int dy,
           int yr );
    Date ();                // The constructor function #2.
    void VerifyDate();      // Verify that the date is an
                            // acceptable date.
    void DisplayIt();       // Function that displays the date.
    void ChangeDate(int,    // Change the date.
                    int,
                    int );
    ~Date();                // The destructor function.
private:
    int month, day, year;
};
```

As you can see, the `Date` class has two constructor functions (the first and second lines after the `public` keyword). As you previously learned, the constructor function of class `Date` must be called `Date()`. Indeed, constructor function #1 is called `Date()`, and constructor function #2 is also called `Date()`. As you recall, this is allowed in C++, as long as the parameter lists are not identical. (In other words, this is an example of *overloaded* functions, as discussed in Chapter 2.)

In the next section you'll learn why you are using two constructor functions in this class declaration.

The main( ) Function of BIRTH.CPP

The `main()` function starts by opening a sound session:

```
iOpenResult =
  sp_open_wav_session ( "C:\\C2CPLUS\\WAV\\INVALID.WAV" );
```

The returned value from `sp_open_wav_session()` is `iOpenResult`, which was declared as a global variable. `iOpenResult` is then checked with the `if()` statement to verify that the sound session was successfully opened:

```
// If the sound file was not opened successfully exit.
if ( iOpenResult != 1 )
   {
   cout << "\n Can't open the sound file!" << endl;
   exit(0);
   }
```

`main()` then declares two objects:

```
Date MyBirthday;
Date HisBirthday ( -4, 18, 1884 );
```

Surprise, surprise! The first object (`myBirthday`) was created without any parentheses (equivalent to creating an object without any parameters)! As you know, upon creating an object, a C++ program automatically executes the constructor function. Because the BIRTH.CPP program has overloaded constructor functions (two `Date()` functions), the program executes the `Date()` function that corresponds to the parameter list. That is, the statement

```
Date MyBirthday;
```

creates the `MyBirthday` object without any parameters, so the constructor function that is executed is #2.

In a similar manner, the statement

```
Date HisBirthday ( -4, 18, 1884 );
```

creates the `HisBirthday` object. Because this object creation statement includes three parameters, the program will automatically execute the constructor #1 function.

So what are the values of `month`, `day`, and `year` in the `MyBirthday` object? The constructor function #2 will initialize these values! (The initial values of the `HisBirthday` object are `month`=-4, `day`=18, and `year`=1884, as specified in the object-creation statement of this object.)

`main()` then displays the values of the objects:

```
MyBirthday.DisplayIt  ();
HisBirthday.DisplayIt ();
```

and then `main()` changes the values of the `MyBirthday` object:

```
MyBirthday.ChangeDate ( 1, 1, 1994);
```

and displays its new values:

```
MyBirthday.DisplayIt();
```

Listing 4.6 shows the complete main() function of BIRTH.CPP.

Listing 4.6: The main( ) Function of BIRTH.CPP

```
//////////////////////////
// Function Name: main()
//////////////////////////
void main( void )
{
// Display a "Please wait" message.
cout << "\n Please wait..." << endl;

// Open a sound session with the file HELLO.WAV
iOpenResult =
  sp_open_wav_session ( "C:\\C2CPLUS\\WAV\\HELLO.WAV" );

// If the sound file was not opened successfully, exit.
if ( iOpenResult != 1 )
   {
   cout << "\n Can't open the sound file!" << endl;
   exit(0);
   }
```

```
Date MyBirthday;
Date HisBirthday ( -4, 18, 1884 );

MyBirthday.DisplayIt  ();
HisBirthday.DisplayIt ();

MyBirthday.ChangeDate ( 1, 1, 1994);
MyBirthday.DisplayIt ();
}
```

The Two Constructor Functions

Now let's look at constructor function #2:

```
////////////////////////////////
// Function Name: Date()
// (constructor function #2)
////////////////////////////////
Date::Date ()
{

// Default values.
month = 10;
day   = 1;
year  = 1885;

}
```

This function assigns default values to the data member of the object. Thus, when an object of class `Date` is created without parameters, constructor #2 is executed, and this constructor assigns default values to *month*, *day*, and *year*.

Here is the constructor function #1:

```
////////////////////////////////
// Function Name: Date()
// (constructor function #1)
////////////////////////////////
Date::Date(int mn, int dy, int yr)
{
month = mn;
day   = dy;
year  = yr;
```

```
VerifyDate ();
}
```

This function updates the members of the objects with the values of the parameters that were passed to it, and then it executes the public `VerifyDate()` function. Note that `VerifyDate()` was declared in the public section of the class declaration. This means that you can call `VerifyDate()` from `Date()` as well as from `main()`. (If you had declared `VerifyCheck()` in the private section of the class declaration, you would be able to call `VerifyDate()` from `Date()` but not from `main()`.)

Here is the code of `VerifyDate()`:

```
//////////////////////////////////
// Function Name: VerifyDate()
//////////////////////////////////
void Date::VerifyDate()
{
static int MaxDaysInMonth[] =
               {  0,
                 31, 28, 31, 30,
                 31, 30, 31, 31,
                 30, 31, 30, 31 };

if ( month > 12 )
   Laugh_if_invalid_data();

if ( month < 1 )
   Laugh_if_invalid_data();

if ( year < 1 )
   Laugh_if_invalid_data();

if ( day < 1 )
   Laugh_if_invalid_data();

if ( day > MaxDaysInMonth [month] )
   Laugh_if_invalid_data();
}
```

This function declares and initializes an integer array that contains the maximum number of days in each of the 12 months. `MaxDaysInMonth[1]` is 31, because there are 31 days in January, `MaxDaysInMonth[2]` is 28 because there are 28 days in February, and so on (For simplicity, the BIRTH.CPP program does not take leap years into account.) The first element of the array is `MaxDaysInMonth[0]=0`, which means that the program can use `MaxDaysInMonth[1]` (instead of `MaxDaysIn-Month[0]`) as the maximum number of days in January.

The `if()` statements that follow check that indeed `month`, `day`, and `year` have valid values. If the date is not valid, the program laughs and announces "Invalid data."

Note that the `VerifyDate()` function does not have any parameters. This function has access to the `month`, `day`, and `year` data members, because it is a member function.

Using the Constructor Function to Check the Validity of the Data Members

As you can see, the constructor #1 function executes the `VerifyDate()` function to check the validity of the data members. Indeed, this is a good place to verify the data validity, because you know that this function is executed immediately after the creation of the object.

The statement in `main()` that creates the object is:

```
Date HisBirthday ( -4, 18, 1884 );
```

The first parameter (the `month`) is −4. Once this statement is executed, the program executes the constructor function #1, which executes the `VerifyDate()` function. The `VerifyDate()` function finds that the data is invalid (`month` cannot have a negative value).

To summarize, constructor function #1 assigns default values to the `MyBirthday` object, and constructor function #2 assigns the values of the parameters that were passed to it to the `MyBirthday` object, and then verifies that the values consist of a valid date.

Changing the Values of the Object's Data Members

Both the constructor #1 function and the constructor #2 function updated the value of the object's data members (`month`, `day`, and `year`). Sometimes you need to change the values of an object's data member after its constructor function has been executed. How can we do this?

You can't change the month data member of MyBirthday by having the following statement in main():

```
MyBirthday.month = 10;
```

because main() does not have access to the month data member (month was declared as a private data member). So who has access to an object's private data member? Only a member function. This explains why the class declaration also includes the ChangeDate() function.

Here is the ChangeDate() function:

```
///////////////////////////////////
// Function Name: ChangeDate()
///////////////////////////////////
void Date::ChangeDate ( int i, int j, int k )
{
month = i;
day   = j;
year  = k;
}
```

The ChangeDate() function accepts three parameters, and then it assigns these parameters to the object's data members. We know that ChangeDate() has access to the object's data members, because this function is a member function of the Date class.

Because ChangeDate() is declared in the public section of the class declaration, it can be executed from main():

```
MyBirthday.ChangeDate( 1, 1, 1994);
```

Are you confused? let's repeat the process:

- main() can't access the month, day, and year data members, because they are private data members of the class.
- So you declared a member function (ChangeDate()) in the class declaration. This function can access month, day, and year.
- Because ChangeDate() is declared in the public section of the class declaration, main() can execute ChangeDate().

At first glance, it looks as if a simple operation such as updating the object's private data members takes too much work. However, this extra work is what makes C++ such a powerful structured programming language: it forces you to write modular, well-structured programs. To put it in other words, if you try to write a nonstructured C++ program, your colleagues will not complain, because they will never have a chance to see it. Who will complain? The C++ compiler will, by prompting you with compiling errors. For example, if you try to compile the following statement:

```
main()
{
...
...
...
MyBirthday.month = 10; // ERROR!!!
...
...
...
}
```

the compiler will complain (because `month` is a private data member, and hence can't be accessed from `main()`).

Reading the Object's Data Members

Suppose that your `main()` needs to know the value of an object. Again, `main()` does not have access to `month`, `day`, and `year`. So how would you access these private data members from `main()`?

There are actually two ways of doing it, as explained in the following sections. You can either include a public member function for each private data member you want to read, or declare the data members as public rather than private.

Reading an Object's Private Data Member by Using a Public Member Function

One way to read `Date`'s private data members is to execute public member functions from `main()` called `ReadMonth()`, `ReadDay()`, and `ReadYear()`.

Written this way, the Date class declaration will look as follows:

```
///////////////////////////
// Define the Date class
///////////////////////////
class Date
{
public:
    Date ( int month,      // The constructor function #1.
           int day,
           int year );
    Date ();               // The constructor function #2.
    void VerifyDate();     // Verify that the date is an
                           // acceptable date.
    void DisplayIt();      // Function that displays the date.
    void ChangeDate(int,   // Change the date.
                    int,
                    int );
    int ReadMonth();
    int ReadDay();
    int ReadYear();
    ~Date();               // The destructor function.
private:
    int month, day, year;
};
```

The ReadMonth() function looks as follows:

```
int Date::ReadMonth()
{
return month;
}
```

From main(), you can read the value of month as follows:

```
void main ( void )
{
int month; // This month is NOT a class member!!!
           // It is just a regular local variable in main().

Date MyBirthday ( 1, 1, 1900 ); // Create the MyDate object
.....
month = MyBirthday.ReadMonth();
```

```
.....
.....
.....
}
```

Note that ReadMonth() has access to month, because ReadMonth() is a member function of the Date class. main() has access to ReadMonth() because ReadMonth() is declared in the public section of the class declaration.

In a similar manner, you can read the values of day and year.

Note that the variable month in main() is a completely different variable than the data member month of the class; they reside in different locations in memory, and there is no connection between these variables whatsoever.

Reading an Object's Data Member without Using a Member Function

In the previous section you learned how to read the value of the data member month by using the member function ReadMonth(). Another way for main() to read the value of month, without using a member function, is to move month from the private section to the public section. Written this way, the class declaration would look as follows:

```
///////////////////////////
// Define the Date class
///////////////////////////
class Date
{
public:
    Date ( int month,     // The constructor function #1.
           int day,
           int year );
    Date ();              // The constructor function #2.
    void VerifyDate();    // Verify that the date is an
                          // acceptable date.
    void DisplayIt();     // Function that displays the date.
    void ChangeDate (int,// Change the date.
                     int,
                     int );
    ~Date();              // The destructor function.

    int month;            // <--- Making month a public
                          //      data member.
```

```
private:
    int day, year;
};
```

main() can then read the value of the month data member as follows:

```
main()
{
int month; // This month is NOT a class member!!!
...
...
...
month = MyBirthday.month;
...
...
...
}
```

That is, you made month a public data member, so it is accessible just like the public member functions.

Incidentally, if you make the month member public, then main() can update this variable directly as well:

```
void main ( void )
{
...
...
...
MyBirthday.month = 6;
...
...
...
}
```

So which method is better, using a public member function to read and write a private data member, or making the data members public and then reading and writing into the variable directly? As a C programmer, you'd probably resent the use of global variables (because global variables are accessible from any point in the program, and thus you may accidentally change the value of the global variable).

In C++, if you choose to use a member function for changing the month, then you must make the ReadMonth() function a public member function. If you choose to read or write a data member directly, then you have to make the data member public. In either case, you have to make something public (a data member or a function member).

In either case, you must precede the name of the member function or the member data with the name of the object:

```
month = MyBirthday.ReadMonth();
```

or

```
month = MyBirthday.month;
```

Note that there is an advantage in using a member function for reading/writing a data member: this way, the member function that does the updating (for example, `ChangeDate()`) can include code that checks the validity of the data. Another advantage of using a private data member is that you can make this data member read-only. That is, you provide a public member function to read the data, but you don't provide a public member function to write into the private data member.

Summary: Access Functions

A member function that is used for reading or updating private data members is called an *access function* in C++. For example, in the `Date` class, `ChangeDate()` and `ReadMonth()` are both access functions.

Using the const Keyword in the Create-Object Statement

In the BIRTH.CPP program, `main()` creates an object as follows:

```
Date HisBirthday ( 12, 18, 1884 );
```

Thereafter, your program can change the values of the `HisBirthday` object.

Sometimes, however, you want to prevent the program from modifying the data members of an object. For example, suppose that your `main()` creates the `LincolnBirthday` object (Lincoln's birthday):

```
Date LincolnBirthday ( 2, 16, 1809 );
```

Naturally, there will be no need to change the value of `LincolnBirthday` during the execution of the program. So to prevent your program from changing the value of this object, use the following object-creation statement:

```
const Date LincolnBirthday ( 2, 16, 1809);
```

In a similar manner, you can also use the `const` keyword to declare a member function as read-only. For example, the `ReadMonth()` member function can be declared as follows:

```
public:
     ....
     ....
     int ReadMonth() const;
     ....
     ....
```

This means that if (by mistake) you include code inside the `ReadMonth()` function that changes the value of the object, the compiler will prompt you with an error.

The `ReadMonth()` function now looks as follows:

```
int Date::ReadMonth () const
{
///// month++; //<--- if you remove the comment,
               // you'll get a compiling error!!!
               // (Because ReadMonth() is declared as const)

return month;
}
```

Because `ReadMonth()` is declared as a read-only function (with the `const` keyword), if you try to insert code such as `month++` in it, the compiler will complain.

Within `main()`, you can execute the `ReadMonth()` function as follows:

```
void main ( void )
{
int President_Lincoln_Birthday_month;

President_Lincoln_Birthday_month =
LincolnBirthday.ReadMonth();

}
```

TIP

Of course, as a smart programmer you'll attempt to execute the `ChangeDate()` function from within the `ReadMonth()` function. (Recall that `ChangeDate()` modifies the value of an object.) However, the C++ is a smart compiler, and it will prompt you with an error whenever you call a non-`const` function from within a `const` function. In other words, you will not be able to change the value of an object from within a `const` function.

C++, a Philosophical Discussion

We said at the beginning of this chapter that classes are the most important feature of C++. Usually, C++ books begin with a theoretical/philosophical discussion that includes the concept of classes and their purposes. We decided to defer that discussion until now, when you have a hands-on familiarity with classes.

C++ and the Way We Think

Currently, C++ is considered the most advanced and powerful programming language available. But if you think about it, every program that you write in C++ can also be written in any other programming language. So what makes C++ a better programming language? One big advantage is that C++ was designed so that a program's `main()` function is easy to maintain, and easy to read and write. Another advantage is that, as demonstrated with the BIRTH.CPP program, C++ forces you to write well-structured programs. (The C++ compiler wouldn't compile the program if we'd written it any other way.)

But you can argue that these advantages equally apply to the C programming language. So what's so special about C++?

Look back at the Circle.CPP program (Listing 4.2). In particular, pay attention to the statements that create the objects:

```
Circle MyCircle   ( 2 );
Circle YourCircle ( 3 );
Circle HisCircle  ( 4 );
```

What's new about these statements is that they resemble the way you and I think and operate. What you're saying, in effect, is:

```
Create an object MyCircle of class Circle with radius 2.
```

It is as if you have taught your computer to know the meaning of the `Circle` class (in the class declaration), and thereafter, your program is able to use this training for creating objects based on this class. This process actually resembles the way the human brain works. Take a look at the way you execute member functions in C++:

```
MyCircleRef.DisplayRadius ();
MyCircleRef.CalcArea      ();
MyCircleRef.CalcCircum    ();

HerCircleRef.DisplayRadius ();
HerCircleRef.CalcArea      ();
HerCircleRef.CalcCircum    ();
```

In the above statements, you execute the very same member functions on different objects. Does this sound familiar? For example, suppose that you drive a Ford car (an instance of the class `Car`, just as the `MyCircle` object is an instance of `Circle`). The driving process is equivalent to one of the member functions (for example, `DisplayRadius()`). If tomorrow you have to drive a different object, such as a Cadillac car, you'd still apply the same driving techniques, and you do not need any special training to drive the Cadillac.

To summarize, once you declare a class in C++, you expect the computer to apply the class information (variables and functions) to all the objects that belong to the class (just as I expect you to know how to drive my car, even though I know that you own a car of a different brand).

The EATFRUIT "Program"—a Real-World Example

To demonstrate that the way classes operate in C++ corresponds closely to the way people interact with the world, let's examine a "program" called EATFRUIT.CPP, which summarizes in C++ source code the process we go through in eating a piece of fruit.

There is a well-defined set of operations we perform on some or all members of the class `Fruit`. A C++ class declaration for `Fruit` might look like this:

```
///////////////////////
// Class declaration
///////////////////////
class Fruit
{
public:
      Fruit();                    // The constructor function.
      void Wash_it();             // Wash the fruit.
      void Peel();                // Peel the fruit.
      void Insert_into_mouth;  // Insert fruit into mouth.
      void Chew();                // Chew fruit.
      void Swallow();             // Swallow fruit.
      void Spit_seeds();          // Spit the seeds.
      ~Fruit();                   // The destructor function.
private:
      ...
      ...
      ...
}
```

When you see a fruit, you immediately recognize it as an object that belongs to the class `Fruit`.

The `main()` function that is executed in your brain when you see a peach would look like this:

```
main()
{
Fruit Peach ();     // The process of purchasing the fruit.

////Peach.Peel();              // No need to peel the peach.
Peach.Wash_it();             // Wash the fruit.
Peach.Insert_into_mouth;     // Insert fruit into mouth.
Peach.Chew();                // Chew fruit.
Peach.Swallow();             // Swallow fruit.
Peach.Spit_seeds();          // Spit the seed.
}
```

A banana also belongs to the `Fruit` class. Your brain's `main()` function for it would look as follows:

```
main()
{
Fruit Banana ();    // Purchasing the banana.

Banana. Peel();              // Peel the banana.
/////Banana.Wash_it();       // No need to wash the fruit.
Banana.Insert_into_mouth;    // Insert fruit to mouth.
Banana.Chew();               // Chew fruit.
Banana. Swallow();           // Swallow fruit.
////Banana.Spit_seeds();     // No need to spit the seeds.
}
```

Well, maybe the way we think is a little more complicated than that. The important thing, however, is that you understand how classes work in C++.

Incidentally, EATFRUIT.CPP is,a real C++ professional animation program that can be compiled, linked, and executed by the PC. As you can see, once you have written the basic animation member functions(`Peel()`, `Spit_seed()`, and so on), it is very easy to write an animation cartoon program in C++.

A Class within a Class

Once you understand the simple classes and simple programs that were introduced in this chapter, you'll be able to read and write some fancy C++ programs that take advantage of the powerful class feature of C++. For example, you can incorporate classes within other classes.

Consider the following `main()` function:

```
void main( void )
{
int year; // Not a member of any class. Just a local
          // variable in main().
President Washington ("George", "Washington",
                       2, 21, 1732 );
President Lincoln    ("Abraham", "Lincoln",
                       2, 16, 1809 );
Washington.Birthday.DisplayIt  ();
```

```
year = Lincoln.Birthday.year;
cout << "\n Lincoln was born in " << year;

Washington.Birthday.ChangeDate ( 2, 22, 1732);

Washington.Birthday.DisplayIt  ();
}
```

The above `main()` defines an integer called `year`:

```
int year; // Not a member of any class. Just a local
          // variable in main().
```

The `year` variable is local to `main()` and it is therefore not a data member of a class.

`main()` then creates two objects of class `President`:

```
President Washington ("George", "Washington",
                      2, 21, 1732 );
President Lincoln    ("Abraham", "Lincoln",
                      2, 16, 1809 );
```

The first two parameters of the constructor function contain the first and last name of the president, and the last three parameters contain the birth date.

`main()` then uses the `DisplayIt()` function to display the birth date of the `Washington` object:

```
Washington.Birthday.DisplayIt  ();
```

In the above statement, `Birthday` is an object of class `Date`, and `DisplayIt()` is a member function of class `Date`.

`main()` then updates the local variable `year` with the value of the `year` data member of the `Birthday` object:

```
year = Lincoln.Birthday.year;
```

and uses `cout` to display the `year`:

```
cout << "\n Lincoln was born in " << year;
```

The statement that created the `Washington` object assigned the values February 21, 1732 as the birth date of Washington. This is incorrect, because Washington's birth date is actually February 22, 1732. So `main()` uses the `ChangeDate()` function to correct the values of the `Birthday` object of the `Washington` object:

```
Washington.Birthday.ChangeDate ( 2, 22, 1732);
```

And finally, main() executes the DisplayIt() function to display the values of the Birthday object of the Washington object:

```
Washington.Birthday.DisplayIt  ();
```

The President Class

Here is the definition of the President class:

```
class President
{
public:
      President(char *First_Name,  // The constructor
                char *Last_Name,   // function.
                int   mn,
                int   dy,
                int   yr );

     ~President();     // The destructor function.

      Date Birthday; //<--- An object of the Date class!!!
private:
      char FirstName[20];
      char LastName [20];
};
```

The only thing new about this class is the fact that it contains the following statement in its public section:

```
Date Birthday; //<--- An object of the Date class!!!
```

This statement creates an object called Birthday of class Date. So now you understand why main() can use statements such as:

```
Washington.Birthday.DisplayIt  ();
```

and

```
year = Lincoln.Birthday.year;
```

and

```
Washington.Birthday.ChangeDate ( 2, 22, 1732);
```

Here is the Date class:

```
class Date
```

```
{
public:
    Date ( int month,     // The constructor function.
           int day,
           int year );
    void DisplayIt();     // Function that displays the date.
    void ChangeDate(int, // Change date.
                    int,
                    int );
    ~Date();              // The destructor function.

     int year;            //<---NOTE: year is public
private:
    int month, day;
};
```

Note that the `Birthday` data member object and the `year` data member are declared in the public sections of their classes. This explains why `main()` can use the statement:

```
year = Lincoln.Birthday.year;
```

The complete PRES.CPP program is shown in Listing 4.7.

Listing 4.7: Source Code for the PRES.CPP Program

```
////////////////////////////
// Program Name: PRES.CPP
////////////////////////////

// Program description:
// This program demonstrates how to use an object as one of
// the data members of a class.

///////////////////
// #include (C++)
///////////////////
#include <iostream.h>

///////////////////
// #include C
///////////////////
#include <string.h>

/////////////////////////
// Declare the Date class
```

```
///////////////////////////
class Date
{
public:
    Date ( int month,    // The constructor function.
           int day,
           int year );
    void DisplayIt();    // Function that displays the date.
    void ChangeDate(int, // Change date.
                    int,
                    int );
    ~Date();             // The destructor function.

     int year;           //<---NOTE: year is public
private:
    int month, day;
};


///////////////////////////////
// Declare the President class
///////////////////////////////
class President
{
public:
      President(char *First_Name,  // The constructor
                char *Last_Name,   // function.
                int   mn,
                int   dy,
                int   yr );

     ~President();     // The destructor function.

      Date Birthday; //<--- An object of the Date class!!!

private:
      char FirstName[20];
      char LastName [20];
};

/////////////////////////////////////////////////////
// Function Name: President()
// (The constructor function of the President class)
/////////////////////////////////////////////////////
President::President(char *First_Name,
```

```
                    char *Last_Name,
                    int   mn,
                    int   dy,
                    int   yr ):Birthday(mn,
                                        dy,
                                        yr)
{
cout <<
 "\n Guess what? I'M in the President constructor function";

strcpy(FirstName, First_Name );
strcpy(LastName,  Last_Name  );
}

/////////////////////////////////////////////////////
// Function Name: ~President()
// (The destructor function of the President class)
/////////////////////////////////////////////////////
President::~President()
{
cout <<
  "\n Guess what? I'M in the President destructor function";
}

////////////////////////////////////////////
// Function Name: Date()
// (Constructor function of the Date class)
////////////////////////////////////////////
Date::Date(int mn, int dy, int yr)
{
month = mn;
day   = dy;
year  = yr;
cout << "\n Hi! I'm in the constructor of the Date class";
}

//////////////////////////////
// Function Name: DisplayIt()
//////////////////////////////
void Date::DisplayIt()
{
static char *MonthName[] =
        { "Zero",
          "January", "February", "March",
          "April",   "May",      "June",
```

```
            "July",    "August",   "September",
            "October", "November", "December" };

cout << "\n Month: " << MonthName[month]
     << "   Day:   " << day
     << "   Year:  " << year << endl;
}

/////////////////////////////////////
// Function Name: ~Date()
// (destructor of the Date class)
////////////////////////////////////
Date::~Date()
{
cout << "\n Good-Bye (from the ~Date() destructor)" << endl;
}

//////////////////////////////////
// Function Name: ChangeDate()
//////////////////////////////////
void Date::ChangeDate ( int i, int j, int k )
{
month = i;
day   = j;
year  = k;
}

//////////////////////////
// Function Name: main()
//////////////////////////
void main( void )
{
int year; // Not a member of any class. Just a local
          // variable in main().

President Washington ("George", "Washington",
                       2, 21, 1732 );

President Lincoln    ("Abraham", "Lincoln",
                       2, 16, 1809 );

cout <<
 "\n Will now execute: Washington.Birthday.DisplayIt()";

Washington.Birthday.DisplayIt();
```

```
year = Lincoln.Birthday.year;
cout << "\n Lincoln was born in " << year;

cout <<
"\n Will now execute:   Washington.Birthday.ChangeDate()";

Washington.Birthday.ChangeDate ( 2, 22, 1732);

cout <<
 "\n Finished executing: Washington.Birthday.ChangeDate()";

cout <<
 "\n Will now execute: Washington.Birthday.DisplayIt()";

Washington.Birthday.DisplayIt  ();
}
```

Compiling, Linking, and Executing the PRES.CPP Program

The PRES.CPP program resides in your C:\C2CPLUS\CH04 directory.

To compile and link the PRES.CPP program with the Microsoft C/C++ compiler:

- Make sure that your PC is in a DOS protected mode.
- Log into your C:\C2CPLUS\CH04 directory.
- At the DOS prompt type:

  `cl -AH PRES.CPP`

To compile and link the PRES.CPP program with the Borland C/C++ compiler:

- Log into your C:\C2CPLUS\CH04 directory.
- At the DOS prompt type:

  `bcc -mh PRES.CPP`

To execute the PRES.EXE program:

- Log into your C:\C2CPLUS\CH04 directory.

- At the DOS prompt type:

  PRES

An Object as a Data Member of a Class

The statement:

```
Date Birthday;
```

that appears inside the public section of the President class declaration actually creates an object called Birthday of class Date. Thus, whenever the program creates an object of class President, it also creates the Birthday object. This means that the Date() constructor function is automatically executed whenever the program creates an object of class President.

As you can see, the Date Birthday; statement in the President class declaration does not include parentheses with initial values for the data members. How are the initial values of the Birthday object passed to the Date() constructor function?

Upon creating the Lincoln object, the C++ program automatically executes the constructor function of the President class (this function assigns the string Abraham to Lincoln.FirstName, and will assign the string Lincoln to Lincoln.LastName). The program also automatically executes the constructor function of the Date class.

Let's look at the constructor function of the President class:

```
//////////////////////////////////////////////////////
// Function Name: President()
// (The constructor function of the President class)
//////////////////////////////////////////////////////
President::President(char *First_Name,
                     char *Last_Name,
                     int   mn,
                     int   dy,
                     int   yr ):Birthday(mn,
                                         dy,
                                         yr)

{
strcpy(FirstName, First_name );
strcpy(LastName,  Last_Name  );
}
```

This function assigns the values of the parameters that were passed to it to `Lincoln.FirstName` and `Lincoln.LastName`. However, before starting to execute the code inside this function, the program automatically executes the constructor function of the `Date` class. So the values that will pass to the constructor function of the `Date` class are `(2,16,1809)`.

This is because the statement in `main()` that creates the `Lincoln` object is:

```
President Lincoln    ("Abraham", "Lincoln",
                      2, 16, 1809 );
```

The constructor function of the `President` class uses the last three parameters as the parameters it will pass to the `Date()` construction function.

Are you confused? Take a look at the strange syntax of the `President` construction function:

```
President::President(char *First_Name,
                     char *Last_Name,
                     int   mn,
                     int   dy,
                     int   yr ):Birthday(mn,
                                         dy,
                                         yr)
{
...
...
...
}
```

The single colon that separates the parameters of `President()` from `Birthday` is called the *member initializer*.

The member initializer tells the C++ compiler, "When you execute the constructor function of the `President` class, first execute the constructor function of the `Date` class. Execute it with three parameters: `mn`, `dy`, and `yr`."

Upon executing the PRES.EXE program, you can see (from the messages displayed) that indeed the constructor function of the `President` class is executed twice (the first time for the `Washington` object, and the second time for the `Lincoln` object), and that the constructor function of the `Date` class is also executed twice (once when the `Birthday` object of the `Date` class is created for the `Washington` object, and again when the `Birthday` object is created for the `Lincoln` object).

The Member Initializer

The extremely strange look of the President() constructor function is frightening at first glance! But think about it: The President() constructor function has to create the Birthday object. This means that the Date() constructor function has to be executed. So the President() constructor function must somehow pass the initial values of the Date class data members to the Date() constructor function.

If you were sitting on the C++ committee that decided the syntax, what would you suggest? Well, the committee decided to use the following syntax:

```
President::President(char *First_Name,
                     char *Last_Name,
                     int   mn,
                     int   dy,
                     int   yr ):Birthday(mn,
                                         dy,
                                         yr)
{
...
...
...
}
```

The single colon character (:) is called the *member initializer*.

Even if you think you could have come up with something better, use the above syntax when compiling C++ programs.

In a similar manner, you can see that the destructor function of the President class and that of the Date class are also executed twice.

Exercises

Problems

1 Suppose that a C++ program has a class called `Country`. What is the name of the constructor function in this class?

2 Suppose that a C++ program has a class called `Country`. What is the name of the destructor function in this class?

Solutions

1 The name of the constructor function of the `Country` class must be `Country()`.

2 The name of the destructor function of the `Country` classes must be: `~Country()`.

CHAPTER FIVE

Using Dynamic Allocation in Your C++ Programs

In the previous chapter you learned about classes in C++. Once you create an object of a certain class, the C++ program allocates memory to store the data of the object. In this chapter you'll learn how to change the size of an object during the execution of the program (that is, how to allocate memory dynamically).

Memory Allocation in C and C++

In C, the area of memory that is used for storing data is called the *heap*. In C++, this memory area is called the *free store*. However, as you can imagine, the ways these two languages handle memory allocation differ in more than just the names for the storage area.

Allocating Memory in C

Let's review the way you allocate memory in C. Here is how you define a structure:

```
/*-----------------------*/
/* Define the structure. */
/*-----------------------*/
struct MYSTRUCTURE
{
int  iMyVariable;
char iMyCharacter;
char sMyString[256];
};
```

The total number of bytes that this structure requires is:

```
  2 bytes for the integer member
  1 byte for the character member
256 bytes for the string member
___
259 bytes for the entire structure
```

If your `main()` uses the statement:

```
struct MYSTRUCTURE MyStructure;
```

the program automatically creates a place in memory that is able to hold 259 bytes. You don't have to allocate memory for the structure, because the program does it for you.

Thus, you can immediately use a statement such as:

```
MyStructure.iMyVariable = 3;
```

However, when you declare a pointer to a structure, as in the following statement:

```
struct MYSTRUCTURE *MyStructurePtr;
```

the program does NOT allocate memory for the structure. It merely allocates a memory location to hold the address of the structure. But what is the address of the structure? Well, it is unknown at this time.

For example, don't use the following statement yet:

```
MyStructurePtr->iMyVariable = 3;
```

Why? Because the memory cell that is to contain the address of the structure (that is, the beginning address) is not filled yet.

In C, you must fill this memory cell (the pointer) with the beginning address of the structure. You do that with the `malloc()` function as follows:

```
MyStructurePtr =
(struct MYSTRUCTURE * )malloc( sizeof(struct MYSTRUCTURE));
```

The above statement assigns the returned value of `malloc()` to `MyStructurePtr`. The `malloc()` function allocates memory for the structure, and its returned value is the beginning address of the structure. For example, the statement:

```
ptr = malloc(30);
```

allocates 30 bytes. The address of the first byte is returned from the `malloc()` function and is assigned to `ptr`.

The `sizeof(struct MYSTRUCTURE)` function returns the size of the `MYSTRUCTURE` structure (which is 259 bytes). This number is supplied as the parameter to the `malloc()` function.

Once your program executes the statement:

```
MyStructurePtr =
(struct MYSTRUCTURE * )malloc( sizeof(struct MYSTRUCTURE));
```

it can safely use statements such as:

```
MyStructurePtr->iMyVariable = 3;
```

Note that we cast the returned value from `malloc()` with:

```
(struct MYSTRUCTURE * )
```

Casting is necessary because you are assigning the returned value of `malloc()` to a pointer that is used as a pointer (`*`) to a structure (`struct`) of type `MYSTRUCTURE`.

Allocating Memory in C++

In C++, you allocate memory and assign values to pointers of classes by using the `new` operator. Thus, `new` in C++ replaces the `malloc()` of C.

The following `main()` function illustrates how the `new` operator allocates memory to two objects of class `Date`:

```
void main( void )
{
Date *MyDatePtr, *YourDatePtr;

MyDatePtr   = new Date ( 11, 12, 1996 );
YourDatePtr = new Date;

MyDatePtr->DisplayIt();
YourDatePtr->DisplayIt();
}
```

`main()` defines two pointers to two objects of class `Date`:

```
Date *MyDatePtr, *YourDatePtr;
```

The above statement does not create the objects, it merely defines two pointers that can hold addresses.

`main()` then uses the `new` operator to actually create two objects of class `Date`:

```
MyDatePtr   = new Date ( 11, 12, 1996 );
YourDatePtr = new Date;
```

These statements create objects somewhere in memory. The address of the first object is stored in the `MyDatePtr` pointer, and that of the second object is stored in the `YourDatePtr` pointer.

main() then uses the DisplayIt() member function to display the contents of the two objects:

```
MyDatePtr->DisplayIt();
YourDatePtr->DisplayIt();
```

Summary: The new Operator

Use the new operator to allocate memory. The new operator returns the address of the allocated memory. **Example:**

```
void main( void)
{
// Define pointer to an object of class Date.
Date *MyDatePtr;

// Create the object and assign the address of the object
// to MyDatePtr.
MyDatePtr   = new Date ( 11, 12, 1996 );

// Execute a member function
MyDatePtr->DisplayIt();
}
```

new causes the automatic execution of the constructor function. When you use the new operator to allocate memory for an object, as in:

```
MyDatePtr   = new Date ( 11, 12, 1996 );
```

you create the object. Hence, the above statement causes the program to execute the constructor function of the class automatically.

C Vs. C++

In C you use the malloc() function to allocate memory.

In C++ you use the new operator to allocate memory.

The delete Operator

In C, you assign a value to a pointer by using the `malloc()` function. If during the execution of the C program you need to free the allocated memory, then you use the `free()` function.

In C++ you use the `new` operator to allocate memory. To delete the allocated memory, you use the `delete` operator. The following `main()` illustrates how to use the `delete` operator:

```
/////////////////////////
// Function Name: main()
/////////////////////////
void main( void )
{
Date *MyDatePtr, *YourDatePtr;

MyDatePtr   = new Date ( 11, 12, 1996 );
YourDatePtr = new Date;

MyDatePtr->DisplayIt();
YourDatePtr->DisplayIt();

cout << "\n --- Will now execute the delete operator ---";
delete MyDatePtr;
cout << "\n --- The delete operator was executed ---";
}
```

The above `main()` uses the `delete` operator to delete the object whose address is specified by the `MyDatePtr` pointer.

Summary: The delete Operator

You can use the `delete` operator only on pointers that were created with the new operator.

Tip: Use the `delete` operator to free the memory area that an object occupies.

Using the new and delete Operators for Pointers to Variables

The above examples demonstrated how to use the `new` and `delete` operators for creating and destroying objects. As you can see, these operators are much more convenient to use than the `malloc()` and `free()` functions in C. Should you also use these operators to create and destroy regular variables? Yes. The following `main()` illustrates how to use the `new` and `delete` operators to create and destroy an integer.

```
///////////////////////////
// Function Name: main()
///////////////////////////
void main ( void )
{
int *iMyVariablePtr;

iMyVariablePtr = new int;

*iMyVariablePtr = 4;
cout<< "\n The value is: "<< *iMyVariablePtr;

delete iMyVariablePtr;
}
```

`main()` defines a pointer to an integer:

```
int *iMyVariablePtr;
```

and then uses the `new` operator to create an integer and assign its address to the `iMyVariablePtr` pointer:

```
iMyVariablePtr = new int;
```

`main()` then updates the integer with 4 as follows:

```
*iMyVariablePtr = 4;
```

and displays a message with the `cout` statement:

```
cout<< "\n The value is: "<< *iMyVariablePtr;
```

Finally, `main()` deletes the integer by using the `delete` operator:

```
delete iMyVariablePtr;
```

Using the new and delete Operators with Arrays

The previous example illustrated how to use the `new` and `delete` operators to create and free an integer. You can also use the `new` and `delete` operators for creating and freeing an array. However, as demonstrated by the following `main()` function, the syntax is different.

```
/////////////////////////////
// Function Name: main()
/////////////////////////////
void main ( void )
{
int    iSizeOfArray;
char   *sMyStringPtr;

iSizeOfArray = 255;

sMyStringPtr = new char[iSizeOfArray];

strcpy ( sMyStringPtr,
         "Moving from C to C++ in two weeks");

cout << sMyStringPtr;

delete [] sMyStringPtr;
}
```

`main()` defines the `iSizeOfArray` variable:

```
int    iSizeOfArray;
```

This variable will hold the size of the array.

`main()` then defines a pointer to an array of characters:

```
char  *sMyStringPtr;
```

`main()` updates the variable that holds the array size:

```
iSizeOfArray = 255;
```

and then `main()` uses the `new` operator to allocate memory to the array:

```
sMyStringPtr = new char[iSizeOfArray];
```

To verify that indeed the array was created, `main()` uses the `strcpy()` function to fill the array:

```
strcpy ( sMyStringPtr,
         "Moving from C to C++ in two weeks");
```

And finally, `main()` displays the string:

```
cout << sMyStringPtr;
```

and uses the `delete` operator to free the area that the array occupies:

```
delete [] sMyStringPtr;
```

Note the syntax of the `delete` statement. It uses an empty pair of square brackets (`[]`) between the `delete` and the pointer. This tells the compiler that you are deleting an array.

Using Pointers as Data Members of a Class

Suppose your class includes strings. You may not always know how many characters to assign to the string, and it would be convenient if the program could somehow determine this value for itself The MONTH.CPP program (Listing 5.1) solves this problem. It uses a class that has a string (array of characters) as one of its data members.

Compiling, Linking, and Executing the MONTH.CPP Program

To compile and link the MONTH.CPP program with the Microsoft C/C++ compiler:

- Make sure that your PC is in a DOS protected mode.
- Log into your C:\C2CPLUS\CH05 directory.
- At the DOS prompt type:

  ```
  cl -AL MONTH.CPP
  ```

NOTE This program uses the Large (-AL) model, not the Huge model (-AH), because of a small problem, related to new, that exists in the Microsoft version 7.0 C/C++ compiler. (This problem does not exist in Microsoft Visual C/C++ version 8.0 or in the Borland C/C++ compiler.)

To compile and link the MONTH.CPP program with the Borland C/C++ compiler:

- Log into your C:\C2CPLUS\CH05 directory.
- At the DOS prompt type:

  ```
  bcc -mh MONTH.CPP
  ```

To execute the MONTH.EXE program:

- Log into your C:\C2CPLUS\CH05 directory.
- At the DOS prompt type:

  ```
  MONTH
  ```

The MONTH.EXE program responds by displaying the message:

```
December
```

Listing 5.1: Source Code for the MONTH.CPP Program

```
///////////////////////////
// Program Name: MONTH.CPP
///////////////////////////

// Program Description:
// This program demonstrates how to use a pointer to a
// string as a data member of a class.

/////////////
// #include
////////////
#include <iostream.h>
#include <string.h>

/////////////////////////
// Define the Date class
```

```
//////////////////////////
class Date
{
public:
    Date ( char *string ); // Constructor
    void DisplayMonth ();
    ~Date();               // Destructor
private:
     char *sMyStringPtr;
};

//////////////////////////
// Function Name: Date()
// (The constructor)
//////////////////////////
Date::Date ( char *string )
{
int   iLengthOfString;

iLengthOfString = strlen ( string ) + 1;
sMyStringPtr = new char[ iLengthOfString ];
strcpy ( sMyStringPtr, string );
}

//////////////////////////////////
// Function Name: DisplayMonth()
//////////////////////////////////
void Date::DisplayMonth ( )
{
cout << sMyStringPtr << endl;
}

//////////////////////////
// Function Name: ~Date()
// (The destructor)
//////////////////////////
Date::~Date ( )
{
delete sMyStringPtr;
}

/////////////////////////
// void main ( void )
/////////////////////////
void main ( void )
```

```
{
Date MyMonth ( "December" );

MyMonth.DisplayMonth();
}
```

Stepping through the MONTH.CPP Program

The `main()` function creates the `MyMonth` object:

```
Date MyMonth ( "December" );
```

The string `December` is passed to the constructor function of the `Date` class.

Does `December` have too many characters? As you'll soon see, the `Date()` constructor function can handle any string, no matter how large it is. In addition, the `Date()` constructor function allocates the exact number of bytes that are needed to store the `December` string.

Here is the definition of the `Date` class:

```
class Date
{
public:
    Date ( char *string ); // Constructor
    void DisplayMonth ();
    ~Date();               // Destructor
private:
     char *sMyStringPtr;
};
```

As you can see, `Date`'s data member is:

```
char *sMyStringPtr;
```

i.e., `sMyString` is a pointer to a string.

The constructor function takes one parameter, a pointer to a string:

```
Date::Date ( char *string )
{
int   iLengthOfString;

iLengthOfString = strlen ( string ) + 1;
sMyStringPtr = new char[ iLengthOfString ];
```

```
strcpy ( sMyStringPtr, string );
}
```

The code within the `Date()` constructor function assigns to the `iLengthOfString` local variable the length of the string that is passed to the function (by using the `strlen()` function):

```
iLengthOfString = strlen ( string ) + 1;
```

The constructor function then uses the `new` operator to allocate memory for a string whose size is `iLengthOfString`. The address of this new string is stored in the `sMyStringPtr` pointer:

```
sMyStringPtr = new char[ iLengthOfString ];
```

Now that a new string is allocated, the constructor function updates the value of this string with the `strcpy()` function. That is, the string that was passed to the constructor function is copied into the newly created string:

```
strcpy ( sMyStringPtr, string );
```

Increasing the Memory Size of a Data Member

Now suppose that during the execution of the program, we find that the `sMyStringPtr` array has to be made larger. Are we stuck with the memory size that was allocated to it by the constructor function? Not at all.

- Modify the `main()` function of the MONTH.CPP program so that it looks as follows:

```
/////////////////////////
// void main ( void )
/////////////////////////
void main ( void )
{
Date MyMonth ( "December" );

MyMonth.DisplayMonth();

MyMonth.UpdateThesMyString ( "The month is: December" );
```

Conserving Memory with Pointers

To conserve memory in classes that use strings, use pointers. Then let the constructor function figure out the exact amount of memory needed, and use the new operator to allocate the appropriate amount of memory. **Example:**

```
// Constructor function.
Date::Date ( char *string )
{
int iLengthOfString;

iLengthOfString = strlen ( string ) + 1;
sMyStringPtr = new char[ iLengthOfString ];
strcpy ( sMyStringPtr, string );
}
```

The destructor function must contain the statement:

```
delete sMyStringPtr;
```

This frees the memory that was allocated with the new operator. Wait a minute! In all the previous programs that used classes, when an object was destroyed, we did not have to free the memory area that had been occupied by the object. So why do we need to do that now? Upon destroying an object, the program automatically frees the area occupied by the object. This means that the program frees the pointer sMyStringPtr only. But the string itself was created with the new operator, so the only way to free this memory is with the delete operator. Of course, a good focal point to perform this delete operation is inside the destructor function.

```
    MyMonth.DisplayMonth();
    }
```

Written this way, main() uses another member function (UpdateThesMyString()) to update the contents of the string of the object. But we've already allocated memory to the string! What happens if more memory is needed when the string is updated at run-time? Well, you have to write the UpdateThesMyString() member function carefully.

To begin with, modify the Date class definition so that it looks as follows:

```
class Date
{
public:
    Date ( char *string ); // Constructor
    void DisplayMonth ();
    void UpdateThesMyString ( char * string );
    ~Date();                 // Destructor
private:
     char *sMyString;
};
```

Now add the following UpdateThesMyString() member function to the MONTH.CPP program:

```
/////////////////////////////////////////
// Function Name: UpdateThesMyString()
/////////////////////////////////////////
void Date::UpdateThesMyString ( char * string )
{
char * sTmpPtr;

// Calculate length of new string and update the data
// member.
int iLengthOfString;
iLengthOfString = strlen ( string ) + 1;

sTmpPtr = new char [iLengthOfString];
strcpy ( sTmpPtr, string );

delete sMyStringPtr;

sMyStringPtr = sTmpPtr;
}
```

Recompile and link the modified MONTH.CPP program. If you are using the Microsoft C/C++ version 7.0 compiler, use the Large model (-AL).

To execute the modified MONTH.CPP program:

- At the DOS prompt type:

  ```
  MONTH
  ```

The MONTH program responds by displaying:

```
December
The month is: December
```

As you can see, the `UpdateThesMyString()` function takes one parameter, a pointer to a string.

The `UpdateThesMyString()` function defines a local pointer:

```
char * sTmpPtr;
```

and then calculates the length of the string that was passed to it:

```
iLengthOfString = strlen ( string ) + 1;
```

The program then creates a new string with a length equal to `iLengthOfString`, and the address of the string is assigned to `sTmpPtr`:

```
sTmpPtr = new char [iLengthOfString];
```

The function then copies, to the string pointed to by `sTmpPtr`, the contents of the string that was passed to it:

```
strcpy ( sTmpPtr, string );
```

OK, what have you done so far? You defined a temporary pointer to a string (`sTmpPtr`), and copied to it the address of the string that was passed to this function. However, `sTmpPtr` is not a data member (it is just a local variable). So to update the `sMyStringPtr` data member, the function uses the statement:

```
delete sMyStringPtr;
```

and then updates the `sMyStringPtr` data member with the content of `sTmpPtr`:

```
sMyStringPtr = sTmpPtr;
```

Note that the statement

```
delete sMyStringPtr;
```

does *not* delete the pointer `sMyStringPtr`, it deletes the string that is pointed to by this pointer.

The Need for an Assignment Operator

The *assignment operator* is a new concept, introduced in C++ to enable you to assign the value of one object to another object. The PHONE.CPP program illustrates this concept.

Compiling, Linking, and Executing the PHONE.CPP Program

To compile and link the PHONE.CPP program with the Microsoft C/C++ compiler:

- Make sure that your PC is in a DOS protected mode.
- Log into your C:\C2CPLUS\CH05 directory.
- At the DOS prompt type:

```
cl -AL PHONE.CPP
```

To compile and link the PHONE.CPP program with the Borland C/C++ compiler:

- Log into your C:\C2CPLUS\CH05 directory.
- At the DOS prompt type:

```
bcc -mh PHONE.CPP
```

To execute the PHONE.EXE program:

- Log into your C:\C2CPLUS\CH05 directory.
- At the DOS prompt type:

```
PHONE
```

Listing 5.2 presents the code of the PHONE.CPP program.

Listing 5.2: Source Code for the PHONE.CPP Program

```
///////////////////////////
// Program Name: PHONE.CPP
// Description:
// This program illustrates how to assign the values of
```

```
// one object to another object.
///////////////////////////

////////////
// #include
////////////
#include <iostream.h>
#include <string.h>

////////////////////////////
// Define the Phone class
////////////////////////////
class Phone
{
public:
      Phone( char *s);          // The constructor
      ~Phone();                 // The destructor

      char *sPhoneInfoPtr;
};

///////////////////////////////
// Function Name: Phone()
// (The constructor function)
///////////////////////////////
Phone::Phone( char *s )
{
int iArrayLength;
iArrayLength = strlen(s) + 1;

sPhoneInfoPtr = new char [ iArrayLength ];
strcpy ( sPhoneInfoPtr, s );
}

///////////////////////////////
// Function Name: ~Phone()
// (The destructor function)
///////////////////////////////
Phone::~Phone()
{
delete sPhoneInfoPtr;
}

/////////////////////////
// Function Name: main()
```

```
/////////////////////////
void main ( void )
{
Phone MyPhone  ("(555)555-1234");
Phone HerPhone ("(555)555-4321");

cout << "\n  MyPhone.sPhoneInfoPtr = "
     <<  MyPhone.sPhoneInfoPtr;
cout << "\n HerPhone.sPhoneInfoPtr = "
     << HerPhone.sPhoneInfoPtr;

HerPhone = MyPhone;

cout << "\n  MyPhone.sPhoneInfoPtr = "
     <<  MyPhone.sPhoneInfoPtr;
cout << "\n HerPhone.sPhoneInfoPtr = "
     << HerPhone.sPhoneInfoPtr;


strcpy ( MyPhone.sPhoneInfoPtr, "(999)999-9999" );

cout << "\n  MyPhone.sPhoneInfoPtr = "
     <<  MyPhone.sPhoneInfoPtr;
cout << "\n HerPhone.sPhoneInfoPtr = "
     << HerPhone.sPhoneInfoPtr;
}
```

Stepping through the PHONE.CPP Program

The `main()` function creates two objects of class `Phone`:

```
Phone MyPhone  ("(555)555-1234");
Phone HerPhone ("(555)555-4321");
```

and then displays the contents of these two objects:

```
cout << "\n  MyPhone.sPhoneInfoPtr = "
     <<  MyPhone.sPhoneInfoPtr;
cout << "\n HerPhone.sPhoneInfoPtr = "
     << HerPhone.sPhoneInfoPtr;
```

When you execute the program, the above `cout` statements should display this:

```
MyPhone.sPhoneInfoPtr = (555)555-1234
HerPhone.sPhonePtr = (555)555-4321
```

`main()` then uses the statement

```
HerPhone = MyPhone;
```

which is interpreted by the compiler as:

```
HerPhone.sPhoneInfoPtr = MyPhone.sPhoneInfoPtr;
```

`main()` then again displays the contents of the objects:

```
cout << "\n  MyPhone.sPhoneInfoPtr = "
     <<  MyPhone.sPhoneInfoPtr;
cout << "\n HerPhone.sPhoneInfoPtr = "
     << HerPhone.sPhoneInfoPtr;
```

As expected, upon executing the program, the above `cout` statements should display this:

```
MyPhone.sPhoneInfoPtr = (555)555-1234
HerPhone.sPhonePtr = (555)555-1234
```

`main()` then changes the string contents of the `MyPhone` object:

```
strcpy ( MyPhone.sPhoneInfoPtr, "(999)999-9999" );
```

and displays the contents of the objects:

```
cout << "\n  MyPhone.sPhoneInfoPtr = "
     <<  MyPhone.sPhoneInfoPtr;
cout << "\n HerPhone.sPhoneInfoPtr = "
     << HerPhone.sPhoneInfoPtr;
```

What do you think the program should display now? One would think that `MyPhone` is (999)999-9999, and `HerPhone` is (555)555-1234 (that is, HerPhone should be unchanged). But if you execute the program, you'll see that both `MyPhone` and `HerPhone` are (999)999-9999!

This is because of the statement

```
HerPhone = MyPhone;
```

After the execution of this statement, `MyPhone.sPhoneInfoPtr` is equal to `HerPhone.SPhoneInfoPtr`. So the contents of these variables are the same—that is, the address of the string they point to is the same. In other words, you don't have two strings, you have only one. So when you change the contents of the MyPhone string, you also change the contents of the HerPhone string.

Warning: Keeping Objects Independent

If you use a pointer as a data member of a class, and then use a statement such as:

```
HerObject = MyObject;
```

the string that is pointed to by the pointer is common to both objects. So when you change the string in one object, the string of the other object also changes.

This is a very bad thing to have in C++, because each object is supposed to be completely independent of all other objects.

The Assignment Operator

The bad news is that the compiler does not complain when you use the statement:

```
HerObject = MyObject;
```

The good news is that C++ lets you use the *assignment operator* to make sure that values are kept distinct in cases like the one we've just seen.

The syntax of the assignment operator may take you some time to digest, so let's do it carefully.

C++ lets you use the statement:

```
HerPhone = MyPhone;
```

As the PHONE.CPP program illustrates, the above statement is equivalent to saying:

```
    I'm looking for trouble;
    I'm looking to create bugs in my program;
```

Fortunately, C++ lets you define the function `operator=()`. As implied by its syntax, this function tells the C++ compiler to automatically execute `operator=()` whenever the statement

```
HerPhone = MyPhone;
```

is encountered. That is, the compiler interprets the equal sign in the above statement as: "Go and execute the function `operator=()`."

Modify the class declaration of the `Phone` class in PHONE.CPP so that the `operator=()` function is declared as follows:

```
class Phone
{
public:
      Phone( char *s);            // The constructor
      void operator=( Phone &other );
      ~Phone();                   // The destructor

     char *sPhoneInfoPtr;
 };
```

Notice that the `operator=()` function takes one parameter, `&other`, that is of class `Phone`.

The `operator=()` function looks as follows:

```
void Phone::operator=( Phone &other )
{
...
...
...
}
```

To summarize, whenever the PHONE.CPP program encounters the statement:

```
HerPhone = MyPhone;
```

it automatically executes the `operator=()` function.

But what code should you write inside the `operator=()` function?

Enter the following function into the PHONE.CPP program:

```
//////////////////////////////
// Function Name: operator=()
//////////////////////////////
```

```
void Phone::operator=( Phone &other )
{
int iArrayLength;

iArrayLength = strlen(other.sPhoneInfoPtr);
delete sPhoneInfoPtr;
sPhoneInfoPtr = new char [ iArrayLength + 1 ];
strcpy ( sPhoneInfoPtr, other.sPhoneInfoPtr );
}
```

Compile and link the modified PHONE.CPP program. (If you are using the Microsoft C/C++ version 7.0 compiler, then use:

```
cl -AL PHONE.CPP
```

as discussed earlier.)

Execute the modified PHONE.CPP program. It responds by displaying the messages:

```
MyPhone.sPhoneInfoPtr = (555)555-1234
   HerPhone.sPhonePtr = (555)555-4321

MyPhone.sPhoneInfoPtr = (555)555-1234
   HerPhone.sPhonePtr = (555)555-1234

MyPhone.sPhoneInfoPtr = (999)999-9999
   HerPhone.sPhonePtr = (555)555-1234
```

As you can see, the problem is solved! Changing the contents of the `MyPhone` string did NOT change the contents of the `HerPhone` string.

Stepping through the operator=() Function

When the statement

```
HerPhone = MyPhone;
```

is executed in `main()`, the program automatically executes the `operator=()` function. Because `MyPhone` appears to the right of the equal sign, the code inside the `operator=()` function considers the variable `other` to be `MyPhone`, and it considers `sPhoneInfoPtr` to be `HerPhone.sPhoneInfoPtr`.

The statements inside the operator=() function first find the length of the string of MyPhone:

```
int iArrayLength;

iArrayLength = strlen(other.sPhoneInfoPtr);
```

The string pointed to by sPhoneInfoPtr of HerPhone is deleted:

```
delete sPhoneInfoPtr;
```

A new string is allocated with the new operator (to the exact length that is needed):

```
sPhoneInfoPtr = new char [ iArrayLength + 1 ];
```

And finally, the sPhoneInfoPtr of HerPhone is updated with the sPhoneInfoPtr of MyPhone:

```
strcpy ( sPhoneInfoPtr, other.sPhoneInfoPtr );
```

At first glance, it looks as if the operator=() function is too much work. But consider the alternative: If you do not use the operator=() function as described above, and you have a small bug in your program (as the first version of PHONE.CPP did), then it will probably take you much longer to fix and correct the bug than it takes to write the operator=() function. You might resolve to be careful and "remember" not to equate two objects that have pointers as their data members. Well, you may or may not remember, but any other programmer who happens to work on your program will be unaware of this pitfall.

The this Pointer

When your program executes a member function, it uses a statement such as:

```
MyObject.UpdateIt();
```

Assuming that one of the data members of the object is month, the UpdateIt() function can use a statement such as:

```
month = 4;
```

The above statement can be also written as:

```
this->month = 4;
```

In other words, when you execute a member function, the program automatically updates the `this` pointer. The `this` keyword represents the pointer to the object.

Summary: The this Operator

The C++ program automatically updates the `this` pointer whenever a public member function is executed.

Of course, it is more convenient to use inside the member function a statement such as:

```
month = 4;
```

rather than code such as:

```
this->month = 4;
```

So why do you need to use the `this` operator? The next section illustrates one use for the `this` operator.

Using the this Pointer in a Program

Let's suppose that your `main()` has the following statement:

```
void main ( void )
{
...
...
...
MyPhone = MyPhone;
...
...
}
```

The above statement in `main()` can cause unpredictable results. So let's modify the `operator=()` function to take care of this problem.

```
void Phone::operator=( Phone &other )
{
if ( &other == this )
   {
   cout <<
```

```
    "\n operator function refuses to perform assignment";
    return;
    }
else
    {
    cout <<
    "\n operator function agrees to perform assignment";

     int iArrayLength;
      iArrayLength = strlen(other.sPhoneInfoPtr);
      delete sPhoneInfoPtr;
      sPhoneInfoPtr = new char [ iArrayLength + 1 ];
      strcpy ( sPhoneInfoPtr, other.sPhoneInfoPtr );
    }
```

When the program encounters the statement:

```
MyPhone = MyPhone;
```

it executes the `operator=()` function. Now `this` represents the `MyPhone` object (the left side of the `MyPhone=MyPhone;` statement), and `other` also represents the `MyPhone` object (the right side of the `MyPhone=MyPhone;` statement). Thus, the `if()` statement is satisfied, and the `operator=()` function returns without performing the assignment.

The Copy Constructor Function

The following `main()` is illegal:

```
void main ( void )
{
Phone MyPhone  ("My phone number is: (555)555-1234");
HerPhone = MyPhone; // Illegal, because you must create the
                    // HerPhone object first.
....
....
....
}
```

How about the following main()?

```
void main ( void )
{
Phone MyPhone  ("My phone number is: (555)555-1234");
Phone HerPhone ( MyPhone );
...
...
...
}
```

There is no syntax error in the above main(). That is, you create the HerPhone object, and the initial values of the HerPhone object are the same as the MyPhone object (which was created and initialized earlier). The problem, however, is that if you later delete the sPhoneInfoPtr data member of MyPhone, and then try to use the sPhoneInfoPtr of HerPhone, the results are unpredictable (because HerPhone was created based on MyPhone).

The solution is to write a special constructor function (called the *copy constructor* function). Here is the declaration of the Phone class, revised to use a copy constructor:

```
class Phone
{
public:
      Phone( char *s);              // The constructor
      Phone ( Phone &other );       // The copy constructor
      void DisplayPhoneInfo();
      void DeletesPhoneInfo();
      void operator=( Phone &other );
      ~Phone();                     // The destructor
private:
      int iArrayLength;
      char *sPhoneInfo;
};
```

Here is the code of the copy constructor function:

```
Phone::Phone ( Phone &other )
{
int iArrayLength;

iArrayLength = strlen(other.sPhoneInfoPtr) + 1;
sPhoneInfoPtr = new char [ iArrayLength ];
strcpy ( sPhoneInfoPtr, other.sPhoneInfoPtr );
}
```

When main() executes the statement:

```
Phone HerPhone ( MyPhone );
```

the HerPhone object is created, and thus the constructor function will be executed. The Phone class has two constructor functions; which one will be executed? The one whose parameter list agrees with the statement:

```
Phone HerPhone ( MyPhone );
```

In the above statement, the parameter list contains an object (the MyPhone object). In the Phone class declaration, the second constructor function has the prototype:

```
Phone ( Phone &other );   // The copy constructor
```

This means that upon creating the HerPhone object, the program automatically executes the second constructor function. This constructor function is called the copy constructor function, because it copies one object to another.

The code inside the copy constructor function uses the word other, and other is considered to be MyPhone (because it was passed as a parameter to the copy constructor function).

The copy constructor function finds the length of the MyPhone string:

```
iArrayLength = strlen(other.sPhoneInfoPtr) + 1;
```

It uses the new operator to allocate memory for the string of the HerPhone object:

```
sPhoneInfoPtr = new char [ iArrayLength ];
```

And finally, the contents of the MyPhone string are copied to the HerPhone string:

```
strcpy ( sPhoneInfoPtr, other.sPhoneInfoPtr );
```

If later in the program you delete the MyPhone object, it will not hurt the HerPhone object, because the HerPhone object was created properly.

Passing an Object as a Parameter

You've just seen how a copy constructor function lets you pass an object to a member function. You can also pass an object to a function that's not a member of a class.

For example, let's say that your program contains a function called `MyFunction()`:

```
// The prototype
void MyFunction ( Phone &AnyObject );
```

Here is `MyFunction()`:

```
void MyFunction ( Phone &AnyObject )
{
AnyObject.DisplayPhoneInfo();
}
```

`main()` can execute the `MyFunction()` function as follows:

```
void main( void )
{
Phone MyPhone  ("My phone number is: (555)555-1234");

MyFunction ( MyPhone );
}
```

Consider what the program is doing when it executes `MyFunction()`:

The program creates a new object called `AnyObject`. The data members of `Any-Object` have values identical to those of the `MyPhone` object (because `MyPhone` was passed as a parameter to `MyFunction()`). The important thing to note is that when `AnyObject` is created, the constructor function `Phone()` is executed (because `Any Object` is of class `Phone`). But which constructor function? (The `Phone` class has two.) The constructor function that agrees with the prototype. In the case of `My-Function()`, the program will automatically execute the copy constructor function, because its prototype lists a parameter that is an object of type `Phone`.

When the program finishes executing `MyFunction()`, the local object `AnyObject` is destroyed (and the `~Phone()` destructor function is automatically executed). Because you use a copy constructor function, the `MyPhone` object is not affected by the destruction of `AnyObject`.

Using Functions That Return an Object

In the previous example, you learned how to pass an object to a regular function (one that's not a member of a class), and you learned the importance of using a copy

Warning: Declare the Class Before Using It

The prototype of `MyFunction()` is:

```
void MyFunction ( Phone &AnyObject);
```

Because the parameter list of this function contains an object of class `Phone`, this prototype statement line must appear *after* the declaration of the `Phone` class:

```
class Phone
{
...
...
...
};

void MyFunction ( Phone &AnyObject );
```

constructor function when such functions are used. You'll now learn how to use a function that returns an object.

Let's say that your program uses the function `YourFunction()`. The prototype of `YourFunction()` is:

```
Phone YourFunction ( void );
```

As you can see, `YourFunction()` returns an object of class `Phone`.

And here is the `YourFunction()` function:

```
/////////////////////////////////
// Function Name: YourFunction()
/////////////////////////////////
Phone YourFunction ( void )
{
Phone AnyObject ( "I was created in YourFunction()");
return AnyObject;
}
```

main() can execute the YourFunction() function as follows:

```
/////////////////////////
// Function Name: main()
/////////////////////////
void main ( void )
{
Phone MyPhone  ("My phone number is: (555)555-1234");
Phone TheirPhone (MyPhone);

TheirPhone = YourFunction();
TheirPhone.DisplayPhoneInfo();
}
```

In the above main(), the MyPhone object is created:

```
Phone MyPhone  ("My phone number is: (555)555-1234");
```

and then the TheirPhone object is created:

```
Phone TheirPhone (MyPhone);
```

As it executes the above statement, the program automatically executes the copy constructor function.

main() then executes YourFunction():

```
TheirPhone = YourFunction();
```

As shown above, the returned value of YourFunction() is assigned to the TheirPhone object.

When the program executes the YourFunction() function, it creates an object AnyObject and then returns the object. When YourFunction() creates AnyObject, it calls the copy constructor function. When YourFunction() has finished executing, AnyObject is destroyed. (AnyObject is local to YourFunction(), and so it is destroyed when YourFunction() terminates.) In main(), the TheirPhone object is assigned with the values of the object that was returned from YourFunction(). However, the TheirPhone object is not affected by the destruction of AnyObject, because the object that was destroyed in YourFunction() was created properly—with the copy constructor function.

Placing the Code of the Member Functions in the Class Declaration

In this book, the class declaration contains the prototypes of the member functions. The actual code of the member function is written separately. For example:

```
class Phone
{
public:
      .........
      .........
      .........
      void DisplayPhoneInfo();
      .........
      .........
      .........
};
```

The `DisplayPhoneInfo()` is written elsewhere in the program.

You should know, however, that the C++ compiler permits you to write the code of the member functions inside the class declaration as follows:

```
class Phone
{
public:
      .........
      .........
      .........
      void DisplayPhoneInfo()
           {
           .................................
           ... Here you write the code of ...
           ... the function.              ...
           .................................
           };
      .........
      .........
      .........
};
```

Exercises

Problems

1 The `operator=()` function takes care of the statement:

```
HerPhone = MyPhone;
```

That is, the program automatically executes the `operator=()` function when it encounters the = character in the above statement.

Suppose the program includes the following statements:

```
void main (void)
{
int iMyVar;
...
...
...
iMyVar = 3;
...
...
...
}
```

Will the program execute the `operator=()` function when it encounters the equal sign in the `iMyVar = 3` statement?

2 Is there an error in the second statement of the following `main()`?

```
void main ( void )
{
Phone MyPhone  ("My phone number is: (555)555-1234");
Phone HerPhone ( MyPhone );
...
...
...
}
```

3 The `main()` function of exercise 2 creates the `MyPhone` object, and then it creates the `HerPhone` object. However, the parameter that is passed to the `Phone()`

constructor function in the first statement is a string, and the parameter that is passed to the constructor function in the second statement is an object. How is this possible?

4 The constructor function that will be used when the second statement of `main()` in exercise 2 is executed is called:__________.

5 What is the difference between the `operator=()` function and the copy constructor function?

Solutions

1 No, because the `iMyVar` variable is not an object of class `Phone`. When the compiler encounters the statement:

```
HerPhone = MyPhone;
```

it checks to see if the class definition of the `MyPhone` object contains the `operator=()` function.

2 There is no error. The second statement creates an object called `HerPhone`.

3 The `Phone` class has two `Phone` constructor functions. One has a string as its parameter, and the other has an object as its parameter.

4 An overloaded function and a copy constructor function.

5 The `operator=()` function is used to initialize an already created object with the values of another already created object. For example,

```
MyPhone = OurPhone;
```

where `MyPhone` and `OurPhone` are objects that were created already.

The copy constructor function is used to initialize *and* to create an object. The object is initialized with the values of another object that was created already. For example,

```
Phone HerPhone ( MyPhone );
```

CHAPTER SIX

Static Members, Friends, and Arrays of Objects

In the last two chapters you've learned about classes, the objects that belong to them, and the dynamic allocation of memory for objects. In this chapter you will learn about some further important features of classes. Topics covered in this chapter include static data members, static member functions, friend functions, friend classes, and arrays of objects.

Using Static Data Members

Declaring data members of a class as static variables can be very useful. To see how useful static data members are, consider the following example. Suppose you write a program that stores information about salespersons. The information includes:

1. The name of the salesperson.
2. The total dollar amount of sales that the salesperson made.
3. The percent commission due to the salesperson.

Your program can store this information in a class `SalesPerson` that has three data members: `sName`, `fSales`, and `fCommiss`.

Suppose that the percent commission of all the salespersons should always be the same. That is, whenever the program assigns a certain value to the `fCommiss` data member, this value should be assigned to all the `SalesPerson` objects.

For example, if your program has three objects of class `SalesPerson`, (`Person1`, `Person2`, and `Person3`), and you want to assign a commission value of 10 percent, then your program would have to assign the value 10 to all three objects, as in the following:

```
Person1.fCommiss = 10;
Person2.fCommiss = 10;
Person3.fCommiss = 10;
```

Whenever you want to change the commission value, you would need to update the `fCommiss` data member of each and every object. This method for assigning the same value to many objects is neither efficient nor convenient. In the above example, you updated only three objects. But imagine what it would be like if you had hundreds of objects.

To solve this inefficiency problem, you should define `fCommiss` as a static variable. When you define a data member as a static variable, only one copy of the variable exists in memory, and it is shared by all the objects in the class. For example, if you define the `fCommiss` data member as a static variable, then when you update the `Person1` object with a statement such as:

```
Person1.fCommiss = 10;
```

the `fCommiss` data members of the other objects are also updated with a value of 10. That is, because the `fCommiss` data member is declared as a static variable, `Person1.fCommiss`, `Person2.fCommiss`, and `Person3.fCommiss` are actually all the same variable. If one of them is changed to a certain value, all the rest are changed to the same value.

Note that because the `fCommiss` data member is a static variable, the statement:

```
Person1.fCommiss = 10;
```

is deceptive. That is, anyone who reads this statement would think that only `Person1.fCommiss` is updated with 10, when in fact, all other objects of type `Salesperson` (`Person2` and `Person3`) are also updated. To make your code easier to understand, when you update a static data member, you should use the class name and the scope resolution operator (`::`), as in the following:

```
SalesPerson::fCommiss = 10;
```

Now, whoever reads your code clearly understands that the above statement updates the `fCommiss` data members of ALL the objects of class `SalesPerson`.

The STATIC.CPP program illustrates how you can define and use a static data member in your programs. Listing 6.1 shows the STATIC.CPP program.

Compiling, Linking, and Executing the STATIC.CPP Program

The STATIC.CPP program resides in your C:\C2CPLUS\CH06 directory.

To compile the STATIC.CPP program with the Microsoft C/C++ compiler:

- Make sure that your PC is in a DOS protected mode.
- Log into the C:\C2CPLUS\CH06 directory.

- At the DOS prompt type:

  `cl -AL STATIC.CPP`

To compile the STATIC.CPP program with the Borland C/C++ compiler:

- Log into the C:\C2CPLUS\CH06 directory.
- At the DOS prompt type:

  `bcc -ml STATIC.CPP`

To execute the STATIC.CPP program:

- Log into the C:\C2CPLUS\CH06 directory.
- At the DOS prompt type:

  `STATIC`

The program responds by displaying the following text:

```
Initially:
Person1.fCommiss=5
Person2.fCommiss=5
Person3.fCommiss=5

After updating Salesperson::fCommiss with 10:
Person1.fCommiss=10
Person2.fCommiss=10
Person3.fCommiss=10
```

Listing 6.1: Source Code for the STATIC.CPP program

```
//////////////////////////////////////////////////////////////
// Program Name: STATIC.CPP
//
// Description:
// ------------
// This program illustrates how a static data member is
// defined and initialized, and how it is used.
//////////////////////////////////////////////////////////////


////////////
// #include
////////////
```

```
#include <iostream.h>
#include <string.h>


///////////////////////////////////
// Define the Salesperson class
///////////////////////////////////
class Salesperson
{
public:
   // The constructor prototype.
   Salesperson( char *name, float sales);

   // The destructor prototype.
   ~Salesperson();

   // Define 3 public data members.
   char  *sName;
   float fSales;
   static float fCommiss; // A static float data member.

};


// Initializing the fCommiss static data member.
float Salesperson::fCommiss = 5.0;


/////////////////////////////////////////////////////////
// Function Name: Salesperson()
// (The constructor function of the Salesperson class)
/////////////////////////////////////////////////////////
Salesperson::Salesperson( char *name, float sales )
{
int iStringLength;

// Allocate memory for the sName data member.
iStringLength = strlen(name) + 1;
sName = new char [ iStringLength ];

// Initialize the sName data member.
strcpy ( sName, name );

// Initialize the fSales data member.
fSales=sales;
```

```
// NOTE: The fCommiss data member is static, so it
// cannot be initialized in the constructor function.

}


/////////////////////////////////////////////////////
// Function Name: ~Salesperson()
// (The destructor function of the Salesperson class)
/////////////////////////////////////////////////////
Salesperson::~Salesperson()
{
// Deallocate the memory of the string sName.
delete sName;
}


/////////////////////////
// Function Name: main()
/////////////////////////
void main ( void )
{

// Create 3 objects of type Salesperson.
Salesperson Person1 ("John Smith",  10000.00);
Salesperson Person2 ("Tom Johnson", 20000.00);
Salesperson Person3 ("Jane Smart",  30000.00);

// Display the initial value of the fCommiss static data
// member of the 3 Salesperson objects.
cout << "\n Initially:";
cout << "\n Person1.fCommiss="<<Person1.fCommiss;
cout << "\n Person2.fCommiss="<<Person2.fCommiss;
cout << "\n Person3.fCommiss="<<Person3.fCommiss;

// Update the fCommiss static member with a new value.
// (All the objects of type Salesperson are updated.)
Salesperson::fCommiss = 10.0;

// Display the new value of the fCommiss static data
// member of the 3 Salesperson objects.
cout << "\n\n";
cout << "\n After updating Salesperson::fCommiss with 10:";
cout << "\n Person1.fCommiss="<<Person1.fCommiss;
```

```
cout << "\n Person2.fCommiss="<<Person2.fCommiss;
cout << "\n Person3.fCommiss="<<Person3.fCommiss;

cout << "\n\n";

}
```

Stepping through the STATIC.CPP Program

The STATIC.CPP program illustrates how a class that includes a static data member is defined. The program also illustrates how to initialize a static data member and how to access it.

Defining the Salesperson Class

The STATIC.CPP program defines a class SalesPerson that has three public data members (sName, fSales, fCommiss):

```
class Salesperson
{
public:
   // The constructor prototype.
   Salesperson( char *name, float sales);

   // The destructor prototype.
   ~Salesperson();

   // Define 3 public data members.
   char  *sName;
   float fSales;
   static float fCommiss; // A static float data member.

};
```

sName is used for storing the salesperson's name, fSales is used for storing the total sales amount made by the salesperson, and fCommiss is the percent commission that is due to the salesperson.

The fComiss data member is defined as a static variable. This means that the data member fCommis is shared by all objects of type Salesperson.

Initializing the fCommiss Static Data Member

After defining the `Salesperson` class, STATIC.CPP initializes the `fCommiss` static member with a value of 5:

```
float Salesperson::fCommiss = 5.0;
```

As you can see, this initialization statement is written at file scope. That is, it is not written inside any function. You cannot initialize a static data member inside a function!

> **WARNING** Before you can use a static data member, you must first initialize it. A static data member cannot be initialized inside a function; it must be initialized at file scope. A good place to initialize a static data member is right after the class declaration. If you fail to initialize a static data member and then try to use this static data member in your code, you will get a linking error. The linker will complain that you are using an undefined variable.

The Constructor Function of the Salesperson Class

The constructor function of the `Salesperson` class allocates memory for the `sName` string data member and then initializes the `sName` and `fSales` data members:

```
Salesperson::Salesperson( char *name, float sales )
{
int iStringLength;

// Allocate memory for the sName data member.
iStringLength = strlen(name) + 1;
sName = new char [ iStringLength ];

// Initialize the sName data member.
strcpy ( sName, name );

// Initialize the fSales data member.
fSales=sales;
}
```

Notice that the constructor function does not initialize the `fCommiss` data member. Again, a static data member cannot be initialized inside a function, only at file scope.

The Destructor Function of the Salesperson Class

The destructor function of the `Salesperson` class uses the `delete` operator to free the memory of the `sName` string data member:

```
Salesperson::~Salesperson()
{
// Deallocate the memory of the string sName.
delete sName;
}
```

Recall that the memory for the `sName` data member was allocated in the constructor function.

The main() Function of STATIC.CPP

`main()` creates three objects of type `Salesperson` (`Person1`, `Person2`, and `Person3`):

```
Salesperson Person1 ("John Smith",  10000.00);
Salesperson Person2 ("Tom Johnson", 20000.00);
Salesperson Person3 ("Jane Smart",  30000.00);
```

After creating the three objects, `main()` displays the initial value of the `fCommiss` data member of these objects:

```
cout << "\n Initially:";
cout << "\n Person1.fCommiss="<<Person1.fCommiss;
cout << "\n Person2.fCommiss="<<Person2.fCommiss;
cout << "\n Person3.fCommiss="<<Person3.fCommiss;
```

When you execute the STATIC.EXE program, these statements display the following text:

```
Initially:
Person1.fCommiss=5
Person2.fCommiss=5
Person3.fCommiss=5
```

Why are the fCommis data members of Person1, Person2 and Person3 all equal to 5? Because that's how you initialized the fCommiss static data member. Recall that when you initialized the fCommiss static data member (right after the Salesperson class declaration), you used the statement:

```
float Salesperson::fCommiss = 5.0;
```

This statement initializes the fCommiss data members of all the objects of class Salesperson to 5. This is why after the Person1, Person2, and Person3 object were created, they all had the value of 5 in their fCommiss data member. Because you defined fCommiss as a static data member, Person1.fCommiss, Person2.fCommiss and Person3.fCommiss are actually ONE memory location whose value was initialized to 5.

After displaying the initial values of the fCommiss data members, main() assigns a new value to fCommiss:

```
Salesperson::fCommiss = 10.0;
```

Finally, main() displays the new values of the fCommiss data members:

```
cout << "\n\n";
cout << "\n After updating Salesperson::fCommiss with 10:";
cout << "\n Person1.fCommiss="<<Person1.fCommiss;
cout << "\n Person2.fCommiss="<<Person2.fCommiss;
cout << "\n Person3.fCommiss="<<Person3.fCommiss;
```

When you execute the STATIC.EXE program, these statements display the following text:

```
After updating Salesperson::fCommiss with 10:
Person1.fCommiss=10
Person2.fCommiss=10
Person3.fCommiss=10
```

As expected, the statement:

```
Salesperson::fCommiss = 10.0;
```

updated the fCommiss data member of all the Salesperson objects with a value of 10.

Using Static Member Functions

The STATIC.CPP program illustrated how to define and use static data members. C++ also allows you to declare member functions as static. What's the advantage of doing this? Well, when you declare a member function as static, the function can use only static member variables. If, after declaring a member function as static, you try to use nonstatic data members in this function, the compiler will complain. This compiling error prevents you from changing nonstatic variables by mistake.

The STATIC2.CPP program (Listing 6.2) is a modified version of the STATIC.CPP program. It illustrates how to declare and use static member functions. The STATIC2.CPP resides in your C:\C2CPLUS\CH06 directory.

Listing 6.2: Source Code for the STATIC2.CPP Program

```
///////////////////////////////////////////////////////////////
// Program Name: STATIC2.CPP
//
// Description:
// ------------
// This program illustrates how static member functions
// are declared and used.
///////////////////////////////////////////////////////////////


////////////
// #include
////////////
#include <iostream.h>
#include <string.h>


////////////////////////////////
// Define the Salesperson class
////////////////////////////////
class Salesperson
{
public:
   // The constructor prototype.
   Salesperson( char *name, float sales);
```

```
   // The destructor prototype.
   ~Salesperson();

   // Prototypes of 2 static function members.
   static float GetCommiss( void );
   static void  SetCommiss( float fNewCommiss );

private:
   char  *sName;
   float fSales;
   static float fCommiss; // A static float data member.

};

// Initializing the fCommiss static data member.
float Salesperson::fCommiss = 5.0;

///////////////////////////////////////////////////////
// Function Name: Salesperson()
// (The constructor function of the Salesperson class)
///////////////////////////////////////////////////////
Salesperson::Salesperson( char *name, float sales )
{
int iStringLength;

// Allocate memory for the sName data member.
iStringLength = strlen(name) + 1;
sName = new char [ iStringLength ];

// Initialize the sName data member.
strcpy ( sName, name );

// Initialize the fSales data member.
fSales=sales;

// NOTE: The fCommiss data member is static, so it
//       cannot be initialized in the constructor function.

}

///////////////////////////////////////////////////////
// Function Name: ~Salesperson()
```

```
// (The destructor function of the Salesperson class)
///////////////////////////////////////////////////////
Salesperson::~Salesperson()
{
// Deallocate the memory of the string sName.
delete sName;
}


///////////////////////////////////////////////////////
// Function Name: Salesperson::GetCommiss()
// This function returns the current value of fCommiss.
///////////////////////////////////////////////////////
float Salesperson::GetCommiss( void )
{
return fCommiss;
}


///////////////////////////////////////////////////////
// Function Name: Salesperson::SetCommiss()
// This function sets fCommiss with a new value.
///////////////////////////////////////////////////////
void Salesperson::SetCommiss( float fNewCommiss )
{
fCommiss=fNewCommiss;
}


//////////////////////////
// Function Name: main()
//////////////////////////
void main ( void )
{

// Create 3 objects of type Salesperson.
Salesperson Person1 ("John Smith",  10000.00);
Salesperson Person2 ("Tom Johnson", 20000.00);
Salesperson Person3 ("Jane Smart",  30000.00);

// Display the initial value of the fCommiss static data
// member of the 3 Salesperson objects.
cout << "\n Initially:";
cout << "\n fCommiss="<<Salesperson::GetCommiss();
```

```
// Update the fCommiss static member with a new value.
// (All the objects of type Salesperson are updated.)
Salesperson::SetCommiss(10.0);

// Display the new value of the fCommiss static data
// member of the 3 Salesperson objects.
cout << "\n\n";
cout << "\n After updating Salesperson::fCommiss with 10:";
cout << "\n fCommiss="<<Salesperson::GetCommiss();

cout << "\n\n";

}
```

As you can see, the STATIC2.CPP program is very similar to the STATIC.CPP program. The only difference is that STATIC2.CPP defines the static data member `fCommiss` as a private member, and it declares two public member functions, `GetCommiss()` and `SetCommiss()`, to access the `fCommiss` private data member:

```
class Salesperson
{
public:
   // The constructor prototype.
   Salesperson( char *name, float sales);

   // The destructor prototype.
   ~Salesperson();

   // Prototypes of 2 static function members.
   static float GetCommiss( void );
   static void  SetCommiss( float fNewCommiss );

private:
   char  *sName;
   float fSales;
   static float fCommiss; // A static float data member.

};
```

The two public member functions, `GetCommiss()` and `SetCommiss()`, are declared as static functions. This means that they can only access static variables.

GetCommiss() simply returns the current value of the private static data member fCommiss:

```
float Salesperson::GetCommiss( void )
{
return fCommiss;
}
```

SetCommiss() updates the private static data member fCommiss with a new value:

```
void Salesperson::SetCommiss( float fNewCommiss )
{
fCommiss=fNewCommiss;
}
```

The main() function of STATIC2.CPP uses the two static member functions Get-Commiss() and SetCommiss() to access the fCommiss data member.

At the beginning of main(), GetCommiss() is used to display the initial value of fCommiss:

```
cout << "\n Initially:";
cout << "\n fCommiss="<<Salesperson::GetCommiss();
```

When you run the STATIC2 program these statements display the text:

```
Initially:
fCommiss = 5
```

Indeed, fCommiss should be 5, because this is the value that you initialized it with. As you can see from Listing 6.2, immediately after the Salesperson class declaration, fCommiss is initialized to 5 with the statement:

```
float Salesperson::fCommiss = 5.0;
```

After displaying the initial value of fCommiss, main() assigns a new value (10.0) to fCommiss by using the SetCommiss() member function:

```
Salesperson::SetCommiss(10.0);
```

Finally, main() displays the new value of fCommmiss:

```
cout << "\n After updating Salesperson::fCommiss with 10:";
cout << "\n fCommiss="<<Salesperson::GetCommiss();
```

When you execute the STATIC2 program, these statements display the following text:

```
After updating Salesperson::fCommiss with 10:
fCommiss = 10
```

As expected, the statement:

```
Salesperson::SetCommiss(10.0);
```

updated the `fCommiss` data member of the `Salesperson` class with a value of 10.

Friend Functions

As you learned in Chapter 5, C++ allows you to pass objects to a function. The function can then access the public data members of the object, but not the private data members.

In some cases, you will find it useful to write functions that can access the private data members of objects. In such cases, you have to declare the functions as *friend* functions. To see friend functions in action, consider the following example: Suppose your program declares two classes: a `Circle` class and a `Rectangle` class. The `Circle` class has a private data member called `Radius`, and the `Rectangle` class has two private data members, called `Height` and `Width`.

Now, suppose you want to write a function, `TotArea()`, that takes two parameters: an object of class `Circle` and an object of class `Rectangle`. The `TotArea()` function returns the sum of areas of the `Circle` object and the `Rectangle` object that are passed to it. For example, if the radius of the `Circle` object is 5, and the width and height of the `Rectangle` object are 6 and 7, then the `TotArea()` function will return:

```
[3.14 * 5 * 5] + [6 * 7] = 120.5
```

But how can the `TotArea()` function access the `Radius` data member of the `Circle` object and the `Width` and `Height` data members of the `Rectangle` object? As stated before, when you want a function to access private data members of a class, you need to define the function as a `friend` function of the class. The FRIEND.CPP program (Listing 6.3) illustrates how this is done. FRIEND.CPP resides in your C:\C2CPLUS\CH06 directory.

To compile the FRIEND.CPP program with the Microsoft C/C++ compiler:

- Make sure that your PC is in a DOS protected mode.
- Log into the C:\C2CPLUS\CH06 directory.
- At the DOS prompt type:

  ```
  cl -AL FRIEND.CPP
  ```

To compile the FRIEND.CPP program with the Borland C/C++ compiler:

- Log into the C:\C2CPLUS\CH06 directory.
- At the DOS prompt type:

  ```
  bcc -ml FRIEND.CPP
  ```

Listing 6.3: Source Code for the FRIEND.CPP Program

```
/////////////////////////////////////////////////////////////
// Program Name: FRIEND.CPP
//
// Description:
// ------------
// This program illustrates how a function is declared as a
// friend function of a class. After declaring a function
// as a "friend" of a class, the function can access the
// private members of the class.
/////////////////////////////////////////////////////////////

////////////
// #include
////////////
#include <iostream.h>
#include <string.h>

// Dummy declarations of the Rectangle class and Circle
// class, so that the compiler will not complain when it
// encounters statements that refer to these classes.
class Rectangle;
class Circle;

// The prototype of the TotArea() function.
float TotArea (Circle, Rectangle);
```

```
//////////////////////////////////
// Define the Circle class
//////////////////////////////////
class Circle
{

// Make TotArea() a "friend" of the Circle class.
friend float TotArea (Circle, Rectangle);

public:
   // The constructor prototype.
   Circle( float radius);

   // The destructor prototype.
   ~Circle();

private:
   float fRadius;

};


/////////////////////////////////////////////////////////
// Function Name: Circle()
// (The constructor function of the Circle class)
/////////////////////////////////////////////////////////
Circle::Circle( float radius )
{

// Initialize the fRadius data member.
fRadius=radius;

}


/////////////////////////////////////////////////////////
// Function Name: ~Circle()
// (The destructor function of the Circle class)
/////////////////////////////////////////////////////////
Circle::~Circle()
{

}
```

```
/////////////////////////////////
// Define the Rectangle class
/////////////////////////////////
class Rectangle
{

// Make TotArea() a "friend" of the Rectangle class.
friend float TotArea (Circle, Rectangle);

public:
   // The constructor prototype.
   Rectangle( float width, float height );

   // The destructor prototype.
   ~Rectangle();

private:
   float fWidth;
   float fHeight;

};


/////////////////////////////////////////////////////////
// Function Name: Rectangle()
// (The constructor function of the Rectangle class)
/////////////////////////////////////////////////////////
Rectangle::Rectangle( float width, float height )
{

// Initialize the fWidth data member.
fWidth=width;

// Initialize the fHeight data member.
fHeight=height;

}


/////////////////////////////////////////////////////////
// Function Name: ~Rectangle()
// (The destructor function of the Rectangle class)
/////////////////////////////////////////////////////////
Rectangle::~Rectangle()
{
```

```
}

////////////////////////////////////////////////////////////////
// Function Name: TotArea()
//
// Description: Calculates the sum of areas of a circle
//              object and a rectangle object.
////////////////////////////////////////////////////////////////
float TotArea ( Circle CircObject, Rectangle RectObject)
{
float CircArea;
float RectArea;

// Calculate the circle area and the rectangle area.
CircArea = 3.14 * CircObject.fRadius * CircObject.fRadius;
RectArea = RectObject.fWidth * RectObject.fHeight;

// Return the sum of the circle and rectangle areas.
return CircArea + RectArea;

}

//////////////////////////
// Function Name: main()
//////////////////////////
void main ( void )
{

// Create an object of type circle with radius=5.
Circle MyCircle(5.0);

// Create object of type rectangle with Width=6 & Height=7.
Rectangle MyRectangle( 6.0, 7.0 );

// Display the sum of the circle and rectangle areas.
cout << "\n\n Total Area = ";
cout << TotArea(MyCircle, MyRectangle);

cout << "\n\n";

}
```

Stepping through the FRIEND.CPP Program

The FRIEND.CPP program starts with two dummy declarations of the `Circle` and `Rectangle` classes:

```
class Rectangle;
class Circle;
```

These dummy declarations are made so that the compiler will not complain when subsequent statements in the code refer to the `Circle` and `Rectangle` classes.

For example, the statement that follows these dummy declarations is the prototype of the `TotArea()` function:

```
float TotArea (Circle, Rectangle);
```

This prototype specifies that `TotArea()` returns a float number, and that it takes two parameters: an object of class `Circle`, and an object of class `Rectangle`. If you had not made the dummy declarations for the `Circle` and `Rectangle` classes, then the prototype declaration of the `TotArea()` function would have caused a compiling error (because the compiler would not know that `Circle` and `Rectangle` are classes).

After declaring the prototype of the `TotArea()` function, the FRIEND.CPP program declares the `Circle` class:

```
class Circle
{

// Make TotArea() a "friend" of the Circle class.
friend float TotArea (Circle, Rectangle);

public:
   // The constructor prototype.
   Circle( float radius);

   // The destructor prototype.
   ~Circle();

private:
   float fRadius;

};
```

As you can see, the first statement inside the class declaration is:

```
friend float TotArea (Circle, Rectangle);
```

This statement tells the compiler that the `TotArea()` function is a "friend" of the `Circle` class. This means that the `TotArea()` function is allowed to access private members of the `Circle` class. For example, if the `TotArea()` function included a statement such as:

```
MyCircle.fRadius = 100;
```

the compiler would not complain with an error.

You can place the `friend` statement anywhere inside the class declaration. In the above code, the `friend` statement is the first statement inside the class declaration. But it could also be placed under the `private:` or `public:` sections. No matter where you place the `friend` statement, it has the same effect.

The class declaration of the `Rectangle` class also declares `TotArea()` as a friend function:

```
//////////////////////////////////
// Define the Rectangle class
//////////////////////////////////
class Rectangle
{

// Make TotArea() a "friend" of the Rectangle class.
friend float TotArea (Circle, Rectangle);

public:
   // The constructor prototype.
   Rectangle( float width, float height );

   // The destructor prototype.
   ~Rectangle();

private:
   float fWidth;
   float fHeight;

};
```

Now the compiler will not complain when the `TotArea()` function uses statements that access private members of the `Circle` and `Rectangle` classes.

Here is the code of the TotArea( ) function:

```
float TotArea ( Circle CircObject, Rectangle RectObject)
{
float CircArea;
float RectArea;

// Calculate the circle area and the rectangle area.
CircArea = 3.14 * CircObject.fRadius * CircObject.fRadius;
RectArea = RectObject.fWidth * RectObject.fHeight;

// Return the sum of the circle and rectangle areas.
return CircArea + RectArea;

}
```

As you can see, the TotArea( ) function takes two parameters: an object of class Circle, and an object of class Rectangle. The TotArea( ) function calculates the areas of the Circle and Rectangle objects that are passed to it and then returns the sum of these areas.

The TotArea( ) function calculates the areas of the Circle and Rectangle objects by accessing private members of these objects. For example, the area of the Rectangle object is calculated with this statement:

```
RectArea = RectObject.fWidth * RectObject.fHeight;
```

The compiler does not complain about the fact that this statement accesses private members of the Rectangle class (fWidth and fHeight), because in the class declaration of Rectangle, the TotArea( ) function was declared as a friend function.

The main( ) function of FRIEND.CPP uses the TotArea( ) function to calculate the sum of areas of a circle with radius 5, and a rectangle with a width of 6 and a height of 7. main( ) first creates a Circle object and a Rectangle object:

```
Circle MyCircle( 5.0 );
Rectangle MyRectangle( 6.0, 7.0 );
```

and then it displays the total area of these objects by using the TotArea( ) function:

```
cout << "\n\n Total Area = ";
cout << TotArea(MyCircle, MyRectangle);
```

Friend Classes

The FRIEND.CPP program illustrated how you can declare a function as a friend function of a class. The friend function could then access private members of the class. In a similar manner, C++ also allows you to declare one class as a friend of another class. For example, if you declare a `Circle` class as follows:

```
class Circle
{

// Make the Rectangle class a "friend" of the Circle class.
friend class Rectangle;

public:
   // The constructor prototype.
   Circle( float radius);

   // The destructor prototype.
   ~Circle();

private:
   float fRadius;

};
```

then the `Rectangle` class becomes a friend class of the `Circle` class.

The first statement in the `Circle` class declaration:

```
friend class Rectangle;
```

tells the compiler that member functions in the `Rectangle` class are allowed to access private members of the `Circle` class.

Note, however, that the "friendship" is not mutual. That is, although functions of `Rectangle` can access private members of `Circle`, functions of `Circle` CANNOT access private members of `Rectangle`.

To make `Circle` a friend class of `Rectangle`, you need to include a `friend` statement inside the `Rectangle` declaration, as in the following:

```
class Rectangle
{
```

```
// Make the Circle class a "friend" of the Rectangle class.
friend class Circle;

public:
   // The constructor prototype.
   Rectangle( float width, float height );

   // The destructor prototype.
   ~Rectangle();

private:
   float fWidth;
   float fHeight;

};
```

Now, member functions of `Circle` can access private members of `Rectangle`.

Arrays of Objects

Using arrays of objects in your programs is as easy as using ordinary arrays of variables. Suppose, for example, that your program defines a `Circle` class as follows:

```
class Circle
{

public:
   // The constructor prototype.
   Circle( float radius);

   // The destructor prototype.
   ~Circle();

   // Prototype of the DisplayArea() member function.
   float DisplayArea( void );

   // The fRadius data member.
   float fRadius;

};
```

As you can see, the `Circle` class has one public data member (`fRadius`), and one public member function (`DisplayArea()`). The `fRadius` data member is used to store the radius of the circle, and the `DisplayArea()` member function is used to calculate and display the area of the circle.

You can create an array of `Circle` class objects, using the following statement:

```
Circle MyCircles[10];
```

This statement creates an array with ten elements, each of which is an object of class `Circle`.

You can write code that accesses any element of the array. For example, the following code accesses element number 5 of the array:

```
MyCircles[5].fRadius = 15;
MyCircles[5].DisplayArea();
```

The first statement of this code assigns 15 to the `fRadius` data member of object number 5 of the array, and the second statement executes the `DisplayArea()` member function of object number 5 of the array. In a similar manner, you can access any of the other objects in the array.

Allocating Arrays of Objects with the new Operator

In the above example, the statement

```
Circle MyCircles[10];
```

created an array with ten objects of class `Circle`.

Another way to create an array of objects is to use the `new` operator, which you learned about in Chapter 5. The following code uses the `new` operator to create an array with 20 objects of class `Circle`:

```
Circle *ptrMyCircles;

ptrMyCircles = new Circle[20];
```

The first statement of this code declares a pointer (`ptrMyCircles`) to an array of objects of class `Circle`. The second statement allocates memory for an array of 20 `Circle` objects. The address of this array (the returned value of the `new` operator) is assigned to the `ptrMyCircles` pointer.

Now, you can use `ptrMyCircles` to access any of the objects in the array. For example, the following code accesses element number 3 of the array:

```
(ptrMyCircles+3)->fRadius = 7;
(ptrMyCircles+3)->DisplayArea();
```

The first statement assigns 7 to the `fRadius` data member of object number 3 of the array, and the second statement executes the `DisplayArea()` member function of object number 3 of the array.

Deallocating Arrays of Objects with the delete Operator

In the above example, you allocated memory for an array of objects of class `Circle` with the statements:

```
Circle *ptrMyCircles;

ptrMyCircles = new Circle[20];
```

To deallocate the `ptrMyCircles` array, you need to use the `delete` operator as in the following statement:

```
delete [] ptrMyCircles;
```

This statement deallocates all the memory of the `ptrMyCircles` array.

Note that you MUST include the square brackets, `[]`, in the `delete` statement. The square brackets tell the compiler to deallocate the entire array that the `ptrMyCircles` pointer points to. If you forget to include the square brackets in the `delete` statement, only the first element of the array (element number 0) is deallocated.

Exercises

Problems

1 Modify the STATIC.CPP program as follows:

- Add a public static data member to the `Salesperson` class. Name this static data member `iNumOfObjects` and declare it as an integer.

- Initialize the `iNumOfObjects` data member to 0.
- Add code to the STATIC.CPP program so that the `iNumOfObjects` static data member will always specify how many objects of class `Salesperson` exist. Hint: statements should be added in the constructor function and in the destructor function.

2 Add a function to the FRIEND.CPP program that takes two parameters, an object of class `Circle` and, an object of class `Rectangle`, and returns the sum of their perimeters. For example, if the radius of the `Circle` object is 5, and the width and height of the `Rectangle` object are 6 and 7, then the function will return:

$$(3.14 * 2 * 5) + (6 + 7) * 2 = 57.4$$

Name this new function `TotPeri()`.

Hint: Because the `TotPeri()` function needs to use private data members of the `Circle` and `Rectangle` classes, you need to make the `TotPeri()` function a "friend" of both classes.

3 What's wrong with the last statement in the following code?

```
void main(void)
{

// Declare a pointer to an array of Circle class objects.
Circle *ptrMyCircles;

// Create an array with 20 Circle objects.
ptrMyCircles = new Circle[20];

// Set the fRadius data member of object number 5 of the
// array to 10.
(ptrMyCircles+5)->fRadius = 10.0;

// Display the area of the circle of object number 5 of
// the array.
(ptrMyCircles+5)->DisplayArea();
```

```
// Deallocate the ptrMyCircles array.
delete ptrMyCircles;  // <--- What's wrong with this
                      //      statement?

}
```

Solutions

1 The STATIC.CPP program should be modified as follows:

- Add the `iNumOfObjects` public static data member to the `Salesperson` class declaration. After adding it, the declaration of the `Salesperson` class should look as follows:

```
class Salesperson
{
public:
   // The constructor prototype.
   Salesperson( char *name, float sales);

   // The destructor prototype.
   ~Salesperson();

   // Define 4 public data members.
   char  *sName;
   float fSales;
   static float fCommiss; // A static float data member.

   static int iNumOfObjects; // A static int data member.

};
```

- Initialize the `iNumOfObjects` static data member to 0, by adding the following statement immediately after the `Salesperson` class declaration:

```
// Initializing the iNumOfObjects static data member.
int Salesperson::iNumOfObjects = 0;
```

- Insert the following statement inside the constructor function:

```
// Increment the iNumOfObjects data member.
iNumOfObjects++;
```

This increments the iNumOfObjects static data member whenever a new object of class Salesperson is created (that is, whenever the constructor function is executed).

- Insert the following statement inside the destructor function:

```
// Decrement the iNumOfObjects data member.
iNumOfObjects--;
```

This decrements the iNumOfObjects static data member whenever an object of class Salesperson is deallocated (that is, whenever the destructor function is executed).

After you've added the above code, the static data member of the Salesperson class always contains a number that specifies the current number of Salesperson objects. Upon starting the program, iNumOfObjects is 0 (because you initialized it to 0). Then, whenever the program creates a new object of type Salesperson, the constructor function is executed and the iNumOfObjects data member is incremented. Likewise, whenever an object of type Salesperson is deallocated, the destructor function is executed and the iNumOfObjects data member is decremented.

Whenever you want to know how many objects of class Salesperson currently exist, you can use the iNumOfObjects static data member. For example, the following statements display the current number of Salesperson objects:

```
cout << "\n Current number of Salesperson objects: ";
cout << Salesperson::iNumOfObjects;
```

2 To add the TotPeri() function to the FRIEND.CPP program, take the following steps:

- Add the following prototype declaration at the beginning of the program (below the prototype declaration of the CalcArea() function):

```
// The prototype of the TotPeri() function.
float TotPeri ( Circle, Rectangle);
```

- The CalcPeri() function needs to access private data members of the Circle and Rectangle classes. Therefore, you need to declare CalcPeri() as a friend function to both the Circle class and the Rectangle class. To declare the CalcPeri( ) function a friend function of the Circle and Rectangle classes, add the statement:

```
friend float TotPeri (Circle, Rectangle);
```

to the class declaration of the Circle class and to the class declaration of the Rectangle class.

The class declaration of the Circle class should now look as follows:

```
class Circle
{
friend float TotPeri (Circle, Rectangle);
...
...
...
};
```

The class declaration of the Rectangle class should now look as follows:

```
class Rectangle
{
friend float TotPeri (Circle, Rectangle);
...
...
...
};
```

- Write the TotPeri( ) function as follows:

```
//////////////////////////////////////////////////////////////
// Function Name: TotPeri()
//
// Description: Calculates the sum of perimeters of a
//              circle object and a rectangle object.
//////////////////////////////////////////////////////////////
float TotPeri ( Circle CircObject, Rectangle RectObject)
{
float CircPeri;
float RectPeri;

// Calculate the perimeters of the circle and rectangle.
CircPeri = 3.14 * 2 * CircObject.fRadius;
RectPeri = 2 * (RectObject.fWidth + RectObject.fHeight);

// Return the sum of the circle and rectangle perimeters.
```

```
return CircPeri + RectPeri;

}
```

You can now add code to the `main()` function of FRIEND.CPP that uses the `TotPeri()` function. For example, the following statements use the `TotPeri()` function to display the total perimeter of a `Circle` object (`MyCircle`) and a `Rectangle` object (`MyRectangle`):

```
cout << "\n\n Total Perimeter = ";
cout << TotPeri(MyCircle, MyRectangle);
```

3 The last statement is wrong because it does not include the square brackets. The correct syntax to deallocate the memory of the array is:

```
// Deallocate the ptrMyCircles array.
delete [] ptrMyCircles;
```

The square brackets tell the compiler to deallocate the entire array to which the `ptrMyCircles` pointer points. If you don't include the square brackets, then the compiler deallocates only the first element of the array (element number 0).

CHAPTER SEVEN

Class Hierarchy and Polymorphism

In this chapter you'll learn about *class hierarchy* and about *polymorphism*.

Using Inheritance

Inheritance is a very important concept in C++. Briefly, it allows you to pass along the components of one class to another class you create from that class. To understand this concept, assume that you have to write a program that calculates the areas of various geometric shapes (for example, a circle and a square).

As you recall, the area of a circle is calculated by performing the following multiplication:

Area = 3.14 x radius x radius.

And the area of a square is calculated by performing the following multiplication:

Area = Side x Side

Because the area calculation for a circle is different than for a square, it looks as if you need to define a class called `Shape` as follows:

```
class Shape
{
public:
    Shape ( char *name );       // Constructor
    float CalculateCircleArea ( int r );
    float CalculateSquareArea ( int s );
   ~Shape ();                   // Destructor
private:
    char sShapeName [ 50 ];
    int iRadius;
    int iSide;
};
```

This `Shape` class contains three data members. The string variable `sShapeName` will contain the description of the shape. For example, the program could fill this variable with "This is my circle," "This is her circle," "This is my square," and so on. The integer `iRadius` contains the radius of the circle, and `iSide` contains the side of the square.

There is nothing really wrong with the above definition of the Shape class. The program needs to calculate the areas of a circle and of a square, and therefore the class includes two functions that calculate area: CalculateCircleArea(), and CalculateSquareArea(). The class also contain the data members iRadius and iSide.

There is, however, one little problem with the Shape class. Suppose that later you need the program to also calculate the area of other geometric shapes (for example, a rectangle). You could add another function to the Shape class: CalculateRectArea(), and other data members: iSideA, and iSideB. But you can see that as you add more geometric shapes to your program, the Shape class will become cumbersome and ungainly (because it will contain more Calculate???Area() functions and more data members). If your program has to take care of 100 different geometrical shapes, your Shape class will contain so many data members that you will not be able to understand how to use this class in the future.

By using the *inheritance* feature of C++, you can write the program in a much more elegant way. Using inheritance, you can define your Shape class as follows:

```
class Shape
{
public:
    Shape ( char *name );       // Constructor
    void DisplayShapeName(void);
   ~Shape ();                   // Destructor
private:
     char sShapeName [ 50 ];
};
```

That is, the data member of the Shape class contains only the sShapeName description; it does not contain more specific information such as the radius, side, and so on. The Shape class declaration also contains the member function DisplayShapeName(). This member function displays the name of the shape. Obviously, the Shape class needs additional information that is specific to the particular geometric shape (for example, radius for a circle, side for a square). Where will the program get that information? As you'll soon see, additional classes will be written, where each class stores data and functions that are specific to a particular geometric shape.

Using a Derived Class

In the previous section, we decided not to store too much information inside the Shape class. However, as you can imagine, data such as the radius and the side must be stored somewhere else, because these values are required for the area calculations.

We need to define two more classes. The first class is the `Circle` class:

```
class Circle : public Shape
{
public:
    Circle ( char *name );  // Constructor
    float CalculateArea ( int r );
   ~Circle ();              // Destructor
private:
    int iRadius;
};
```

And the second class is `Square`:

```
class Square : public Shape
{
public:
    Square ( char *name );  // Constructor
    int CalculateArea ( int s );
   ~Square ();              // Destructor
private:
    int iSide;
};
```

The `Circle` and `Square` class definitions look like the class definitions we've already seen, except for their first lines:

```
class Circle : public Shape
{
...
...
...
};
```

and:

```
class Square : public Shape
{
...
...
...
};
```

As you can see, these statements contain something we haven't seen in previous class definitions. The first line of the `Square` and the `Circle` class declarations contains:

```
: public Shape
```

This extra text in the class definition means that the class is *derived* from the `Shape` class. As implied by its name, a derived class is derived from another class, called the *base* class. In this example, both `Circle` and `Square` are derived classes, and `Shape` is their base class.

The program that performs these area calculations is called AREA.CPP. This program was installed into your C:\C2CPLUS\CH07 directory.

Let's take a look at the `main()` function of AREA.CPP:

```
void main ( void )
{
Circle MyCircle ( "This is my circle" );
Square MySquare ( "This is my square" );

// Display shape name.
MyCircle.DisplayShapeName();

// Calculate the area of the circle
float fAreaResult;
fAreaResult = MyCircle.CalculateArea ( 1 );
cout << "The area of MyCircle is: "
     << fAreaResult
     << endl;

// Display shape name.
MySquare.DisplayShapeName();

// Calculate the area of the square
int iAreaResult;
iAreaResult = MySquare.CalculateArea ( 10 );
cout << "The area of MySquare is: "
     << iAreaResult
     << endl;

}
```

The first statement in `main()` defines an object called `MyCircle`:

```
Circle MyCircle ( "This is my circle" );
```

MyCircle is an object of class Circle. The data member sShapeName of the Circle class is filled with the string "This is my circle." But if you take a look as the class declaration of the Circle class, you'll notice that the Circle class declaration does not specify sShapeName as a data member! So how come the Circle class has a data member sShapeName? This is because the Circle class is a derived class from the Shape class, and as such, it inherits the data members and member functions of the Shape class. Also, main( ) uses the statement:

```
MySquare.DisplayShapeName();
```

Again, the DisplayShapeName() member function does not appear in the Circle class declaration. Nonetheless, DisplayShapeName() is a member function of the Circle class, because Circle inherits this members function from the Shape class.

To summarize, because the Circle class is defined as derived from the Shape base class, the Circle class "inherits" the data member and the member functions of the Shape class.

In a similar manner, the second statement in main() is:

```
Square MySquare ( "This is my square" );
```

MySquare is an object of class Square. The data member sShapeName of the Square class is filled with the string "This is my square." But again, if you look at the class declaration of the Square class, you'll notice that the Square class declaration does not specify sShapeName as a data member. This is because the Square class is derived from the Shape class, and as such, it inherits the data members and member functions of the Shape class.

Here is the constructor function of the Shape class:

```
Shape::Shape ( char *name )
{
strcpy ( sShapeName, name );
}
```

As you can see, the constructor function of the Shape class looks like any other constructor function. The fact that the Shape class serves as the base class for the Circle and Square classes does not influence the appearance of its constructor function. This constructor function simply updates the data member sShapeName. When main() executes the statements:

```
Circle MyCircle ( "This is my circle" );
Square MySquare ( "This is my square" );
```

the Shape() constructor function is executed automatically, twice—once when the MyCircle object is created, and again when the MySquare object is created.

Here is the definition of the Circle class:

```
class Circle : public Shape
{
public:
    Circle ( char *name );  // Constructor
    float CalculateArea ( int r );
   ~Circle ();              // Destructor
private:
    int iRadius;
};
```

As previously discussed, the first line of the Circle class definition includes the text : public Shape, which means that this class is derived from the Shape class. The Circle class has a member function CalculateArea() and a data member iRadius.

Here is the constructor function of the Circle class:

```
Circle::Circle ( char *name ) : Shape ( name )
{
iRadius = 2;
}
```

As you can see, the only thing new about this constructor function is the fact that its first line contains a single colon (:) before Shape:

```
Circle::Circle ( char *name ) : Shape ( name )
{
....
....
....
};
```

Again, this indicates to the compiler that the Circle constructor function is derived from the Shape class. The parameter name appears as the parameter of the Circle() constructor function. Circle() does not make use of this parameter, and the only reason for supplying it is that the Shape() constructor function needs it.

Here is the CalculateArea() member function of the Circle class:

```
float Circle::CalculateArea ( int r )
{
iRadius = r;

float fArea;
fArea = 3.14 * iRadius * iRadius;
return fArea;
}
```

As you can see, CalculateArea() is a regular member function that simply calculates the area of a circle.

Similarly, the constructor function of the Square class looks as follows:

```
Square::Square ( char *name ) : Shape ( name )
{
iSide = 2;
}
```

Again, the text : Shape is an indication that the Square class is derived from the Shape class. This means that upon executing the constructor function Square(), the program will automatically execute the constructor function Shape().

After main() creates the objects, it executes the DisplayShapeName() and CalculateArea() functions twice—first for the MyCircle object, and then for the MySquare object:

```
// Display the shape name of MyCircle.
MyCircle.DisplayShapeName();

// Calculate the area of the circle
float fAreaResult;
fAreaResult = MyCircle.CalculateArea ( 1 );
cout << "The area of MyCircle is: "
     << fAreaResult
     << endl;


// Display the shape name of MySquare.
MySquare.DisplayShapeName();

// Calculate the area of the square
int iAreaResult;
iAreaResult = MySquare.CalculateArea ( 10 );
```

```
cout << "The area of MySquare is: "
     << iAreaResult
     << endl;
```

Notice how elegant we've made the code in `main()`. The code is short, and it can be understood by inspection. The advantage of using the inheritance feature of C++ is that we can keep the `Shape` class simple; the other classes (`Circle` and `Square`) are also simple, and each contains a member function and a data member that are relevant to only one particular geometric shape. This way, we've made the code of the program modular and easy to maintain. Now if we need the program to calculate the area of a rectangle, we can simply define a new derived class for that shape—we don't have to modify the `Shape`, `Circle`, or `Square` classes.

No matter what new shape you add to the program, the `DisplayShapeName()` member function (of the `Shape` class) remains the same. Here is the code of `DisplayShapeName()`:

```
////////////////////////////////////////
// Function Name: DisplayShapeName()
////////////////////////////////////////
void Shape::DisplayShapeName(void)
{
cout << "\n Shape Name: " << sShapeName;
}
```

The complete AREA.CPP program is shown in Listing 7.1.

Listing 7.1: Source Code for the AREA.CPP Program

```
//////////////////////////////
// Program Name: AREA.CPP
//////////////////////////////

// Program Description:
// This program demonstrates how to use derived and
// base classes.

/////////////
// #include
////////////
#include <iostream.h>
#include <string.h>
```

```
//////////////////////////
// Define the base class
//////////////////////////
class Shape
{
public:
    Shape ( char *name );      // Constructor
    void DisplayShapeName();
   ~Shape ();                  // Destructor
private:
     char sShapeName [ 50 ];
};

////////////////////////////////
// Define the derived class #1
////////////////////////////////
class Circle : public Shape
{
public:
    Circle ( char *name );  // Constructor
    float CalculateArea ( int r );
   ~Circle ();              // Destructor
private:
    int iRadius;
};

////////////////////////////////
// Define the derived class #2
////////////////////////////////
class Square : public Shape
{
public:
    Square ( char *name );  // Constructor
    int CalculateArea ( int s );
   ~Square ();              // Destructor
private:
    int iSide;
};

/////////////////////////////
// Function Name: Shape()
// (The constructor)
/////////////////////////////
```

```
Shape::Shape ( char *name )
{
strcpy ( sShapeName, name );
}

//////////////////////////////
// Function Name: ~Shape()
// (The destructor)
//////////////////////////////
Shape::~Shape ( )
{

}

/////////////////////////////////////
// Function Name: DisplayShapeName()
/////////////////////////////////////
void Shape::DisplayShapeName(void)
{
cout << "\n Shape Name: " << sShapeName;
}

/////////////////////////////////
// Function Name: Circle()
// (The constructor)
/////////////////////////////////
Circle::Circle ( char *name ) : Shape ( name )
{
iRadius = 2;
}

//////////////////////////////////
// Function Name: ~Circle()
// (The destructor)
//////////////////////////////////
Circle::~Circle ( )
{

}

/////////////////////////////////
// Function Name: Square()
// (The constructor)
/////////////////////////////////
```

```
Square::Square ( char *name ) : Shape ( name )
{
iSide = 2;
}

//////////////////////////////////
// Function Name: ~Square()
// (The destructor)
//////////////////////////////////
Square::~Square ( )
{

}

///////////////////////////////////////////
// Function Name: Circle::CalculateArea()
///////////////////////////////////////////
float Circle::CalculateArea ( int r )
{
iRadius = r;

float fArea;
fArea = 3.14 * iRadius * iRadius;
return fArea;
}

///////////////////////////////////////////
// Function Name: Square::CalculateArea()
///////////////////////////////////////////
int Square::CalculateArea ( int s )
{
iSide = s;

int iArea;
iArea = iSide * iSide;
return iArea;
}

/////////////////////////
// void main ( void )
/////////////////////////
void main ( void )
{
Circle MyCircle ( "This is my circle" );
Square MySquare ( "This is my square" );
```

```
// Display the shape name of MyCircle.
MyCircle.DisplayShapeName();

// Calculate the area of the circle
float fAreaResult;
fAreaResult = MyCircle.CalculateArea ( 1 );
cout << "The area of MyCircle is: " << fAreaResult << endl;


// Display the shape name of MySquare.
MySquare.DisplayShapeName();

// Calculate the area of the square
int iAreaResult;
iAreaResult = MySquare.CalculateArea ( 10 );
cout << "The area of MySquare is: " << iAreaResult << endl;
}
```

Compiling, Linking, and Executing the AREA.CPP Program

To compile and link the AREA.CPP program with the Microsoft C++ compiler:

- Make sure that your PC is in a DOS protected mode.
- Log into the directory C:\C2CPLUS\CH07.
- At the DOS prompt type:

  ```
  cl -AL AREA.CPP
  ```

To compile and link the AREA.CPP program with the Borland C++ compiler:

- Log into the directory C:\C2CPLUS\CH07.
- At the DOS prompt type:

  ```
  bcc -ml AREA.CPP
  ```

To execute the AREA.EXE program:

- Log into the directory C:\C2CPLUS\CH07.

- At the DOS prompt type:

  AREA

The AREA.EXE program responds by displaying the area of a circle with a radius equal to 1, and the area of a square with a side equal to 10.

Pictorial Representations of the Inheritance Relationship

The hierarchical relationships between the `Shape` class, the `Circle` class, and the `Square` class are shown in Figure 7.1. As you can see, this inheritance relationship is so simple that you really don't need a picture for it. However, as you'll learn in the next section, you can make inheritance relationships as complex as you need them to be. In such cases, sketching out inheritance schematics can be very helpful.

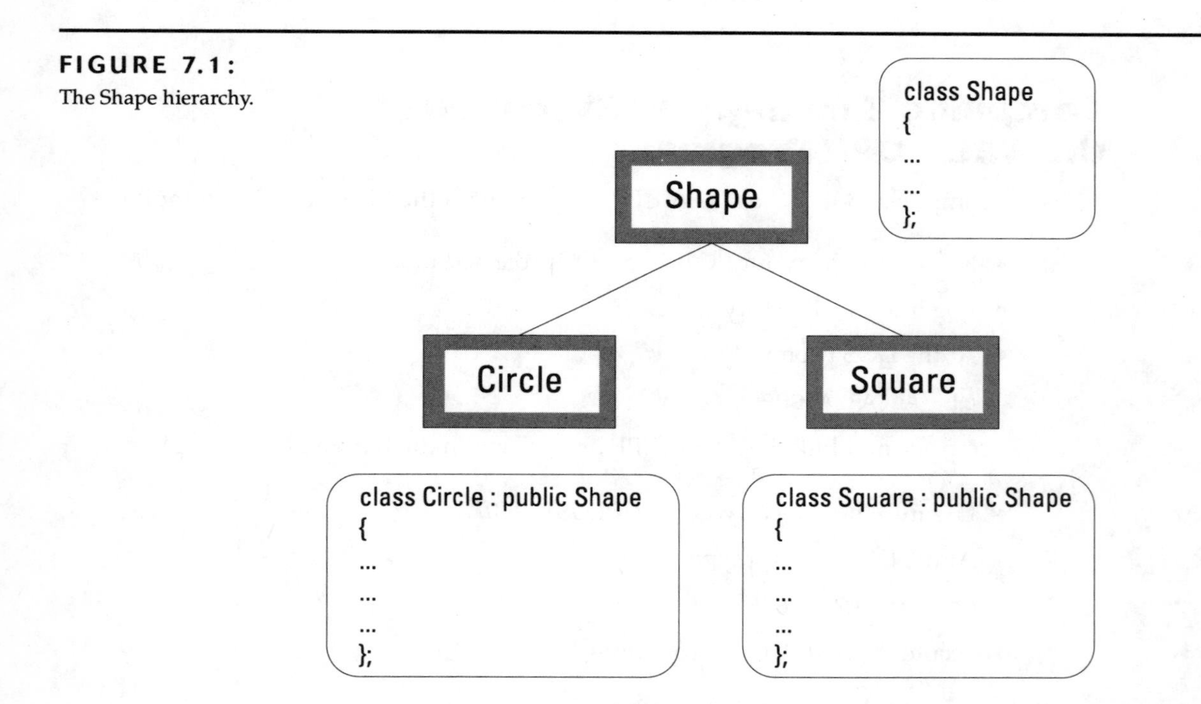

FIGURE 7.1:
The Shape hierarchy.

The SALARY.CPP Program

The SALARY.CPP program illustrates how a more complex class hierarchy is implemented. This program calculates salaries for two employees, one of them paid an hourly rate plus commissions, the other paid a flat weekly rate. Listing 7.2 presents the code of the SALARY.CPP program.

Listing 7.2: Source Code for the SALARY.CPP Program

```
//////////////////////////////
// Program Name: SALARY.CPP
//////////////////////////////

// Program Description:
// -------------------
// This program demonstrates how to implement multilevel
// class hierarchy.

/////////////
// #include
////////////
#include <iostream.h>
#include <string.h>

/////////////////////////
// Define the Salary class
/////////////////////////
class Salary
{
public:
    Salary ( char *name );        // Constructor
    void PrintEmployeeName ();
   ~Salary ();                    // Destructor
private:
     char sEmployeeName [ 50 ];
};

//////////////////////////////
// Define the Hours class
//////////////////////////////
class Hours : public Salary
{
public:
```

```
    Hours ( char *name );  // Constructor
    void SetData ( float hw, float hr );
    float CalculatePay ( void );
   ~Hours ();              // Destructor
private:
    float fHoursWorked;
    float fHourRate;
};

////////////////////////////////
// Define the Weeks class
////////////////////////////////
class Weeks : public Salary
{
public:
    Weeks ( char *name );  // Constructor
    void SetData ( float wr );
    float CalculatePay ( void );
   ~Weeks ();              // Destructor
private:
    float fWeekRate;
};

////////////////////////////////
// Define the Commiss class
////////////////////////////////
class Commiss : public Hours
{
public:
    Commiss ( char *name );  // Constructor
    void SetData ( float c, float t );
    float CalculatePay ();
   ~Commiss ();              // Destructor
private:
    float fCommission;
    float fTotalSales;
};

/////////////////////////////
// Function Name: Salary()
// (The constructor)
/////////////////////////////
Salary::Salary ( char *name )
{
```

```
strcpy ( sEmployeeName, name );
}

//////////////////////////////
// Function Name: ~Salary()
// (The destructor)
//////////////////////////////
Salary::~Salary ( )
{

}

/////////////////////////////////////////
// Function Name: PrintEmployeeName()
/////////////////////////////////////////
void Salary::PrintEmployeeName (void)
{
cout << "\n sEmplyoeeName = "
     <<  sEmployeeName;
}

/////////////////////////////////
// Function Name: Hours()
// (The constructor)
/////////////////////////////////
Hours::Hours ( char *name ) : Salary ( name )
{
fHoursWorked = 40;
float fHourRate = 20;
}

//////////////////////////////////
// Function Name: ~Hours()
// (The destructor)
//////////////////////////////////
Hours::~Hours ( )
{

}

/////////////////////////////////
// Function Name: Commiss()
// (The constructor)
/////////////////////////////////
```

```
Commiss::Commiss ( char *name ) : Hours ( name )
{
fCommission = 7.5;
float fTotalSales = 1000;
}

///////////////////////////////////
// Function Name: ~Commiss()
// (The destructor)
///////////////////////////////////
Commiss::~Commiss ( )
{

}

///////////////////////////////////
// Function Name: Weeks()
// (The constructor)
///////////////////////////////////
Weeks::Weeks ( char *name) : Salary ( name )
{
fWeekRate = 1000;
}

///////////////////////////////////
// Function Name: ~Weeks()
// (The destructor)
///////////////////////////////////
Weeks::~Weeks ( )
{

}

/////////////////////////////////////////////
// Function Name: Commiss::CalculatePay()
/////////////////////////////////////////////
float Commiss::CalculatePay ( void )
{
float fPay;

fPay =
Hours::CalculatePay () + fCommission * fTotalSales /100;
return fPay;
}
```

```
/////////////////////////////////////////////
// Function Name: Weeks::CalculatePay()
/////////////////////////////////////////////
float Weeks::CalculatePay ( void )
{
return fWeekRate;
}

/////////////////////////////////////////////
// Function Name: Hours::CalculatePay()
/////////////////////////////////////////////
float Hours::CalculatePay ( void )
{
float fPay;

fPay = fHoursWorked * fHourRate;

return fPay;
}

////////////////////////////////////
// Function Name: Commiss::SetData()
////////////////////////////////////
void Commiss::SetData ( float C, float T )
{
fCommission = C;
fTotalSales = T;
}

////////////////////////////////////////
// Function Name: Hours::SetData()
////////////////////////////////////////
void Hours::SetData ( float hworked, float hrate )
{
fHoursWorked = hworked;
fHourRate = hrate;
}

////////////////////////////////////////
// Function Name: Weeks::SetData()
////////////////////////////////////////
void Weeks::SetData ( float wr )
{
fWeekRate = wr;
}
```

```
/////////////////////////
// void main ( void )
/////////////////////////
void main ( void )
{
Commiss Employee101 ( "Mike White" );
Employee101.PrintEmployeeName();


Employee101.Hours::SetData ( 50, 10 );
float fPay;
fPay = Employee101.Hours::CalculatePay ();
cout
 << "\n The salary (without commission) of Employee101 is:"
 << fPay;

Employee101.Commiss::SetData ( 10, 1000 );
fPay = Employee101.Commiss::CalculatePay ();
cout
  << "\n The salary (with commission) of Employee101 is:"
  << fPay;

Weeks Employee102 ( "Jim Thomas" );
Employee102.PrintEmployeeName();
Employee102.Weeks::SetData ( 1500 );
fPay = Employee102.Weeks::CalculatePay ();
cout << "\n The salary of Employee102 is:"
     << fPay;

}
```

The Hierarchy of Classes in the SALARY.CPP Program

The SALARY.CPP program uses four classes: `Salary`, `Hours`, `Commiss`, and `Weeks`. The hierarchy of these classes is shown pictorially in Figure 7.2.

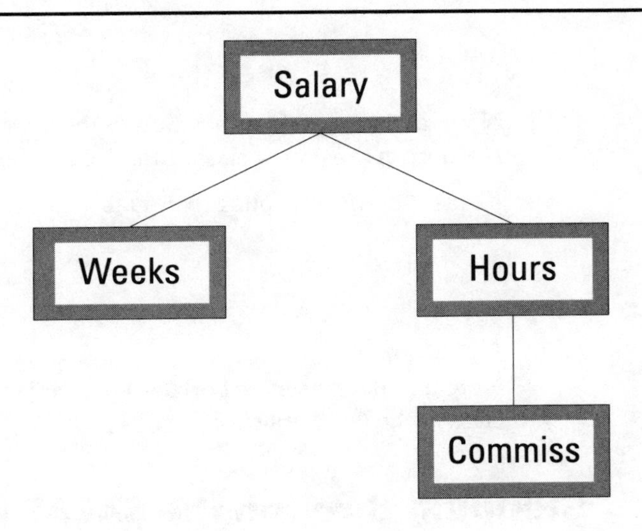

FIGURE 7.2:
The class hierarchy in SALARY.CPP

As you can see, the `Salary` class is not derived from any other class, and hence its definition appears in Listing 7.2 as follows:

```
class Salary
{
...
...
...
};
```

The `Hours` class is derived from the `Salary` class. This is reflected in its class definition:

```
class Hours : public Salary
{
...
...
...
};
```

The `Weeks` class is derived from the `Salary` class. This is reflected in its class definition:

```
class Weeks : public Salary
{
...
```

```
...
...
};
```

Now take a look at the position of the Commiss class in Figure 7.2. This class is derived from the Hours class, and its class definition looks like this:

```
class Commiss : public Hours
{
...
...
...
};
```

Note that Hours serves both as a derived class from the Salary class and as a base class to the Commiss class.

Stepping through the SALARY Program

The main() function starts by creating an object called Employee101 of class Commiss (this employee is paid an hourly rate plus commissions):

```
Commiss Employee101 ( "Mike White" );
```

This statement creates an object of class Commiss. The salary of this employee consists of two parts: the commission, based on the total sales and the commission percentage; and the weekly (base) salary, based on the number of hours this employee worked and the hourly rate.

Because Employee101 is an object of class Commiss, which is derived from the Hours class, and Hours is derived from the Salary class (see Figure 7.2), you can use PrintEmployeeName() (a member function of Salary) as follows:

```
Employee101.PrintEmployeeName();
```

main() executes the PrintEmployeeName() function to print the name of Employee101. This function simply prints the data member sEmployeeName:

```
void Salary::PrintEmployeeName (void)
{
cout << "\n sEmployeeName = "
     <<  sEmployeeName;
}
```

main() then uses the SetData() function of the Hours class to set fHoursWorked to 50, and fHourRate to 10.

```
Employee101.Hours::SetData ( 50, 10 );
```

Note that there are several SetData() functions in the program. Because we want to use the SetData() function belonging to the Hours class, the above statement uses scope resolution (Hours::) to specify that the required SetData() function is the member function of the Hours class.

main() then uses the CalculatePay() function of the Hours class to calculate the base pay of Employee101:

```
float fPay;
fPay = Employee101.Hours::CalculatePay ();
cout
 << "\n The salary (without commission) of Employee101 is:"
 << fPay;
```

Again, there are several CalculatePay() functions in the program, so in the above code fragment, the statement that executes the CalculatePay() function precedes the name of the function with Hours:: to resolve the scope.

The CalculatePay() function of the Hours class calculates the base salary of Employee101 by multiplying the number of hours that the employee worked by the hourly rate. This represents the base salary of Employee101.

main() then calculates the full salary of Employee101 by executing the CalculatePay() function of the Commiss class:

```
Employee101.Commiss::SetData ( 10, 1000 );
fPay = Employee101.Commiss::CalculatePay ();
cout
  << "\n The salary (with commission) of Employee101 is:"
  << fPay;
```

The above statements use the SetData() function of the Commiss class to set the percent commission to 10%, and the total amount of sales to $1000. Then the CalculatePay() function of the Commiss class is executed:

```
float Commiss::CalculatePay ( void )
{
float fPay;

fPay =
```

```
   Hours::CalculatePay () + fCommission * fTotalSales /100;
return fPay;
}
```

Notice that the `CalculatePay()` function of the `Commiss` class uses the `CalculatePay()` function of the `Hours` class.

`main()` then creates another object called `Employee102` of class `Weeks`:

```
Weeks Employee102 ( "Jim Thomas" );
```

Unlike `Employee101`, `Employee102` is on a fixed salary, which does not depend on the number of hours worked, or on the sales amount.

`main()` prints the name of `Employee102`:

```
Employee102.PrintEmployeeName();
```

The fixed weekly salary is set by using the `SetData()` function of the `Week` class:

```
Employee102.Weeks::SetData ( 1500 );
```

and then the salary is calculated by using the `CalculatePay()` function of the `Weeks` class:

```
fPay = Employee102.Weeks::CalculatePay ();
```

Inspecting the SALARY.CPP Program

Now let's look again at the `main()` function of the SALARY.CPP program:

```
void main ( void )
{
Commiss Employee101 ( "Mike White" );
Employee101.PrintEmployeeName();


Employee101.Hours::SetData ( 50, 10 );
float fPay;
fPay = Employee101.Hours::CalculatePay ();
cout
 << "\n The salary (without commission) of Employee101 is:"
 << fPay;

Employee101.Commiss::SetData ( 10, 1000 );
fPay = Employee101.Commiss::CalculatePay ();
cout
```

```
        << "\n The salary (with commission) of Employee101 is:"
        << fPay;

    Weeks Employee102 ( "Jim Thomas" );
    Employee102.PrintEmployeeName();
    Employee102.Weeks::SetData ( 1500 );
    fPay = Employee102.Weeks::CalculatePay ();
    cout << "\n The salary of Employee102 is:"
         << fPay;

}
```

As you can see, this program can be understood just by inspection. It is very short and extremely easy to maintain. For example, if in the future any of the `CalculatePay()` functions changes, then you only need to change that function. All the rest of the code in the program remains the same.

Although the SALARY.CPP program's `main()` function is very short, very easy to read, and very easy to maintain, the rest of the SALARY.CPP program is not short, and it is not so easy to read!

This is very typical of C++ programs. That is, you need to put some effort into the overhead of the program (class declarations, constructor functions, destructor functions, and so on). However, once you've completed that portion of the program, the main program is extremely easy to write and maintain.

Class Hierarchy Complexity

There is no limit to the number of levels or number of branches that a class hierarchy can have. The class hierarchy can be as complex as the program specifications require it to be.

When you're creating long, complex programs that contain many classes, a class hierarchy schematic (as illustrated in Figures 7.1 and 7.2) becomes a very useful tool for keeping track of the various classes and the relationships between the classes.

In the SALARY.CPP program, the `Salary` class contains only one data member, the name of the employee; it does not contain any salary-related information about the employee. Of course, you can expand the `Salary` class to include data members for other information needed for every employee, such as social security number, address, and phone number. This way, the data is distributed in a modular way over several classes (variables for common personal information are stored in the `Salary` class, those relevant to weekly employees are stored in the `Weeks` class, and so on).

Polymorphism

The word *polymorphism* means the ability to assume many forms. In the context of object-oriented programming, it refers to the ability of a member function to take different forms.

In the SALARY.CPP program, the `CalculatePay()` function can be considered polymorphic, because the operation it performs changes according to the class it's used with. For example, the statement:

```
fPay = Employee101.Commiss::CalculatePay();
```

calculates the pay based on the total amount of sales and the percent commission.

The statement

```
fPay = Employee102.Weeks:CalculatePay();
```

calculates the pay for an employee who receives a fixed weekly salary, regardless of sales amount or number of hours worked.

There is nothing wrong with the above statements, except that the need to prefix the `CalculatePay()` function with the name of the class (`Weeks::CalculatePay()`, `Commiss::CalculatePay()`), makes the code a little cumbersome (and potentially error-prone).

C++ offers a more elegant way to ensure that the correct version of a polymorphic function is executed each time—the `virtual` keyword. If you declare `CalculatePay()` as a `virtual` function, your program can then use the function without preceding it with the name of the class each time.

The SALARY2.CPP program illustrates how this is done by using the `virtual` keyword. Before going over the code of SALARY2.CPP, let's define the advantage of using virtual functions: we want `main()` to look as follows:

```
void main( void )
{
...
...
// Calculate pay of Employee101
AnyEmployee = &Employee101;
fPay = AnyEmployee -> CalculatePay();

// Calculate pay of  Employee102
AnyEmployee = &Employee102;
fPay = AnyEmployee -> CalculatePay ();

// Calculate pay of Employee103
AnyEmployee = &Employee103;
fPay = AnyEmployee -> CalculatePay ();

}
```

In other words, `CalculatePay()` takes three different forms. In one form, the statements:

```
AnyEmployee = &Employee101;
fPay = AnyEmployee -> CalculatePay ();
```

mean

```
fPay = Employee101.Commiss::CalculatePay();
```

In another form, the statements:

```
AnyEmployee = &Employee102;
fPay = AnyEmployee -> CalculatePay ();
```

mean

```
fPay = Employee102.Weeks::CalculatePay();
```

And in a third form, the statements:

```
AnyEmployee = &Employee103;
fPay = AnyEmployee -> CalculatePay ();
```

mean

```
fPay = Employee103.Commiss::CalculatePay();
```

The SALARY2.CPP Program

The SALARY2.CPP program was installed into your C:\C2CPLUS\CH07 directory. This program is similar to the SALARY.CPP program. To see SALARY2 in action, compile and run it as you did with the earlier version.

Here is the new class definition of the `Salary` class:

```
class Salary
{
public:
    Salary ( char *name );          // Constructor
    virtual float CalculatePay(); // Virtual function
    void PrintEmployeeName ();
   ~Salary ();                    // Destructor
private:
     char sEmployeeName [ 50 ];
};
```

As you can see, the only difference between the `Salary` class definition in the SALARY.CPP program and in the SALARY2.CPP program is the addition of the `CalculatePay()` virtual member function:

```
virtual float CalculatePay();     // Virtual function
```

Note the keyword `virtual` in the above line.

The `CalculatePay()` function of the `Salary` class looks as follows:

```
/////////////////////////////////////////////
// Function Name: Salary::CalculatePay()
/////////////////////////////////////////////
float Salary::CalculatePay ( void )
{
float fPay;

// This is a dummy function.

return 1.0;
}
```

The `Salary::CalculatePay()` function is a dummy function that is needed because, in order to implement a full polymorphism, the `CalculatePay()` function must exist in the base class.

Now look at the main( ) function of the SALARY2.CPP program:

```
/////////////////////////
// void main ( void )
/////////////////////////
void main ( void )
{
// Local variables
Salary *AnyEmployee;
float fPay;

// Create an object Employee101
Commiss Employee101 ( "Mike White" );

// Update data of Employee101
Employee101.Hours::SetData ( 50, 10 );
Employee101.Commiss::SetData ( 10, 1000 );

// Create an object Employee102
Weeks Employee102 ( "Jim Thomas" );

// Update data of Employee102
Employee102.Weeks::SetData ( 1500 );

// Create an object Employee103
Hours Employee103 ( "Jane Redman" );

// Update data of Employee103
Employee103.Hours::SetData ( 40, 20 );

// Calculate pay of Employee101
Employee101.PrintEmployeeName();
AnyEmployee = &Employee101;
fPay = AnyEmployee -> CalculatePay ();
cout
    << "\n The salary (with commission) of Employee101 is:"
    << fPay;

// Calculate pay of  Employee102
Employee102.PrintEmployeeName();
AnyEmployee = &Employee102;
fPay = AnyEmployee -> CalculatePay ();
cout << "\n The salary of Employee102 is:"
     << fPay;
```

```
// Calculate pay of Employee103
Employee103.PrintEmployeeName();
AnyEmployee = &Employee103;
fPay = AnyEmployee -> CalculatePay ();
cout << "\n The salary of Employee103 is:"
     << fPay;
}
```

The `main()` function of SALARY2.CPP is similar to that of SALARY.CPP, except that it uses the `CalculatePay()` function without the need to precede the function with the name of the class. The compiler will always know which form of `CalculatePay()` to compile, because it knows that `CalculatePay()` is a virtual function. The compiler makes its determination based on the type of object. That is, `main()` defines a pointer to an object of class `Salary`:

```
Salary *AnyEmployee;
```

Then the `Employee101` object of type `Commiss` is created:

```
Commiss Employee101 ( "Mike White" );
```

And then `main()` updates the data of `Employee101`:

```
// Update data of Employee101
Employee101.Hours::SetData ( 50, 10 );
Employee101.Commiss::SetData ( 10, 1000 );
```

As you can see, Employee101 worked 50 hours at a rate of $10 per hour, and this employee will receive a 10% commission for $1000 of sales.

The `main()` function then creates the `Employee102` object and updates its data:

```
Weeks Employee102 ( "Jim Thomas" );

// Update data of Employee102
Employee102.Weeks::SetData ( 1500 );
```

Employee102 will receive $1500 for a week's work, regardless of the number of hours or the amount of sales.

`main()` also creates the `Employee103` object:

```
Hours Employee103 ( "Jane Redman" );

// Update data of Employee103
Employee103.Hours::SetData ( 40, 20 );
```

Employee103 worked 40 hours at a rate of $20 per hour. This employee receives only a base salary (no commission is due).

At this point in the program, the objects have been created and their data set. Now take a look at the code that calculates and prints the pay of `Employee101`:

```
Employee101.PrintEmployeeName();
AnyEmployee = &Employee101;
fPay = AnyEmployee -> CalculatePay ();
cout
    << "\n The salary (with commission) of Employee101 is:"
    << fPay;
```

`main()` sets the `AnyEmployee` pointer to the address of the `Employee101` object:

```
AnyEmployee = &Employee101;
```

Now that `AnyEmployee` is actually `Employee101` of type `Commiss`, `main()` executes the `CalculatePay()` function:

```
fPay = AnyEmployee -> CalculatePay();
```

The compiler knows that the above statement means:

```
fPay = Employee101.Commiss::CalculatePay();
```

because `AnyEmployee` is of class `Commiss`.

In a similar manner, `main()` assigns the address of `Employee102` to the pointer AnyEmployee:

```
AnyEmployee = &Employee102;
```

and then calculates the pay as follows:

```
fPay = AnyEmployee -> CalculatePay ();
cout << "\n The salary of Employee102 is:"
     << fPay;
```

Finally, `main()` calculates the pay of Employee103 as follows:

```
AnyEmployee = &Employee103;
fPay = AnyEmployee -> CalculatePay ();
```

Exercises

Problem

The AREA.CPP program that was discussed in this chapter calculates the area of a circle and a square. Write a new program called AREA2.CPP that also calculates the area of a rectangle.

Solution

Add the following class:

```
/////////////////////////////////
// Define the derived class #3
/////////////////////////////////
class Rect : public Shape
{
public:
    Rect ( char *name );  // Constructor
    int CalculateArea ( int sa, int sb );
   ~Rect ();              // Destructor
private:
    int iSideA;
    int iSideB;
};
```

Add the following constructor function:

```
/////////////////////////////////
// Function Name: Rect()
// (The constructor)
/////////////////////////////////
Rect::Rect ( char *name ) : Shape ( name )
{
iSideA = 2;
iSideB = 3;
}
```

Add the following destructor function:

```
//////////////////////////////////
// Function Name: ~Rect()
// (The destructor)
//////////////////////////////////
```

```
Rect::~Rect ( )
{

}
```

Add the following `CalculateArea()` function:

```
/////////////////////////////////////////////
// Function Name: Rect::CalculateArea()
/////////////////////////////////////////////
int Rect::CalculateArea ( int sa, int sb )
{
iSideA = sa;
iSideB = sb;

int iArea;
iArea = iSideA * iSideB;
return iArea;
}
```

`main()` should now look as follows:

```
////////////////////////
// void main ( void )
////////////////////////
void main ( void )
{
Circle MyCircle ( "This is my circle" );
Square MySquare ( "This is my square" );
Rect   MyRect   ( "This is my rectangle" );

// Calculate the area of the circle
float fAreaResult;
fAreaResult = MyCircle.CalculateArea ( 1 );
cout << "The area of MyCircle is: " << fAreaResult << endl;

// Calculate the area of the square
int iAreaResult;
iAreaResult = MySquare.CalculateArea ( 10 );
cout << "The area of MySquare is: " << iAreaResult << endl;

// Calculate the area of the rectangle
iAreaResult = MyRect.CalculateArea ( 10, 30 );
cout << "The area of MyRect is: " << iAreaResult << endl;

}
```

(The AREA2.CPP program is included in the book's diskette, and it was copied to your C:\C2Cplus\CH07 directory when you installed the book's disk.)

Note how easy it is to maintain the AREA.CPP program. That is, you added another feature to it (the rectangle area calculation), without changing any of the existing code! This is very typical of C++ programs.

CHAPTER

EIGHT

Operator Overloading

In this chapter you will learn about a very powerful and useful feature of C++: *operator overloading*. Like the function overloading you learned about in Chapter 2, this feature enables you to write code that is very easy to read. You will learn what operator overloading is, and how you can use it in your programs.

What Is Operator Overloading?

To see what operator overloading is all about, consider the following example. Suppose you have a class called `Salary` in your program that stores salaries of employees. This `Salary` class has two data members: `fBase` stores the base salary of an employee, and `fBonus` stores the bonus that the employee receives.

Now suppose your program needs to add two objects of class `Salary` (named `Salary1` and `Salary2`). To add the two objects, you can write a function called `AddSalaries()` that adds two objects of class `Salary`. To call the `AddSalaries()` function you would use a statement such as:

```
Salary3 = AddSalaries ( Salary1, Salary2);
```

If instead of using the `AddSalaries()` function you could use the + operator, then your code would be much easier to read:

```
Salary3 = Salary1 + Salary2;
```

Using the + operator becomes even more useful if you have to add three objects of class `Salary`. To add three objects of class `Salary` with the `AddSalaries()` function you would have to write code such as:

```
Salary4 = AddSalaries ( Salary1, Salary2 );
Salary4 = AddSalaries ( Salary4, Salary3 );
```

Using the + operator, you'll get the same result with one simple statement:

```
Salary4 = Salary1 + Salary2 + Salary3;
```

As you can see, using the + operator produces code that is much easier to read and understand.

Before you can use the + operator with objects of class `Salary`, you must write special code—an `operator()` function—that tells the compiler what to do whenever it encounters the + operator between objects of class `Salary` (for example, `Salary1 + Salary2`). The process of writing this code—incorporating a complex set of operations into a single operator—is called *overloading* an operator.

For example, in order to make the compiler understand a statement such as:

```
Salary3 = Salary1 + Salary2;
```

you must write a function that overloads the + operator—an `operator+()` function. Once you've defined this function, the compiler will know what to do when it encounters statements like the above.

The OVERLOAD.CPP program

The OVERLOAD.CPP program (shown in Listing 8.1) illustrates how you can overload an operator. The program overloads the + operator so that it can be used to add objects of class `Salary`. The OVERLOAD.CPP program is included in your C:\C2CPLUS\CH08 directory.

Listing 8.1: Source Code for the OVERLOAD.CPP Program

```
///////////////////////////////////////////////////////////////
//
// Program Name: OVERLOAD.CPP
//
// Description:
// ------------
//
// This program illustrates how you can overload an
// operator.
//
// The program declares a class (called Salary) that is
// used to store salaries of employees.
//
// The program overloads the + operator so that it can
// be used to add objects of class Salary.
///////////////////////////////////////////////////////////////
```

```
////////////
// #include
////////////
#include <iostream.h>
#include <string.h>


//////////////////////////////////
// Define the Salary class
//////////////////////////////////
class Salary
{
public:
   // The constructor prototype.
   Salary( float base, float bonus);

   // The destructor prototype.
    ~Salary();

   // Prototype of the operator+() function.
   Salary operator+ ( Salary );

   // Define two public data members.
   float fBase;
   float fBonus;

};


/////////////////////////////////////////////////////////
// Function Name: Salary()
// (The constructor function of the Salary class)
/////////////////////////////////////////////////////////
Salary::Salary( float base, float bonus )
{

// Initialize the fBase data member.
fBase = base;

// Initialize the fBonus data member.
fBonus = bonus;

}
```

```
/////////////////////////////////////////////////////
// Function Name:  ~Salary()
// (The destructor function of the Salary class)
/////////////////////////////////////////////////////
Salary:: ~Salary()
{

}

/////////////////////////////////////////////////////
// Function Name: operator+()
// (The overloaded + operator of the Salary class)
/////////////////////////////////////////////////////
Salary Salary::operator+ ( Salary sal2)
{
float SumOfBase;
float SumOfBonus;

// The sum of the two base salaries.
SumOfBase = fBase + sal2.fBase;

// The sum of the two bonuses.
SumOfBonus = fBonus + sal2.fBonus;

// Return the sum of the two Salary objects.
return Salary(SumOfBase, SumOfBonus);
}


/////////////////////////
// Function Name: main()
/////////////////////////
void main ( void )
{

// Create three objects of type Salary.
Salary HisSalary   (40000.0, 10000.0);
Salary HerSalary   (30000.0, 20000.0);
Salary TheirSalary (    0.0,     0.0);

// Display the values of HisSalary.
cout << "\n HisSalary.Base  ="<<HisSalary.fBase;
cout << "\n HisSalary.Bonus ="<<HisSalary.fBonus;
cout << "\n\n";
```

```
// Display the values of HerSalary.
cout << "\n HerSalary.Base  ="<<HerSalary.fBase;
cout << "\n HerSalary.Bonus ="<<HerSalary.fBonus;
cout << "\n\n";

// Update TheirSalary with the sum: HisSalary + HerSalary.
TheirSalary = HisSalary + HerSalary;

// Display the values of TheirSalary.
cout << "\n TheirSalary.Base  ="<<TheirSalary.fBase;
cout << "\n TheirSalary.Bonus ="<<TheirSalary.fBonus;
cout << "\n\n";

}
```

Stepping through the OVERLOAD Program

The OVERLOAD.CPP program first declares the `Salary` class as follows:

```
class Salary
{
public:
   // The constructor prototype.
   Salary( float base, float bonus);

   // The destructor prototype.
    ~Salary();

   // Prototype of the overloaded + operator.
   Salary operator + ( Salary );

   // Define two public data members.
   float fBase;
   float fBonus;
};
```

The `Salary` class has two public data members: `fBase` and `fBonus`. The `fBase` data member stores the base salary portion of an employee's salary, and the `fBonus` data member stores the bonus portion.

The `Salary` class declaration includes the statement:

```
Salary operator+ ( Salary );
```

This statement is the prototype of the `operator+()` function, which the compiler automatically executes when it encounters statements that include the + character with objects of class `Salary`. For example, if your program includes a statement like:

```
Salary3 = Salary1 + Salary2;
```

(where `Salary1`, `Salary2`, and `Salary3` are objects of class `Salary`) the compiler will automatically execute the `operator+()` function. The `operator+()` function will calculate the sum of `Salary1` and `Salary2` and will return the result.

Note the syntax for the prototype of the `operator+()` function:

```
Salary operator+ ( Salary );
```

The first word of the prototype declaration is `Salary`. This means that the function returns an object of type `Salary`.

The second word of the prototype declaration is `operator+`. This means that the function is an operator function for the + operator.

The third word of the prototype declaration (within the parentheses) is `Salary`. This means that the `operator+()` function takes one parameter, an object of class `Salary`.

But if the purpose of the `operator+()` function is to add two objects, why does it take only one parameter? Shouldn't it take two parameters? To understand why the `operator+()` function needs only one parameter, you have to understand how the compiler treats this function.

When the compiler encounters a statement such as:

```
Salary3 = Salary1 + Salary2;
```

it automatically executes the `operator+()` member function of the `Salary1` object and passes to the function the `Salary2` object. So in fact, when the compiler encounters the above statement, it translates it into the following:

```
Salary3 = Salary1.operator+(Salary2);
```

In this statement, the `Salary1.operator+()` function is executed. The parameter that is passed to this function is `Salary2`. The function `Salary1.operator+()` adds the data members of `Salary2` to those of `Salary1`. Of course, there is no need to pass the data members of Salary1 to the Salary1.operator+() function, because operator+() is a member function of Salary1. This explains why the operator+() function needs only one parameter.

Now, let's look at the code of the operator+() function:

```
Salary Salary::operator+ ( Salary sal2 )
{
float SumOfBase;
float SumOfBonus;

// The sum of the two base salaries.
SumOfBase = fBase + sal2.fBase;

// The sum of the two bonuses.
SumOfBonus = fBonus + sal2.fBonus;

// Return the sum of the two Salary objects.
return Salary(SumOfBase, SumOfBonus);
}
```

The function first calculates the sum of the fBase data members of the two objects:

```
SumOfBase = fBase + sal2.fBase;
```

then it calculates the sum of the fBonus data members of the two objects:

```
SumOfBonus = fBonus + sal2.fBonus;
```

and finally it returns an object of class Salary whose data members are the sums that were just calculated:

```
return Salary(SumOfBase, SumOfBonus);
```

In this statement, Salary(SumOfBase, SumOfBonus) creates an object of class Salary, and this object is returned.

The main() function of the OVERLOAD.CPP program uses the + operator to add two objects of class Salary. main() begins by creating three objects of class Salary:

```
Salary HisSalary   (40000.0, 10000.0);
Salary HerSalary   (30000.0, 20000.0);
Salary TheirSalary (    0.0,     0.0);
```

Then main() displays the values of HisSalary and HerSalary:

```
cout << "\n HisSalary.Base  ="<<HisSalary.fBase;
cout << "\n HisSalary.Bonus ="<<HisSalary.fBonus;
```

```
cout << "\n HerSalary.Base  ="<<HerSalary.fBase;
cout << "\n HerSalary.Bonus ="<<HerSalary.fBonus;
```

When these statements are executed, the following text is displayed:

```
HisSalary.Base  = 40000
HisSalary.Bonus = 10000

HerSalary.Base  = 30000
HerSalary.Bonus = 20000
```

`main()` then uses the + operator to sum `HisSalary` and `HerSalary` and to store the result in `TheirSalary`:

```
TheirSalary = HisSalary + HerSalary;
```

Finally, `main()` displays the value of `TheirSalary`:

```
cout << "\n TheirSalary.Base  ="<<TheirSalary.fBase;
cout << "\n TheirSalary.Bonus ="<<TheirSalary.fBonus;
```

When these statements are executed, the following text is displayed:

```
TheirSalary.Base  = 70000
TheirSalary.Bonus = 30000
```

As expected, the statement

```
TheirSalary = HisSalary + HerSalary;
```

has updated the `TheirSalary` object with the sum of `HisSalary` and `HerSalary`. That is,

`TheirSalary.Base` = 40000 + 30000 = 70000

and

`TheirSalary.Bonus` = 10000 + 20000 = 30000

Overloading Other Operators

The OVERLOAD.CPP program illustrated how you can overload the + operator. In a similar manner, you can overload other operators.

For example, you can upgrade the OVERLOAD.CPP program so that the - operator could be used with objects of class `Salary`, as in the following statement:

```
Salary3 = Salary1 - Salary2;
```

To make the compiler understand this statement, you need to add code to the OVERLOAD.CPP program as follows:

1. Add the following prototype declaration in the `Salary` class declaration:

   ```
   Salary operator- ( Salary );
   ```

2. Write the `operator-()` function. The code of the `operator-()` function should be similar to the `operator+()` function, but instead of adding the data members of the two objects, it should subtract them.

In a similar manner, you can overload other C++ operators (`*`, `/`, `^`, and so on).

Concatenating Strings

A very useful application of operator overloading is concatenating strings.

To concatenate strings in C and in C++ you have to use the `strcpy()` function and the `strcat()` function as in the following code:

```
strcpy(string3, string1);
strcat(string3, string2);
```

This code concatenates the two strings `string1` and `string2` (that is, it first copies the existing value of `string1` into a new `string3` and then concatenates the result with `string2`), and stores the result in the string `string3`.

Wouldn't it be nicer if instead of using the `strcpy()` and `strcat()` functions you could use the + operator as in the following code:

```
string3 = string1 + string2;
```

To make your programs understand this statement, you have to declare your own `String` class that stores strings, and you also need to overload the + operator for this class. The STRING.CPP program (shown in Listing 8.2) illustrates how to do this. STRING.CPP resides in your C:\C2CPLUS\CH08 directory.

Listing 8.2: Source Code for the STRING.CPP Program

```
////////////////////////////////////////////////////////
//
// Program Name: STRING.CPP
//
// Description:
// ------------
//
// This program illustrates how you can declare a String
// class that is used to store strings, and how you
// can overload the + operator for this class, so that
// the + operator can be used to concatenate objects
// of class String.
////////////////////////////////////////////////////////


////////////
// #include
////////////
#include <iostream.h>
#include <string.h>


//////////////////////////////////
// Define the String class
//////////////////////////////////
class String
{
public:
   // Constructor prototype.
   String( char *string );

   // The destructor prototype.
    ~String();

   // Prototype of the operator+() function.
   String operator+ ( String );

   // Define one public data member.
   char sString[100];
};
```

```
/////////////////////////////////////////////////////////
// Function Name: String()
// The constructor function of the String class
/////////////////////////////////////////////////////////
String::String( char * string )
{

// Initialize the sString data member.
strcpy ( sString, string );

}


/////////////////////////////////////////////////////////
// Function Name:  ~String()
// (The destructor function of the String class)
/////////////////////////////////////////////////////////
String:: ~String()
{

}


/////////////////////////////////////////////////////////
// Function Name: operator+()
// The overloaded + operator of the String class.
/////////////////////////////////////////////////////////
String String::operator+ ( String str2 )
{

// Create a temporary String object for the result.
String result("");

// Concatenate the two strings.
strcpy(result.sString, sString);
strcat(result.sString, str2.sString);

// Return the resulting string.
return result;
}
```

```
///////////////////////////
// Function Name: main()
///////////////////////////
void main ( void )
{

// Create three objects of type String.
String String1 ("12345");
String String2 ("67890");
String String3 ("");

// Display the values of String1 and String2.
cout << "\n String1.sString = "<<String1.sString;
cout << "\n String2.sString = "<<String2.sString;
cout << "\n\n";

// Concatenate String1 and String2 using the + operator.
String3 = String1 + String2;

// Display the value String3.
cout << "\n String3.sString = "<<String3.sString;
cout << "\n\n";

}
```

Stepping through the STRING Program

As you can see from Listing 8.2, the STRING.CPP program is very similar to OVERLOAD.CPP.

STRING.CPP first declares the `String` class as follows:

```
class String
{
public:
   // Constructor prototype.
   String( char *string );

   // The destructor prototype.
    ~String();
```

```
    // Prototype of the operator+() function.
    String operator+ ( String );

    // Define one public data member.
    char sString[100];
};
```

The public data member `sString` is used to store a string.

When the compiler encounters a statement such as

```
String3 = String1 + String2;
```

it automatically executes the `operator+()` function of the `String1` object as follows:

```
String3 = String1.operator+(String2);
```

The `operator+()` function of the `String1` object concatenates `String1` and `String2` into one string and it returns the resultant string.

Exercise

Problem

Add code to the OVERLOAD.CPP program to overload the - operator for the `Salary` class. That is, after you've added the code, OVERLOAD.CPP should "understand" statements such as:

```
Salary3 = Salary1 - Salary2;
```

where `Salary1`, `Salary2`, and `Salary3` are objects of class Salary.

Solution

To add code that overloads the - operator for the `Salary` class, take the following steps:

- Add the following prototype declaration inside the `Salary` class declaration:

  ```
  // Prototype of the operator-() function.
  Salary operator- ( Salary );
  ```

After adding this prototype, the `Salary` class declaration should look as follows:

```
class Salary
{
public:
    // The constructor prototype.
    Salary( float base, float bonus);

    // The destructor prototype.
     ~Salary();

    // Prototype of the operator+() function.
    Salary operator+ ( Salary );

    // Prototype of the operator-() function.
    Salary operator- ( Salary );

    // Define two public data members.
    float fBase;
    float fBonus;

};
```

- Write the code of the `operator-()` function as follows:

```
//////////////////////////////////////////////////////////
// Function Name: operator-()
// The overloaded - operator of the Salary class.
//////////////////////////////////////////////////////////
Salary Salary::operator- ( Salary sal2 )
{
float SubOfBase;
float SubOfBonus;

// The subtraction of the two base salaries.
SubOfBase = fBase - sal2.fBase;

// The subtraction of the two bonuses.
SubOfBonus = fBonus - sal2.fBonus;

// Return the subtraction result of the two Salary objects.
return Salary(SubOfBase, SubOfBonus);
}
```

CHAPTER NINE

Data Conversion

In this chapter you will learn about data conversion in C++.

What Is Data Conversion?

Data conversion is the process in which the compiler converts values from one data type to another. For example, when the C++ compiler encounters a statement such as:

```
iMyInteger = fMyFloat;
```

where `iMyInteger` is of type `int`, and `fMyFloat` is of type `float`, the compiler automatically converts `fMyFloat` to `int`, and assigns the result to `iMyInteger`. If `fMyFloat` is equal to 7.5, for example, then the above statement will assign the integer value 7 to `iMyInteger`.

In the above statement, the C++ compiler automatically converted a `float` data item to an `int`. Similarly, the C++ compiler can automatically perform other types of data conversions: `int` to `float`, `long` to `int`, `int` to `long`, `float` to `long`, etc. In fact, the C++ compiler can convert between all the basic variable types.

But what about user-defined types? Can the compiler perform data conversions between objects of classes that you define by yourself? Yes, but in order for the compiler to perform data conversions with objects, you need to tell it how to do so.

The following sections describe how you can write code that tells the compiler how to perform data conversions between objects of classes.

Summary: Data Conversions

To convert basic types (`int`, `long`, `float`, and so on), you do not need to write any code. The compiler "knows" how to perform data conversions among basic types.

To convert objects of classes that you define, you need to write code that tells the compiler how to perform these data conversions.

Data Conversion between Objects and Basic Data Types

Suppose you define a class Salary with two data members: fBase and fBonus. fBase is used to store the base salary of an employee, and fBonus is used to store the bonus portion of the employee's salary.

Now, suppose you have in your program an object of class Salary called HisSalary, and a float variable called fFloatNumber, and you want the compiler to understand a statement like:

```
// Convert a float variable to a
// Salary object.
HisSalary = fFloatNumber;
```

or a statement like:

```
// Convert a Salary object to a
// float variable.
fFloatNumber = HisSalary;
```

The first statement tells the compiler to convert the float number fFloatNumber to an object of class Salary, and to assign the result to HisSalary. The second statement tells the compiler to convert the HisSalary object to a float number, and to assign the result to fFloatNumber.

In order to understand these statements, the compiler needs code instructing it how to perform such data conversions. The CONVERT.CPP program (shown in Listing 9.1), illustrates such code. The CONVERT.CPP program resides in your C:\C2CPLUS\CH09 directory.

Listing 9.1: Source Code for the CONVERT.CPP Program

```
//////////////////////////////////////////////////////////////
//
// Program Name: CONVERT.CPP
//
// Description:
// ------------
// This program illustrates how to write code that enables
// the compiler to perform data conversion between objects
// and basic variable types.
//
// The program declares a class (called Salary) that is
```

```
// used to store salaries of employees.
//
// The program includes code that tells the compiler
// how to convert objects of class Salary to/from variables
// of type float.
/////////////////////////////////////////////////////////


////////////
// #include
////////////
#include <iostream.h>
#include <string.h>


////////////////////////////////
// Define the Salary class
////////////////////////////////
class Salary
{
public:

   // The constructor #1 prototype.
   // (used for the float-to-Salary conversion).
   Salary( float base );

   // The constructor #2 prototype.
   Salary( float base, float bonus);

   // The destructor prototype.
   ~Salary();

   // Prototype of the float() function.
   // (used for the Salary-to-float conversion).
   operator float();

   // Define two public data members.
   float fBase;
   float fBonus;

};
```

```
//////////////////////////////////////////////////////
// Function Name: Salary()
// The constructor #1 function of the Salary class.
// (tells the compiler how to convert float to Salary).
//////////////////////////////////////////////////////
Salary::Salary( float base )
{

// Initialize the fBase data member.
fBase = base;

// Initialize the fBonus data member.
fBonus = 0.0;

}


//////////////////////////////////////////////////////
// Function Name: Salary()
// (The constructor #2 function of the Salary class)
//////////////////////////////////////////////////////
Salary::Salary( float base, float bonus )
{

// Initialize the fBase data member.
fBase = base;

// Initialize the fBonus data member.
fBonus = bonus;

}


//////////////////////////////////////////////////////
// Function Name:  ~Salary()
// (The destructor function of the Salary class)
//////////////////////////////////////////////////////
Salary:: ~Salary()
{

}
```

```
////////////////////////////////////////////////////////
// Function Name: float()
// (tells the compiler how to convert Salary to float).
////////////////////////////////////////////////////////
Salary::operator float( )
{

// Return the sum of fBase + fBonus.
return fBase + fBonus;

}


/////////////////////////
// Function Name: main()
/////////////////////////
void main ( void )
{

// Declare a float type variable.
float fMyFloat;

// Create an object of type Salary.
Salary HisSalary (40000.0, 10000.0);

// Display the values of HisSalary.
cout << "\n HisSalary.fBase  ="<<HisSalary.fBase;
cout << "\n HisSalary.fBonus ="<<HisSalary.fBonus;
cout << "\n";

// Convert a Salary object to a float variable.
// (This statement will cause the compiler to automatically
// execute the member function float() of HisSalary.)
fMyFloat = HisSalary;

// Display the value of the fMyFloat variable.
cout << "\n fMyFloat = " << fMyFloat;

// Assign fMyFloat with a new value.
fMyFloat = 70000.00;

// Display the new value of the fMyFloat variable.
cout << "\n\n\n fMyFloat = " << fMyFloat;
cout << "\n";
```

```
// Convert a float variable to a Salary object.
// (This statement will cause the compiler to automatically
// execute the constructor #1 function of HisSalary.)
HisSalary = fMyFloat;

// Display the values of HisSalary.
cout << "\n HisSalary.fBase  ="<<HisSalary.fBase;
cout << "\n HisSalary.fBonus ="<<HisSalary.fBonus;
cout << "\n\n";

}
```

Stepping through the CONVERT Program

The CONVERT.CPP program declares the Salary class as follows:

```
class Salary
{
public:

   // The constructor #1 prototype.
   // (used for the float to Salary conversion).
   Salary( float base );

   // The constructor #2 prototype.
   Salary( float base, float bonus);

   // The destructor prototype.
   ~Salary();

   // Prototype of the float() function.
   // (used for the Salary to float conversion).
   operator float();

   // Define 2 public data members.
   float fBase;
   float fBonus;

};
```

As you can see, the `Salary` class has two public data members: `fBase` and `fBonus`. The `fBase` data member stores the base salary portion of an employee's salary, and the `fBonus` data member stores the bonus portion.

Converting a float Number to a Salary Object

The code that tells the compiler how to convert a `float` type variable to a `Salary` object appears inside the constructor #1 function. As you can see from its prototype, this function takes only one parameter (a `float` number):

```
Salary( float base );
```

When the compiler encounters a statement such as:

```
Salary1 = fMyFloatNumber;
```

where `Salary1` is an object of class `Salary` and `fMyFloatNumber` is a `float` type, the compiler automatically executes the constructor #1 function. This function uses the `float` number that is passed to it to create an object of class `Salary`.

Here is the code of the constructor #1 function:

```
Salary::Salary( float base )
{

// Initialize the fBase data member.
fBase = base;

// Initialize the fBonus data member.
fBonus = 0.0;

}
```

As you can see, the constructor #1 function takes the `float` number that is passed to it and assigns this number to the `fBase` data member. The constructor #1 function also assigns a value of 0 to the `fBonus` data member.

So when the compiler encounters a statement like:

```
Salary1 = 100000.0
```

it executes the constructor #1 function of `Salary1`, which sets the values of `Salary1` as follows:

```
Salary1.Base  = 100000.0
Salary1.Bonus = 0.0;
```

Converting a Salary Object to a float Number

The code that is responsible for converting a `Salary` object to a `float` variable appears inside the `float()` member function of the `Salary` class.

When the compiler encounters a statement such as:

```
fMyFloatNumber = Salary1;
```

where `fMyFloatNumber` is a `float` type, and `Salary1` is an object of class `Salary`, the compiler automatically executes the `float()` member function of the `Salary1` object. This function converts the `Salary1` object to a `float` number, and the compiler assigns this value to `fMyFloatNumber`.

The prototype of the `float()` member function is:

```
operator float();
```

Here is the code of the `float()` member function:

```
Salary::operator float( )
{

// Return the sum of fBase + fBonus.
return fBase + fBonus;

}
```

As you can see, the `float()` member function simply returns the sum of the two data members `fBase` and `fBonus`.

For example, if the compiler encounters a statement such as:

```
fMyFloatNumber = Salary1;
```

then the following sequence of events will take place:

1. The compiler will execute the `float()` member function of the `Salary1` object.

2. The `float()` function will return the sum

   ```
   Salary1.fBase + Salary1.fBonus
   ```

3. The compiler will assign the returned value from `float()` to the `fMyFloatNumber` variable.

How the conversion is made is completely up to you. The above `float()` function converts an object of class `Salary` to a `float` number by adding the two data members of the `Salary` object. You can change the code so that the conversion will be made in other ways. For example, you could perform the conversion using only the `fBase` data member. In that case, you would have to change the `float()` member function so that instead of returning the sum of `fBase` and `fBonus`, it would return just `fBase`.

The main() Function of CONVERT.CPP

The `main()` function of CONVERT.CPP converts between a `float` number and an object of class `Salary`.

`main()` begins by declaring a `float` variable (`fMyFloat`) and an object of class `Salary` (`HisSalary`):

```
float fMyFloat;
Salary HisSalary   (40000.0, 10000.0);
```

Then `main()` displays the initial values of the `HisSalary` object:

```
cout << "\n HisSalary.fBase  ="<<HisSalary.fBase;
cout << "\n HisSalary.fBonus ="<<HisSalary.fBonus;
```

When these statements are executed, the following text is displayed:

```
HisSalary.fBase  = 40000
HisSalary.fBonus = 10000
```

Then `main()` converts the `HisSalary` object to a `float` number:

```
fMyFloat = HisSalary;
```

This statement causes the compiler to execute the member function `float()` of `HisSalary` automatically. `float()` will return the sum:

```
HisSalary.fBase + HisSalary.fBonus = 40000 + 10000 = 50000
```

and the compiler will assign this value to `fMyFloat`.

To verify that indeed fMyFloat is now equal to 50000, main() displays the value of fMyFloat:

```
cout << "\n fMyFloat = " << fMyFloat;
```

As expected, when this statement is executed, the following text is displayed:

```
fMyFloat = 50000
```

The above code converted an object of class Salary to a variable of type float.

The remaining code of main() converts a float number to an object of class Salary. main() assigns a value of 70000.00 to a float variable, and displays this value:

```
fMyFloat = 70000.00;
cout << "\n\n\n fMyFloat = " << fMyFloat;
```

then main() converts the float number to an object of class Salary:

```
HisSalary = fMyFloat;
```

This statement causes the compiler to automatically execute the constructor #1 function of HisSalary, which sets the data members of HisSalary as follows:

```
HisSalary.fBase  = fMyFloat = 70000.0
HisSalary.fBonus = 0
```

To verify that indeed HisSalary.fBase is 70000.0, and that HisSalary.fBonus is 0, main() displays the values of HisSalary:

```
cout << "\n HisSalary.fBase  ="<<HisSalary.fBase;
cout << "\n HisSalary.fBonus ="<<HisSalary.fBonus;
```

As expected, when these statements are executed, the following text is displayed:

```
HisSalary.fBase  = 70000
HisSalary.fBonus = 0
```

Data Conversion between Objects of Different Classes

The CONVERT.CPP program showed how you can write code that tells the compiler how to convert data between an object of a class and a basic data type. With this code in place, the compiler knew how to execute commands like:

```
HisSalary = fMyFloatNumber;
```

and

```
fMyFloatNumber = HisSalary;
```

These commands convert between a basic data type (a `float` variable) and an object of a class (class `Salary`).

In some cases, you will want the compiler to convert between objects of different classes. Suppose, for example, that you want the compiler to understand a statement like:

```
HisSalary = HisCompensation;
```

where `HisSalary` is an object of class `Salary`, and `HisCompensation` is an object of class `Compensation`. To make the compiler understand such a statement, you need to write instructions similar to the code of the CONVERT.CPP program.

The CONVERT2.CPP program (shown in Listing 9.2) illustrates code that enables the compiler to perform data conversions between objects of different classes.

The CONVERT2.CPP program resides in your C:\C2CPLUS\CH09 directory.

Listing 9.2: Source Code for the CONVERT2.CPP Program

```
///////////////////////////////////////////////////////////////
//
// Program Name: CONVERT2.CPP
//
// Description:
// ------------
//
// This program illustrates how to write code that enables
// the compiler to perform data conversion between objects
// of different classes.
//
// The program declares 2 classes: Salary and Compensation.
//
// The program includes code that tells the compiler
// how to convert objects of class Salary to/from objects
// of class Compensation.
///////////////////////////////////////////////////////////////
```

```
////////////
// #include
////////////
#include <iostream.h>
#include <string.h>


//////////////////////////////////
// Define the Compensation class
//////////////////////////////////
class Compensation
{
public:

   // The constructor prototype.
   Compensation( float compens );

   // The destructor prototype.
   ~Compensation();

   // Define 1 public data member.
   float fCompens;

};

///////////////////////////////////////////////////////
// Function Name: Compensation()
// The constructor function of the Compensation class.
///////////////////////////////////////////////////////
Compensation::Compensation( float compens )
{

// Initialize the fCompens data member.
fCompens = compens;

}

///////////////////////////////////////////////////////
// Function Name:  ~Compensation()
// (The destructor function of the Compensation class)
///////////////////////////////////////////////////////
Compensation:: ~Compensation()
{
```

```
}


/////////////////////////////////
// Define the Salary class
/////////////////////////////////
class Salary
{
public:

   // The constructor #1 prototype.
   // (used for the Compensation to Salary conversion).
   Salary( Compensation compens );

   // The constructor #2 prototype.
   Salary( float base, float bonus);

   // The destructor prototype.
   ~Salary();

   // Prototype of the Compensation() function.
   // (used for the Salary to Compensation conversion).
   operator Compensation();

   // Define 2 public data members.
   float fBase;
   float fBonus;

};


/////////////////////////////////////////////////////
// Function Name: Salary()
// The constructor #1 function of the Salary class.
// (tells the compiler how to convert Compensation to
//  Salary).
/////////////////////////////////////////////////////
Salary::Salary( Compensation compens )
{

// Initialize the fBase data member.
fBase = compens.fCompens;

// Initialize the fBonus data member.
fBonus = 0.0;
```

```
}


//////////////////////////////////////////////////////////
// Function Name: Salary()
// (The constructor #2 function of the Salary class)
//////////////////////////////////////////////////////////
Salary::Salary( float base, float bonus )
{

// Initialize the fBase data member.
fBase = base;

// Initialize the fBonus data member.
fBonus = bonus;

}


//////////////////////////////////////////////////////
// Function Name:  ~Salary()
// (The destructor function of the Salary class)
//////////////////////////////////////////////////////
Salary:: ~Salary()
{

}


//////////////////////////////////////////////////////
// Function Name: Compensation()
// (tells the compiler how to convert Salary to
//  Compensation)
//////////////////////////////////////////////////////
Salary::operator Compensation( )
{

// Return the sum of fBase + fBonus.
return fBase + fBonus;

}
```

```
//////////////////////////
// Function Name: main()
//////////////////////////
void main ( void )
{

// Declare an object of class Compensation.
Compensation HisCompens (0);

// Create an object of class Salary.
Salary HisSalary (40000.0, 10000.0);

// Display the values of HisSalary.
cout << "\n HisSalary.fBase  ="<<HisSalary.fBase;
cout << "\n HisSalary.fBonus ="<<HisSalary.fBonus;
cout << "\n";

// Convert a Salary object to a Compensation object.
// (This statement will cause the compiler to
// automatically execute the member function
// Compensation() of HisSalary).
HisCompens = HisSalary;

// Display the value of HisCompens.
cout << "\n HisCompens.fCompens = "<< HisCompens.fCompens;

// Assign HisCompens with a new value.
HisCompens.fCompens = 70000.00;

// Display the new value of HisCompens.
cout << "\n\n HisCompens.fCompens= "<<HisCompens.fCompens;
cout << "\n";

// Convert a Compensation object to a Salary object.
// (This statement will cause the compiler to automatically
//  execute the constructor #1 function of HisSalary).
HisSalary = HisCompens;

// Display the values of HisSalary.
cout << "\n HisSalary.fBase  ="<<HisSalary.fBase;
cout << "\n HisSalary.fBonus ="<<HisSalary.fBonus;
cout << "\n\n";

}
```

Stepping through the CONVERT2 Program

As you can see from Listing 9.2, CONVERT2.CPP is very similar to the CONVERT.CPP program. The difference is that CONVERT2.CPP defines two classes, `Compensation` and `Salary`, and needs to convert objects between these classes.

The code that tells the compiler how to convert an object of class `Compensation` to an object of class `Salary` appears inside the constructor #1 function of the `Salary` class. Whenever the compiler encounters a statement such as

```
Salary1 = Compens1;
```

where `Salary1` is an object of class `Salary` and `Compens1` is an object of class `Compensation`, the compiler executes the constructor #1 function of the `Salary1` object. This function uses the `Compensation` object that is passed to it, to create an object of class `Salary` (that is, it converts an object of class `Compensation` to an object of class `Salary`).

The code that is responsible for telling the compiler how to convert an object of class `Salary` to an object of class `Compensation` appears inside the `Compensation()` member function of the `Salary` class.

Whenever the compiler encounters a statement such as

```
Compens1 = Salary1;
```

where `Compens1` is an object of class `Compensation`, and `Salary1` is an object of class `Salary`, the compiler automatically executes the `Compensation()` member function of the `Salary1` object. This function converts the `Salary1` object to an object of class `Compensation`, and the compiler assigns this value to `Compens1`.

Exercise

Problem

Write a program called LENGTH.CPP that declares a class `Length` with two data members: `iFeet` and `fInches`. Declare `iFeet` as an `int` and `fInches` as a float.

An object of class `Length` is used to store a length. For example, to store the length 2 feet 7 inches, the `iFeet` data member should be set to 2, and the `fInches` data member should be set to 7.

Write the LENGTH.CPP program in such a way that the compiler will be able to convert objects of class `Length` to and from variables of type `float`.

For example, if the compiler encounters the following code:

```
// Declare a float variable.
float fLen;

// Define Length1 as 2ft and 6 inches.
Length Length1 (2, 6);

// Convert Length1 to float.
fLen = Length1;
```

it should convert the `Length1` object to a `float` number (`fLen`) as follows:

```
fLen = 2 + 6/12 = 2.5
```

Also, if the compiler encounters the following code:

```
// Set fLen to 2.7 feet.
fLen = 2.7;

// Convert fLen to an object of class Length.
Length1 = fLen;
```

it should convert the `float` variable `fLen` to an object of class `Length` as follows:

```
Length1.iFeet = int(2.7) = 2

Length1.fInches = (2.7 - 2) * 12 = 0.7 * 12 = 8.4
```

Solution

The LENGTH.CPP program is shown in Listing 9.3. This program resides in your C:\C2CPLUS\CH09 directory.

Listing 9.3: Source Code for the LENGTH.CPP Program

```
/////////////////////////////////////////////////////////////
//
// Program Name: LENGTH.CPP
//
// Description:
// ------------
// This program illustrates how to write code that enables
// the compiler to perform data conversion between objects
// and basic variable types.
//
// The program declares a class (called Length) that is
// used to store lengths in feet and inches.
//
// The program includes code that tells the compiler
// how to convert objects of class Length to/from variables
// of type float.
/////////////////////////////////////////////////////////////


////////////
// #include
////////////
#include <iostream.h>
#include <string.h>


////////////////////////////////
// Define the Length class
////////////////////////////////
class Length
{
public:

   // The constructor #1 prototype.
   // (used for the float to Length conversion).
   Length( float len );

   // The constructor #2 prototype.
   Length( int feet, float inches);

   // The destructor prototype.
    ~Length();
```

```
   // Prototype of the float() function.
   // (used for the Length to float conversion).
   operator float();

   // Define 2 public data members.
   int   iFeet;
   float fInches;

};

//////////////////////////////////////////////////////
// Function Name: Length()
// The constructor #1 function of the Length class.
// (tells the compiler how to convert float to Length).
//////////////////////////////////////////////////////
Length::Length( float len )
{

// Initialize the iFeet data member.
iFeet = int (len);

// Initialize the fInches data member.
fInches = (len - iFeet) * 12;

}


//////////////////////////////////////////////////////
// Function Name: Length()
// (The constructor #2 function of the Length class)
//////////////////////////////////////////////////////
Length::Length( int feet, float inches )
{

// Initialize the iFeet data member.
iFeet = feet;

// Initialize the fInches data member.
fInches = inches;

}
```

```
/////////////////////////////////////////////////////////
// Function Name:  ~Length()
// (The destructor function of the Length class)
/////////////////////////////////////////////////////////
Length:: ~Length()
{

}


/////////////////////////////////////////////////////////
// Function Name: float()
// (tells the compiler how to convert Length to float).
/////////////////////////////////////////////////////////
Length::operator float( )
{

return iFeet + fInches/12;

}


//////////////////////////
// Function Name: main()
//////////////////////////
void main ( void )
{

// Declare a float type variable.
float fLen;

// Create an object of type Length (2 feet and 6 inches).
Length Length1 (2, 6.0);

// Display the values of Length1.
cout << "\n Length1.iFeet   = " << Length1.iFeet;
cout << "\n Length1.fInches = " << Length1.fInches;
cout << "\n";

// Convert a Length object to a float variable.
// (This statement will cause the compiler to automatically
// execute the member function float() of Length1).
fLen = Length1;

// Display the value of the fLen variable.
```

```
cout << "\n fLen = " << fLen;

// Assign fLen with a new value.
fLen = 2.7;

// Display the new value of the fLen variable.
cout << "\n\n\n fLen = " << fLen;
cout << "\n";

// Convert a float variable to a Length object.
// (This statement will cause the compiler to automatically
// execute the constructor #1 function of Length1).
Length1 = fLen;

// Display the values of Length1.
cout << "\n Length1.iFeet   = " << Length1.iFeet;
cout << "\n Length1.fInches = " << Length1.fInches;
cout << "\n\n";

}
```

CHAPTER TEN

Your First Windows Application (with the Microsoft C/C++ Compiler)

In this chapter you'll learn how to write your first Windows program with the Microsoft C/C++ version 7.0 compiler/linker. If you use the Borland C++ compiler, skip ahead to Chapter 12.

Note that writing C++ Windows applications with the Microsoft C/C++ version 7.0 is different than writing C++ Windows applications with Microsoft Visual C++. In this book you'll learn how to write C++ Windows applications with the Version 7.0 compiler. Also note that to write Windows applications, you need the Windows Software Developer Kit (Windows SDK). At the end of this chapter, you'll see an example of a windows program written with the MFC2.

NOTE

In this chapter we assume that you have some experience with Windows programs in conventional C; specifically, that you know about the DEF file, RC file, and other components of a C Windows program. If you don't have any previous Windows programming experience, you'll still be able to follow the examples; just make sure to follow the exact steps when creating the various Windows overhead files.

Applying Your C++ Knowledge

So far in this book, you've learned the major features and capabilities of C++. Now it is time to apply this knowledge to writing Windows applications!

Basically, there are two kinds of programming where you can apply your C++ knowledge:

1. Writing C++ classes. These classes are written so that they can be used by you and by other programmers.
2. Writing C++ programs that use classes written by others.

The Microsoft Foundation Classes (MFC)

Many programmers learn C++ so that they can write programs using classes written by others.

Consider the task of writing a Windows program. You can write such a program using the conventional C language, but it is much easier to use C++ because, no matter what Windows program you write, more than half of the program has been written for you already, in the form of predefined classes. For example, the Microsoft C++ compiler version 7.0 package comes with a variety of classes specifically designed for use in Windows programs. These classes are called the *Microsoft Foundation Classes* or *MFC* for short. This chapter's program example shows how you can take advantage of the MFC. Note that the MFC that comes with the Microsoft version 7.0 package is called MFC1, and the MFC that comes with the Microsoft Visual C++ package is called MFC2. In this chapter and the next, the term MFC means MFC1.

TIP **The easiest way to write a Windows program with the Microsoft C++ compiler is by using the MFC that comes with the C++ compiler.**

Using a Template Program

If you have written C programs for Windows, you already know that such programs contain overhead code and overhead files. When writing a C++ program for Windows, you still have overhead code and overhead files in the program. This overhead appears in any Windows program that you'll write. Thus, it's extremely helpful to create a template program containing all the overhead code and files. You can then develop other Windows programs by copying files from the template program and modifying them as needed for each new program.

The template program that you'll use in this chapter is called Say1.

Writing the Say1 Program

The Say1 program is a true Windows program, and as such, it consists of several files that we compile and link to create the file Say1.EXE. All these files are were installed into your C:\C2CPLUS\CH10 directory.

The complete Say1 program consists of the following files:

Say1.MAK

Say1.CPP

Say1.DEF

Say1.RC

Say1.H

Say1.ICO

The following sections explain the meaning and content of each file in detail.

The Say1.H File

The Say1.h file includes various overhead statements, defining constants and declaring classes used by other files in the program. Because more than one file contains the statement

```
#include "Say1.h"
```

we need to make sure that Say1.h is compiled only once. Thus, the Say1.h file should be written as follows:

```
#ifndef __SAY1_H__
#define __SAY1_H__
...
...
...
#endif // __SAY1_H__
```

The above statements are compiler directives, executed only during compilation (not during execution).

The first statement:

```
#ifndef __SAY1_H__
```

tells the compiler to compile all the statements between the `#ifndef` line and the `#endif` line, provided that the SAY1_H variable is not already defined (hence the character `n` in the `#ifndef` keyword). When you start compiling the program, the variable `__SAY1_H__` has not been defined. Thus, the compiler will compile all the statements between the `#ifndef` and the `#endif` lines.

The second statement in Say1.h is:

```
#define __SAY1_H__
```

This statement tells the compiler to define the variable `__SAY1_H__`. (Although the `#define` directive could assign a value to this variable, there is no need to assign a particular value to it.) The compiler will then compile all the rest of the statements between the `#ifndef` line and the `#endif` lines.

When compiling the files of the Say1 program, the compiler will encounter the `#include "Say1.h"` statement in various files. The first time it encounters this statement, `__SAY1_H__` will not have been defined yet, and so the statements in the Say1.h file will be compiled. When the compiler again encounters the `#include "Say1.h"` statement in another file, `__SAY1_H__` will be defined already, and the compiler will not recompile the statements of the Say1.h file.

Summary: Compiling a Header File Only Once

To compile a header file only once, add `#ifndef`, `#define`, and `#endif` directives at the beginning and end of the file, as we've done with Say1.h:

```
#ifndef __SAY1_H__
#define __SAY1_H__
...
...
...
#endif // __SAY1_H__
```

Defining the Menu Items

The next statements in Say1.h are:

```
#define IDM_ABOUT   200
#define IDM_EXIT    201
```

These statements `#define` constants that, as you'll see later, are used in the other files of the Say1 program.

Defining Constants in the Say1.H FILE

Typically, the .h file of a Windows program contains the `#definitions` of the various constants that the program uses.

Deriving a Class from the CFrameWnd Class

The next statements in Say1.h declare a class called `CMainWindow`, derived from the `CFrameWnd` class:

```
class CMainWindow : public CFrameWnd
{
...
...
...
};
```

As implied by its name, the `CMainWindow` class contains member functions and data members that are related to the main window of the Say1 program. Later, you'll learn how the Say1.CPP program creates an object that belongs to this class. Writing the `CMainWindow` class by yourself could take a very long time! For example, the constructor function of this class is responsible for executing the various initialization procedures required when a window is created in Windows. Because you bought the MFC along with your C++ compiler, you don't need to write these initialization procedures yourself. The MFC's `CFrameWnd` class contains in its constructor function all the procedures that need to be executed when a new window is created. This code has been carefully tested, and it would be a waste of time to duplicate the effort. We need to derive a new class (rather than use CFrameWnd directly) because we must modify the class according to the needs of our program. The derived class (CMainWindow) inherits all the functions and data of the CFrameWnd class, and you can add more functions to the derived class.

Here is the declaration of the derived class CMainWindow:

```
////////////////////////////////
// Class name: CMainWindow
////////////////////////////////
class CMainWindow : public CFrameWnd
{
public:

     CMainWindow();  // Constructor.

     afx_msg void OnPaint(); // For WM_PAINT message.
     afx_msg void OnAbout(); // For the About dialog box.
     afx_msg void OnExit();  // For the Exit.

     DECLARE_MESSAGE_MAP()
};
```

As you can see, the declaration of the CMainWindow derived class includes the prototypes of the CMainWindow() constructor function, the prototypes of three member functions with the afx_msg keywords, and one prototype for the function, DECLARE_MESSAGE_MAP(). All these functions are contained in the file Say1.CPP (discussed later in this chapter).

The CWinApp MFC Class

In the previous section you declared the derived class CMainWindow from the CFrameWnd MFC class in the .h file. In order to write a Windows program, you need to derive another class in the .h file. This class is called CTheApp, and it is derived from the CWinApp MFC class.

Here is how the Say1.h file derives this class:

```
class CTheApp : public CWinApp
```

Again, because you use a derived class, you can add member functions to the class. You can also override member functions that exist in the base class. For example, the CWinApp base class contains a member function:

```
BOOL InitInstance();
```

As implied by its name, this member function performs various initializations. In the Say1 program, you want to perform the initializations in a way that is specific to your application. Thus, by including this function in the declaration of the derived class, you override the member function that appears in its base class. Here is the complete declaration of the CTheApp derived class:

```
class CTheApp : public CWinApp
{
public:
     BOOL InitInstance();

};
```

To summarize, your Say1.h file derived two classes:

1. CMainWindow was derived from CFrameWnd.
2. CTheApp was derived from CWinApp.

The CMainWindow derived class declares its own constructor function and several other member functions, and the CTheApp derived class declares the function InitInstance().

These functions are written inside the Say1.CPP file.

Summary: The Say1.h File as an Overhead File

As you'll soon realize, every Windows program has a similar .h file. You can think of this file as a necessary overhead file that is required by every Windows program.

The Say1.CPP File

The first lines of the Say1.CPP file are:

```
#include <afxwin.h>   // Required when using the MFC.
#include "say1.h"
```

The first `#include` statement specifies the file afxwin.h. This file must be included in every CPP file that uses MFC classes.

The second `#include` statement in Say1.CPP includes the Say1.h file, discussed earlier.

Summary: The afxwin.h File

Every CPP file that uses MFC classes must include the statement:

```
#include <afxwin.h>
```

Creating the theApp Object

Say1.CPP then creates an object called `theApp` from the class `CTheApp`:

```
CTheApp theApp;
```

Recall that Say1.h declares `CTheApp` as a derived class from the `CWinApp` MFC class. The statement that creates the `theApp` object of class `CTheApp` always appears in the program (.CPP) file of Windows programs. The act of creating the `theApp` object tells Windows that a new application is being executed. Windows responds by executing all the necessary procedures that have to be executed when a new application is executed.

The Constructor Function of the CMainWindow Class

The next statements in Say1.CPP define the constructor of the `CMainWindow` class. Recall that in Say1.h, you derived the `CMainWindow` class from the `CFrameWnd` MFC class. Because you specified a constructor function for this derived class in Say1.h, you must write this constructor function. Here it is:

```
////////////////////////////////////
// Function Name: CMainWindow()
// (The constructor function)
////////////////////////////////////
CMainWindow::CMainWindow()
{

LoadAccelTable( "MainAccelTable" );

Create( NULL,
        "The Say1 Program",  // Caption of the main window.
         WS_OVERLAPPEDWINDOW,
         rectDefault,
         NULL,
        "TheMainMenu" ); // The name of the menu as it
                         // appears in the RC file.
}
```

As you'll soon see, Say1.CPP will eventually create an object of class `CMainWindow`. When the object is created, the constructor function of `CMainWindow` will be executed. This constructor function prepares the main window of the Say1 program.

The first statement of this constructor function is

```
LoadAccelTable( "MainAccelTable" );
```

As implied by its name, `LoadAccelTable()` loads the accelerator table. Loading the accelerator table allows your Windows program to assign function keys to items in menus it displays, like this:

```
Exit  F2
```

The user can either click on Exit or press F2 to exit the program. Keystrokes used in this way are called *accelerator keys*. In order to use accelerator keys in your program, the constructor function of the `CMainWindow` class must execute a `LoadAccelTable` statement.

The next statement in the constructor function is:

```
Create( NULL,
        "The Say1 Program",  // Caption of the main window.
         WS_OVERLAPPEDWINDOW,
         rectDefault,
```

```
        NULL,
       "TheMainMenu" ); // The name of the menu as it
                        // appears in the RC file.
```

This statement uses the Create() function to create the window.

Summary: The LoadAccelTable() and Create() Functions

The LoadAccelTable() and Create() functions are both member functions of the CFrameWnd class. Because CMainWindow is a derived class from CFrameWnd, you can execute these member functions from within the constructor function of the CMainWindow class.

The Create() function has six parameters:

```
Create( NULL,
       "The Say1 Program",  // Caption of the main window.
        WS_OVERLAPPEDWINDOW,
        rectDefault,
        NULL,
       "TheMainMenu" ); // The name of the menu as it
                        // appears in the RC file.
```

These parameters tell Windows how to create the window of the program. The second parameter is a string that will appear as the caption of the window. The last parameter is the name of the menu that will appear in the window of the Say1 program. This name is used in the Say1.RC file, which defines the menu layout of the program. The file Say1.RC will be discussed later in this chapter.

The InitInstance() Member Function of the CTheApp Class

Take a look at the last section of the Say1.CPP file. It contains the InitInstance() member function of the CTheApp class. Recall that you declared the CTheApp class as a derived class from the CWinApp MFC class.

Customizing the Parameters of the Create() Function

When writing other programs, you'll have to customize the parameters of the `Create()` function. Typically, you'll customize only the second and last parameters of the `Create()` function.

For example, if you write a program called MyProgram, then your `Create()` function might look as follows:

```
Create( NULL,
 "The MyProgram Program",// Caption of the main window.
  WS_OVERLAPPEDWINDOW,
  rectDefault,
  NULL,
  "MainMenuOfMyProgram" ); // The name of the menu as it
                           // appears in the RC file.
```

Here is the `InitInstance()` member function that appears in Say1.CPP:

```
//////////////////////////////////////////////////////////////
// This function is automatically executed when the theApp
// object is created.
//////////////////////////////////////////////////////////////
BOOL CTheApp::InitInstance()
{
// Create a window.
m_pMainWnd = new CMainWindow();

// Show the window.
m_pMainWnd->ShowWindow( m_nCmdShow );

// Paint the window.
m_pMainWnd->UpdateWindow();

return TRUE;
}
```

The statements inside the `InitInstance()` member function are the standard functions that are used to create the main window object and to display it. The first statement is:

```
// Create a window.
m_pMainWnd = new CMainWindow();
```

This statement uses the `new` operator to create an object of class `CMainWindow`.

The second and third statements in the `InitInstance()` function display the window:

```
// Show the window.
m_pMainWnd->ShowWindow( m_nCmdShow );

// Paint the window.
m_pMainWnd->UpdateWindow();
```

The `InitInstance()` function must be terminated with the statement

```
return TRUE;
```

So far, all the code that you wrote inside Say1.h and Say1.CPP files can be considered as overhead code that every Windows program must have. You'll now learn about the rest of the code inside the Say1.CPP program. This code is unique to the Say1 program.

The Menus of the Say1 Program

When you execute the Say1 program, its main window appears, as shown in Figure 10.1.

Like most Windows programs, Say1.EXE has a File menu. When the user clicks File, the menu shown in Figure 10.2 drops down.

The File menu consists of two items:

```
About Say1  F1
Exit        F2
```

Pressing F1 produces the same result as selecting About from the menu, and pressing F2 produces the same result as selecting Exit.

FIGURE 10.1:
The main window of the Say1.EXE program.

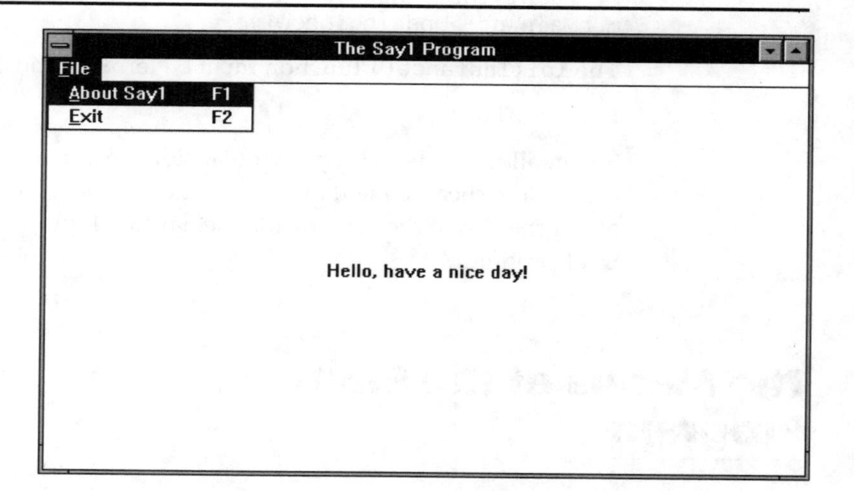

FIGURE 10.2:
The menu of the Say1.EXE program.

The file that defines the menu is Say1.RC, and we'll discuss it later in this chapter.

Here is how the Windows operating system works with the Say1 program: Once the user executes the Say1.EXE program, the main window of Say1.EXE is displayed. Who has control over your computer now? Windows has control of the system! For example, if the user uses the mouse to switch to another Windows program (for example, Paintbrush), Windows detects the clicking, and switches to the other application. If the user clicks the Exit menu item of the Say1.EXE program,

Windows detects this event, and sends a message to the Say1.EXE program. We can paraphrase this message as follows:

```
From: Windows
  To: Say1.EXE

Time: (The time when the user selected the Exit menu)

Ref.: Event that is relevant to your program has occurred.

The user clicked a menu item.
The menu item is: Exit

Please take care of the situation.

Sincerely,
Windows
```

The message that Windows actually sends Say1.EXE is this:

```
IDM_EXIT
```

Recall that in Say1.h, you defined `IDM_EXIT` as:

```
#define IDM_EXIT    201
```

As you'll see later in this chapter, the Say1.RC file relates `IDM_EXIT` to the Exit item of the menu. So to summarize, every time the user clicks the Exit menu item, Windows sends Say1.EXE a message, equal to the number 201.

In a similar manner, whenever the user clicks the About item, Windows sends a message to Say1.EXE. The content of the message is 200. Recall that in Say1.h you defined `IDM_ABOUT` as:

```
#define IDM_ABOUT   200
```

The file Say1.RC relates the About menu item to the `IDM_ABOUT` constant.

What should Say1.EXE do with these messages? It should trap them and act on them. For example, whenever Say1.EXE detects that Windows sends a message equal to `IDM_ABOUT`, it should display the dialog box shown in Figure 10.3.

Once Say1.EXE displays this dialog box, it returns control of the computer to Windows. The user can now click the OK button of the dialog box, or switch to another Windows program (for example by pressing Ctrl-Esc). If the user clicks the OK button, Windows sends a message to Say1.EXE, indicating that the OK button of the About dialog

FIGURE 10.3:
The About dialog box

box was clicked. Say1.EXE should respond by closing the dialog box, displaying the main window, and then returning the control of the PC back to Windows.

Enabling Say1 to Trap Windows Messages

As you can see, Say1 must be able to trap messages from Windows. To enable Say1 to trap messages, you have to include the following statement inside the declaration of the CMainWindow class:

```
DECLARE_MESSAGE_MAP()
```

Indeed, Say1.h contains this statement:

```
////////////////////////////////
// Class name: CMainWindow
////////////////////////////////
class CMainWindow : public CFrameWnd
{
public:

     CMainWindow();  // Constructor.

     afx_msg void OnPaint(); // For WM_PAINT message.
     afx_msg void OnAbout(); // For the About dialog box.
     afx_msg void OnExit();  // For the Exit.

     DECLARE_MESSAGE_MAP()
};
```

Summary: The DECLARE_MESSAGE_MAP() Macro

`DECLARE_MESSAGE_MAP()` is a macro that enables the program to trap Windows messages. Include this statement inside the declaration of the derived class `CMainWindow`.

Note that the statement `DECLARE_MESSAGE_MAP()` does NOT terminate with a semicolon. This is because `DECLARE_MESSAGE_MAP()` is a macro that was `#defined` as several functions. This `#define` statement contains the semicolon already.

Trapping and Processing Windows Messages

Because we've included `DECLARE_MESSAGE_MAP()` inside the `CMainWindow` class, the Say1 program will be able to trap messages from Windows. Thus, Say1.CPP must include the following statement:

```
BEGIN_MESSAGE_MAP( CMainWindow, CFrameWnd )

     ..........
     ..........
     ..........

END_MESSAGE_MAP()
```

In between the `BEGIN_MESSAGE_MAP()` line and the `END_MESSAGE_MAP()` line you write statements for handling each type of message that Windows might generate in executing your program. For example, you can put the following statement in between the `BEGIN_MESSAGE_MAP()` line and the `END_MESSAGE_MAP()` line:

```
ON_COMMAND( IDM_ABOUT, OnAbout )
```

This statement is equivalent to a series of many `if` and `case` statements. It checks to see whether the message that arrives from Windows is equal to `IDM_ABOUT` (that is, whether the user has clicked the About menu item). If so, then the `OnAbout()` function is executed. Recall that you defined the prototype of the `OnAbout()` function as one of the member functions in the declaration of the `CMainWindow` class in Say1.h:

```
////////////////////////////////
// Class name: CMainWindow
////////////////////////////////
class CMainWindow : public CFrameWnd
{
public:

     CMainWindow();  // Constructor.

     afx_msg void OnPaint(); // For WM_PAINT message.
     afx_msg void OnAbout(); // For the About dialog box.
     afx_msg void OnExit();  // For the Exit.

     DECLARE_MESSAGE_MAP()
};
```

Note the keyword `afx_msg` before the `void` keyword. Basically, this means that this function is executed when Windows sends a message that corresponds to this function.

As you probably noticed, the declaration of the `CMainWindow` class also includes prototypes for the `OnPaint()` and `OnExit()` functions. To understand these functions, take a look at the complete code that appears in between the `BEGIN_MESSAGE_MAP()` line and the `END_MESSAGE_MAP()`:

```
////////////////////////////////////
// Process messages from Windows
////////////////////////////////////
BEGIN_MESSAGE_MAP( CMainWindow, CFrameWnd )

     ON_WM_PAINT()
     ON_COMMAND( IDM_ABOUT, OnAbout )
     ON_COMMAND( IDM_EXIT,  OnExit )

END_MESSAGE_MAP()
```

In the above message-processing statements:

- The `ON_WM_PAINT()` statement causes the execution of the `OnPaint()` member function when Windows sends the message `WM_PAINT`.
- The `ON_COMMAND( IDM_ABOUT, OnAbout )` statement executes the `OnAbout()` member function when Windows sends the message `IDM_ABOUT`.
- The `ON_COMMAND( IDM_EXIT)` statement executes the `OnExit()` member function when Windows sends the message `IDM_EXIT`.

So far, the code that has been discussed will exist in almost every Windows program that you'll write. That is, Microsoft designed the classes in such a way that you don't need to waste time writing code that already exists and is known to work. To write any Windows C++ program, simply copy the code that was discussed so far.

So what is your role as a programmer? Your role is to write the contents of the functions:

```
afx_msg void OnPaint(); // For WM_PAINT message.
afx_msg void OnAbout(); // For the About dialog box.
afx_msg void OnExit();  // For the Exit.
```

The OnExit( ) Member Function

Here is the code of the `OnExit()` member function:

```
///////////////////////////////////////////////////////////////
// Function Name: CMainWindow::OnExit()
// Purpose:
// Whenever the user clicks the Exit menu item,
// Windows sends a WM_COMMAND message with IDM_EXIT,
// and this function is executed.
///////////////////////////////////////////////////////////////
void CMainWindow::OnExit()
{
SendMessage ( WM_CLOSE );
}
```

The `OnExit()` function sends a message to Windows, equal to `WM_CLOSE`. A C++ program can send messages to Windows by using the `SendMessage()` function.

The message itself is supplied as the parameter of `SendMessage()`. Recall that the `OnExit()` function will be executed whenever the user clicks the Exit menu item. That is, as a response to the mouse click, Windows sends the message IDM_EXIT to Say1.EXE. The code between `BEGIN_MESSAGE_MAP()` and `END_MESSAGE_MAP()` includes this statement:

```
ON_COMMAND( IDM_EXIT,  OnExit )
```

which traps the `IDM_EXIT` message and executes the `OnExit()` function. The `OnExit()` function sends the `WM_CLOSE` message to Windows. Upon receiving this message, Windows closes the window of the Say1.EXE program, and the Say1.EXE program terminates.

The OnPaint( ) Function

The `OnPaint()` function is executed whenever Windows sends the message `WM_PAINT` to Say1.EXE. What is the `WM_PAINT` message, and why will Windows send this message to Say1.EXE?

The window of the Say1.EXE program contains the text "Hello, Have a nice day!" Now suppose the user places the window of another application, such as Paintbrush, on top of the Say1.EXE window, as in Figure 10.4.

What happens when you drag the Paintbrush window to expose the full Say1.EXE window? Will you see the complete window as shown in Figure 10.1? What will happen to the area that was covered by the other window?

Windows is a very smart operating system. When you cover the window of the Say1.EXE program, Windows takes note of that fact. When you expose the window of the Say1.EXE program, Windows understands that the area that was covered will now have to be repainted. Windows is a smart operating system, but it will not do the work for you. That is, once Windows detects that there is a need to repaint the window of Say1.EXE, it sends Say1.EXE a message to that effect. The message that Windows sends in this case is `WM_PAINT`. Say1.EXE responds by repainting the window.

FIGURE 10.4:
Placing a Window on Top of the Say1.Exe Window

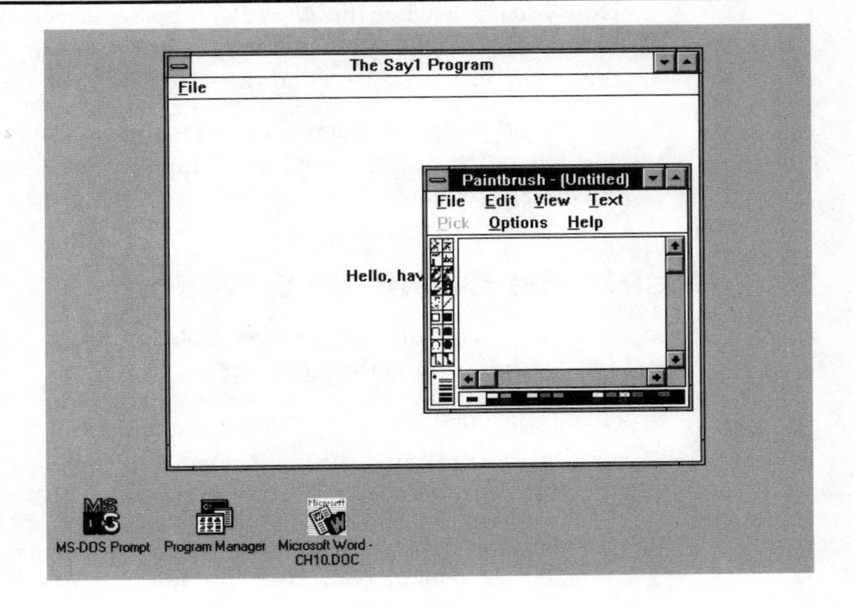

Summary: The WM_PAINT Message

Whenever Windows detects that there is a need to repaint an application program window, it sends that program the message WM_PAINT.

Note that Windows does NOT repaint the application window, it merely sends a message to the program, telling it that there is a need to repaint the window. It is the program's responsibility to actually perform the repainting.

Now you know when the WM_PAINT message is received. Note that upon displaying the window of the Say1.EXE program for the very first time (that is, upon executing the Say1.EXE program), Windows sends the WM_PAINT message to Say1.EXE.

The ON_WM_PAINT() statement that resides in between the BEGIN_MESSAGE_MAP() and the END_MESSAGE_MAP() lines traps the WM_PAINT message, and executes the OnPaint() function.

Inside the OnPaint() Function

The OnPaint() function is responsible for displaying the text "Hello, have a nice day." at the center of the window.

Here is the OnPaint() function:

```
//////////////////////////////////////////////////
// Function Name: CMainWindow::OnPaint()
// Purpose:
// Whenever there is a need to repaint the window,
// Windows sends a WM_PAINT message, and this
// function is executed
//////////////////////////////////////////////////
void CMainWindow::OnPaint()
{
CString s = "Hello, have a nice day!";
CPaintDC dc( this );
CRect rect;

GetClientRect( rect );
dc.SetTextAlign( TA_BASELINE | TA_CENTER );
dc.SetTextColor( ::GetSysColor( COLOR_WINDOWTEXT ) );
dc.SetBkMode(TRANSPARENT);
dc.TextOut ( ( rect.right / 2 ),
             ( rect.bottom / 2 ),
               s,
               s.GetLength() );
}
```

This looks like a lot of code just to display some text inside a window. But it allows the function to display the text without needing to know what type of display your user has. (This is of course one of the main reasons for using Windows; it's hardware independent. No matter what hardware your machine has, your user will be

Windows Messages

In addition to the WM_PAINT message, Windows sends many other messages to a program. For example, Windows sends the message BN_CLICKED whenever the user clicks on a pushbutton in a dialog box.

To trap the BN_CLICKED message, you have to write the following statement between the BEGIN_MESSAGE_MAP() line and the END_MESSAGE_MAP() line:

```
ON_BN_CLICKED(parameters)
```

That is, the statement that traps the message begins with the characters ON_ followed by the name of the message, and any necessary parameters.

Example 1: The statement that traps the WM_PAINT message is:

```
ON_WM_PAINT()
```

Example 2: The statement that would trap the BN_CLICKED message is:

```
ON_BN_CLICKED(parameters)
```

Notice that the ON_WM_PAINT() statement does not have any parameters. ON_WM_PAINT() assumes that your program has a function called OnPaint(). On the other hand, the ON_BN_CLICKED() statement does have parameters. It needs to know the ID of the button that was clicked (specified in the RC file) and the name of the function that will be executed. For example, if the user clicked on a push button that was assigned with the name ID_MYBUTTON, then the parameters of the ON_BN_CLICKED() are:

```
ON_BN_CLICKED ( ID_MYBUTTON, OnButtonClicked )
```

When the user selects an item from the menu, you trap the message as follows:

```
ON_COMMAND( IDM_ABOUT, OnAbout )
ON_COMMAND( IDM_EXIT,  OnExit )
```

The manuals supplied with the Windows Software Developer Kit (SDK) contain a complete list of all the messages generated by Windows, along with explanations.

able to execute your programs on his/her machine, even if your user owns a different type of hardware.) Whenever you want to display text inside a window, you can use the above code as a template.

The OnAbout() Function

The `OnAbout()` function is responsible for displaying the dialog box shown earlier, in Figure 10.3.

Here is the code of the `OnAbout()` function:

```
//////////////////////////////////////////////////////////////
// Function Name: CMainWindow::OnAbout()
// Purpose:
// Whenever the user clicks the About menu item,
// Windows sends a WM_COMMAND message with IDM_ABOUT,
// and this function is executed.
//////////////////////////////////////////////////////////////
void CMainWindow::OnAbout()
{
// Create the "AboutBox" dialog box.
// Note: AboutBox appears in the RC file.
CModalDialog about( "AboutBox", this );

// Execute the DoModal() member function.
about.DoModal();
}
```

The `OnAbout()` function creates an object called `about` of class `CModalDialog`. As you've probably guessed, the `CModalDialog` class is part of the MFC.

The statement

```
CModalDialog about( "AboutBox", this );
```

executes the constructor function of the `CModalDialog` class.

The first parameter of the `about()` constructor function is the string `"AboutBox"`, which identifies the dialog box as it is defined in the RC file. The second parameter is the `this` pointer. Again, remember that the `CModalDialog` class belongs to the MFC.

The second statement in the `OnAbout()` function is:

```
about.DoModal();
```

This statement executes the member function `DoModal()` on the `about` object. The `DoModal()` function is a member function of the `CModalDialog` class. This member function displays the dialog box as shown in Figure 10.3.

The Say1.RC File

The Say1.RC file defines the menu of the Say1 program, and defines the layout of the dialog box.

The Say1.RC file starts by #including several .h files:

```
#include <windows.h>
#include <afxres.h>
#include "say1.h"
```

The next two statements define the program's icon. This is the icon that will appear on the Windows desktop when you minimize the program window. The statement

```
AFX_IDI_STD_FRAME   ICON    Say1.ico
```

instructs Windows to display the Say1.ico icon when you minimize the window of the Say1.EXE program. Figure 10.5 shows Say1.ico as it appears in the Image Editor program (part of the Microsoft SDK package), which we used to create the icon. If you minimize the window of the Say1.EXE program, you'll see the icon as shown in Figure 10.6.

The second part of the icon definition is this:

```
IconOfSay1          ICON    Say1.ico
```

This statement associates the file Say1.ICO icon with the name `IconOfSay1`. That is, the code of your program can refer to the icon as `IconOfSay1` (instead of Say1.ico).

FIGURE 10.5:
The Say1.ICO icon.

FIGURE 10.6:
Minimizing the window of the Say1.EXE window.

The next statements in the Say1.RC file define the main menu, shown in Figure 10.2:

```
TheMainMenu MENU
{
  POPUP   "&File"
     {
     MENUITEM "&About Say1          \tF1", IDM_ABOUT
     MENUITEM "&Exit                \tF2", IDM_EXIT
     }
}
```

The first line defines the name of the menu as TheMainMenu. Recall that the constructor function of the CMainWindow class contains the Create() function. The sixth parameter of the Create() function defines TheMainMenu as the menu of the Say1.EXE window:

```
CMainWindow::CMainWindow()
{

LoadAccelTable( "MainAccelTable" );

Create( NULL,
        "The Say1 Program",  // Caption of the main window.
         WS_OVERLAPPEDWINDOW,
         rectDefault,
         NULL,
        "TheMainMenu" ); // The name of the menu as it
                         // appears in the RC file.
}
```

Say1.RC then contains the following statements:

```
MainAccelTable ACCELERATORS
{
     VK_F1, IDM_ABOUT,      VIRTKEY
     VK_F2, IDM_EXIT,       VIRTKEY
}
```

These statements associate the F1 key with the About menu item and the F2 key with the Exit menu item. Thus, pressing F1 produces the same result as selecting About from the menu, and pressing F2 produces the same result as selecting Exit from the menu.

The Say1.RC file then contain statements that define the layout of the About dialog box, shown in Figure 10.3:

```
AboutBox DIALOG 63, 25, 160, 100
STYLE DS_MODALFRAME | WS_POPUP | WS_VISIBLE | WS_CAPTION |
           WS_SYSMENU
CAPTION "About the Say1 Program"
FONT 8, "MS Sans Serif"
BEGIN
    PUSHBUTTON        "OK", 1, 53, 78, 40, 14
    ICON              "IconOfSay1", -1, 15, 9, 18, 20
    CTEXT             "(C) Copyright Gurewich 1992-1993", -1,
                      13, 51, 131, 8
    CTEXT             "(R) All rights reserved", -1, 15, 63,
                      127, 8
    CTEXT             "The Say1 Program", -1, 55, 20, 90, 8
    CONTROL           "", -1, "Static", SS_BLACKFRAME, 41, 10,
                      114, 32
END
```

For example, the text

```
All rights reserved
```

appears in the dialog box at pixel coordinates: 15, 63, 127, 8. This means that the upper-left corner of the area that encloses the text is 15 pixels from the left edge of the dialog box, and 63 pixels below the upper edge of the dialog box. The width of the text area is 127 pixels, and the height is 8 pixels.

We created this dialog box using the Dialog Editor program that comes with the Microsoft SDK package. You can use this program to draw the dialog box—set the size of the dialog box, set its caption, place pushbuttons in it, and so on.

Note that the first line in the statements describes the layout of the dialog box:

```
AboutBox DIALOG 63, 25, 160, 100
```

The first word is `AboutBox`. Recall that the first parameter of the `about()` constructor function that appears in the `OnAbout()` function is `"AboutBox"`:

```
void CMainWindow::OnAbout()
{
// Create the "AboutBox" dialog box.
// Note: AboutBox appears in the RC file.
CModalDialog about( "AboutBox", this );
```

```
// Execute the DoModal() member function.
about.DoModal();
}
```

Also note that each object in the dialog box has an ID number associated with it. For example, the OK pushbutton is at pixel coordinates 53, 78, 40, 14. The first digit that comes after the name of the object is 1. This 1 means that this object is #defined with an ID equal to 1. When you assign the number 1 to a pushbutton of a dialog box, the `CModalDialog` class treats this button as the OK button of the dialog box.

The icon that appears in the dialog box is located at pixel coordinates 15, 9, 18, 20. The ID of this object is –1. Usually, you assign an ID of –1 to objects that don't cause any action if you click on them. For example, if you click on the icon inside the dialog box, nothing will happen. Thus, you can define this object with an ID of –1. In a similar manner, the ID of the text objects (`CTEXT`) were defined with ID equal to –1, and the frame that encloses the text (`CONTROL`) was also defined as –1.

Summary: The RC file

The Say1.RC file is called the *resource* file (hence the file extension RC). As you saw in the above discussion, the RC file contains information regarding the resources of the application (menu layout, dialog box layout, icons, and so on).

The Say1.DEF File

The Say1.DEF file is called the *module-definition file*. This file is an overhead file that every Windows program must have. It tells the compiler how to treat memory during the execution of the program as well as other overhead information that is related to the execution of the application.

Here is the code of the Say1.DEF file:

```
;;;;;;;;;;;;;;;;;;;;;;;;;;;;;;;;;;
;; Filename: Say1.DEF
;;;;;;;;;;;;;;;;;;;;;;;;;;;;;;;;;;
NAME          Say1
DESCRIPTION   'The Say1.EXE Program (C) Copyright Gurewich'
EXETYPE        WINDOWS
STUB          'WINSTUB.EXE'

CODE          PRELOAD MOVEABLE DISCARDABLE
DATA          PRELOAD MOVEABLE MULTIPLE

HEAPSIZE      1024
STACKSIZE     4096
```

Notice that the ; character is used to begin a comment line in the DEF file.

The rest of the lines in the Say1.DEF file are overhead code that tell the compiler how to treat memory during the execution of the program.

You can use the Say1.DEF file as a template file for other programs.

Compiling and Linking the Say1 Program: The .MAK File

To compile and link the Say1 program with the Microsoft C++ version 7.0 compiler:

- Make sure that your PC is in a DOS protected mode.
- Log into your C:\C2CPLUS\CH10 directory.
- At the DOS prompt type:

  ```
  NMAKE Say1.MAK  /A
  ```

Here is the Say1.MAK file:

```
#############################################################
# To create the file: Say1.EXE
# (with the Microsoft C/C++ 7.0 compiler):
# -----------------------------------------------------------
# [] Make sure that your PC is in a DOS protected mode.
#
# [] Make sure that the current directory does not contain
#    any file with the name MAKEFILE.
#
# [] At the DOS prompt type:
#      NMAKE Say2.MAK  /A  {Enter}
#
#############################################################

CPPFLAGS=  /DWINVER=0x0300 /AS /W3 /Zp /GA /GEs /G2
LINKFLAGS=/NOD /ONERROR:NOEXE

!if "$(DEBUG)"=="1"
CPPFLAGS=/D_DEBUG $(CPPFLAGS) /Od /Zi /f
LINKFLAGS=$(LINKFLAGS) /COD
LIBS=safxcwd libw slibcew
!else
CPPFLAGS=$(CPPFLAGS) /Oselg /Gs
LINKFLAGS=$(LINKFLAGS)
LIBS=safxcw libw slibcew
!endif

say1.exe: say1.obj say1.def say1.res
     link $(LINKFLAGS) say1, say1, NUL, $(LIBS), say1.def;
     rc -30 /t say1.res
```

The Say1.MAK file looks complicated. However, you can use this file as a template for compiling/linking other C++ Windows programs. For example, to compile/link a program called MyProg, you would prepare the following files:

MyProg.h

MyProg,CPP

MyProg.DEF

MyProg.RC

MyProg.ICO

MyProg.MAK

you can generate the MyProg.MAK file by copying the Say1.MAK file into the MyProg.MAK file, and then replacing each occurrence of the string `Say1` with the string `MyProg`.

Executing the Say1.EXE Program

To execute the Say1.EXE program:

- In the Program Manager, select Run from the File menu, and then use Browse to select the file C:\C2CPLUS\CH10\Say1.EXE (or type the path name in the dialog box). Windows responds by displaying the main window of the Say1.EXE program (shown earlier in Figure 10.1).
- Select About from the File menu (Figure 10.2). Say1.EXE responds by displaying the About dialog box (Figure 10.3).
- Click the OK button. Say1.EXE responds by returning to the main window.
- Press F1. Say1.EXE responds by displaying the About dialog box. The accelerator key F1 works!
- Click the OK button. Say1.EXE responds by returning to the main window.
- Click the down-arrow icon that appears at the upper-right corner of the window. Say1.EXE responds by minimizing its main window to an icon (Figure 10.6).
- Double-click the icon to restore the normal size of the Say1.EXE window.
- Press F2 or select Exit from the menu to terminate the Say1.EXE program.

The complete source code for the Say1 program is shown in Listings 10.1 through 10.5. In the next chapter you'll expand the Say1 program so that it accomplishes more sophisticated tasks.

Listing 10.1: Source Code for the Say1.H File

```
//////////////////////////////
//  Filename: Say1.h
//////////////////////////////

/////////////////////////////////////////////////////
// Make sure that this file is compiled only once.
/////////////////////////////////////////////////////
#ifndef __SAY1_H__
#define __SAY1_H__  // Define the variable to prevent
                    // compiling more than once.

/////////////////////////
// define the menu IDs
/////////////////////////
#define IDM_ABOUT   200
#define IDM_EXIT    201

/////////////////////////////
// Class name: CMainWindow
/////////////////////////////
class CMainWindow : public CFrameWnd
{
public:

     CMainWindow();  // Constructor.

     afx_msg void OnPaint(); // For WM_PAINT message.
     afx_msg void OnAbout(); // For the About dialog box.
     afx_msg void OnExit();  // For the Exit.

     DECLARE_MESSAGE_MAP()
};

/////////////////////////////////////////////////////////
// Class name: CTheApp
// (derived from the MFC CWinApp)
// Purpose: To be able to use your
// own InitInstance() function.
/////////////////////////////////////////////////////////
class CTheApp : public CWinApp
{
public:
     BOOL InitInstance();
```

```
};

#endif // __SAY1_H__
```

Listing 10.2: Source Code for the Say1.CPP File

```
////////////////////////////
// Filename: Say1.CPP
////////////////////////////

/////////////
// #include
/////////////
#include <afxwin.h>   // Required when using the MFC.
#include "say1.h"

//////////////////////////////////
// Create the application object.
//////////////////////////////////
CTheApp theApp;

///////////////////////////////////
// Function Name: CMainWindow()
// (The constructor function)
//////////////////////////////////
CMainWindow::CMainWindow()
{

LoadAccelTable( "MainAccelTable" );

Create( NULL,
     "The Say1 Program",  // Caption of the main window.
      WS_OVERLAPPEDWINDOW,
      rectDefault,
      NULL,
     "TheMainMenu" ); // The name of the menu as it appears
                      // in the RC file.
}
```

```
//////////////////////////////////////////////////
// Function Name: CMainWindow::OnPaint()
// Purpose:
// Whenever there is a need to repaint the window,
// Windows sends a WM_PAINT message, and this
// function is executed
//////////////////////////////////////////////////
void CMainWindow::OnPaint()
{

CString s = "Hello, have a nice day!";
CPaintDC dc( this );
CRect rect;

GetClientRect( rect );
dc.SetTextAlign( TA_BASELINE ¦ TA_CENTER );
dc.SetTextColor( ::GetSysColor( COLOR_WINDOWTEXT ) );
dc.SetBkMode(TRANSPARENT);
dc.TextOut ( ( rect.right / 2 ),
             ( rect.bottom / 2 ),
               s,
               s.GetLength() );
}

//////////////////////////////////////////////////////////
// Function Name: CMainWindow::OnAbout()
// Purpose:
// Whenever the user clicks the About menu item,
// Windows sends a WM_COMMAND message with IDM_ABOUT,
// and this function is executed.
//////////////////////////////////////////////////////////
void CMainWindow::OnAbout()
{
// Create the "AboutBox" dialog box.
// Note: AboutBox appears in the RC file.
CModalDialog about( "AboutBox", this );

// Execute the DoModal() member function.
about.DoModal();
}
```

```
////////////////////////////////////////////////////////
// Function Name: CMainWindow::OnExit()
// Purpose:
// Whenever the user clicks the Exit menu item,
// Windows sends a WM_COMMAND message with IDM_EXIT,
// and this function is executed.
////////////////////////////////////////////////////////
void CMainWindow::OnExit()
{
SendMessage ( WM_CLOSE );
}

//////////////////////////////////
// Process messages from Windows
//////////////////////////////////
BEGIN_MESSAGE_MAP( CMainWindow, CFrameWnd )

     ON_WM_PAINT()
     ON_COMMAND( IDM_ABOUT, OnAbout )
     ON_COMMAND( IDM_EXIT,  OnExit )

END_MESSAGE_MAP()

////////////////////////////////////////////////////////
// This function is automatically executed when the theApp
// object is created.
////////////////////////////////////////////////////////
BOOL CTheApp::InitInstance()
{
// Create a window.
m_pMainWnd = new CMainWindow();

// Show the window.
m_pMainWnd->ShowWindow( m_nCmdShow );

// Paint the window.
m_pMainWnd->UpdateWindow();

return TRUE;
}
```

Listing 10.3: Source Code for the Say1.DEF File

```
;;;;;;;;;;;;;;;;;;;;;;;;;;;;;;
;; Filename: Say1.DEF
;;;;;;;;;;;;;;;;;;;;;;;;;;;;;;
NAME          Say1
DESCRIPTION   'The Say1.EXE Program (C) Copyright Gurewich'
EXETYPE        WINDOWS
STUB          'WINSTUB.EXE'

CODE          PRELOAD MOVEABLE DISCARDABLE
DATA          PRELOAD MOVEABLE MULTIPLE

HEAPSIZE      1024
STACKSIZE     4096
```

Listing 10.4: Source Code for the Say1.RC File

```
//////////////////////////////////////////////
// Filename: Say1.rc
//////////////////////////////////////////////

#include <windows.h>
#include <afxres.h>
#include "say1.h"

AFX_IDI_STD_FRAME   ICON    Say1.ico
IconOfSay1          ICON    Say1.ico

TheMainMenu MENU
{
  POPUP   "&File"
     {
     MENUITEM "&About Say1       \tF1", IDM_ABOUT
     MENUITEM "&Exit             \tF2", IDM_EXIT
     }
}

MainAccelTable ACCELERATORS
{
     VK_F1, IDM_ABOUT,     VIRTKEY
     VK_F2, IDM_EXIT,      VIRTKEY
}

AboutBox DIALOG 63, 25, 160, 100
```

```
STYLE DS_MODALFRAME | WS_POPUP | WS_VISIBLE | WS_CAPTION |
                      WS_SYSMENU
CAPTION "About the Say1 Program"
FONT 8, "MS Sans Serif"
BEGIN
    PUSHBUTTON      "OK", 1, 53, 78, 40, 14
    ICON            "IconOfSay1", -1, 15, 9, 18, 20
    CTEXT           "(C) Copyright Gurewich 1992-1993", -1,
                     13, 51, 131, 8
    CTEXT           "(R) All rights reserved", -1, 15, 63,
                     127, 8
    CTEXT           "The Say1 Program", -1, 55, 20, 90, 8
    CONTROL         "", -1, "Static", SS_BLACKFRAME, 41, 10,
                     114, 32
END
```

Listing 10.5: Source Code for the Say1.MAK File

```
###########################################################
# To create the file: Say1.EXE
# (with the Microsoft C/C++ compiler):
# ------------------------------------
# [] Make sure that your PC is in a DOS protected mode.
#
# [] Make sure that the current directory does not contain
# any file with the name MAKEFILE.
#
# [] At the DOS prompt type:
#       NMAKE Say2.MAK  /A  {Enter}
#
###########################################################

CPPFLAGS=  /DWINVER=0x0300 /AS /W3 /Zp /GA /GEs /G2
LINKFLAGS=/NOD /ONERROR:NOEXE

!if "$(DEBUG)"=="1"
CPPFLAGS=/D_DEBUG $(CPPFLAGS) /Od /Zi /f
LINKFLAGS=$(LINKFLAGS) /COD
LIBS=safxcwd libw slibcew
!else
CPPFLAGS=$(CPPFLAGS) /Oselg /Gs
LINKFLAGS=$(LINKFLAGS)
LIBS=safxcw libw slibcew
!endif
```

```
say1.exe: say1.obj say1.def say1.res
     link $(LINKFLAGS) say1, say1, NUL, $(LIBS), say1.def;
     rc -30 /t say1.res
```

An MFC2 (Visual C++) Example

As you probably noticed from the discussion above, the process of writing Windows programs using the MFC1 involves knowing Windows topics, and knowing how to use MFC1 classes. Similarly, you can write Windows programs by using the Microsoft Visual C++ (version 8.0) package. This package includes the MFC2 class library.

Writing Windows programs with Microsoft Visual C++ is different than writing Windows programs with the Microsoft C/C++ version 7.0 in a couple of important ways:

1. Visual C++ uses the MFC2 library (version 7.0 uses MFC1).
2. Visual C++ includes visual software tools (App Studio) and automatic code-generating programs (AppWizard, ClassWizard).

The topic of writing Visual C++ Windows programs is beyond the scope of this book. However, to give you a taste of it, the accompanying disk includes a program written with Visual C++. The program is called Play.EXE, and it resides in your C:\C2CPLUS\CH10\PLAY directory. This program assumes that your PC is equipped with a Windows-compatible sound card. If you have a sound card installed in your PC, you can execute the Play program.

NOTE **If you decide to compile the Play program yourself, be sure to use the Large model.**

To execute the PLAY.EXE program:

- Start Windows.
- Select Run from the File menu of the Program Manager, and select or type the path C:\C2CPLUS\CH10\PLAY\PLAY.EXE. Windows responds by executing the PLAY.EXE program. The main window of the Play program has three buttons:
  1. Bush
  2. Music
  3. Stop
- Experiment with these buttons.

When you click the Bush button, a WAV file is played through your sound card, and when you click the Music button, a MIDI file is played through your sound card. As you can hear, the WAV file and the MIDI file are played simultaneously!

To terminate the Play program:

- Select Exit from the File menu.

You might think that writing such programs requires writing a lot of code. However, thanks to the power of MFC2, and the fact that Visual C++ writes a lot of code for you, there is really very little code that you have to write.

To distinguish between the code that Visual C++ automatically wrote, and the code that we wrote, we enclosed the code that we wrote with comment blocks:

```
///////////////////////////
// CUSTOM CODE STARTS HERE
///////////////////////////

Here is the code that
we wrote.

///////////////////////////
// CUSTOM CODE ENDS HERE
///////////////////////////
```

If you browse through the files PlayView.CPP and PlayView.H in your C:\C2CPLUS\CH10\PLAY directory, you'll be able to see which code was written by us, and which code was written for us by Visual C++.

All the rest of the source files in this directory were written entirely by Visual C++.

Again, writing Visual C++ Windows programs is beyond the scope of this book. However, as you can see from the little amount of code that we had to write, writing such Visual C++ programs requires C++ know-how (and you do have that, once you've completed Chapters 1 through 9 of this book), and it requires knowing how to use the Visual C++ tools particularly the MFC2.

CHAPTER ELEVEN

More Programming with the Microsoft Foundation Classes

In this chapter you'll write the Say2 program, an enhancement to the Say1 program that you developed in Chapter 10. This program plays a WAV file that contains an audio voice message (a speech by former president Bush) through the PC speaker. You don't need a sound card to play this message. The Say2 program illustrates how you can use existing DLLs (Dynamic Linked Libraries) in your C++ Windows programs.

Like the Say1 program, the Say2 program utilizes the MFC1, so you'll be instructed to compile/link the Say2 program with the Microsoft C++ version 7.0 compiler.

The files of the Say2 application reside in your C:\c2Cplus\CH11 directory.

Executing the Say2 Program

To see (and hear) what the Say2 program accomplishes, you should execute the program before going over its code:

- In Windows, select Run from the File menu of the Program Manager, and then browse to select the file C:\C2Cplus\CH11\Say2.EXE. Windows displays the hourglass cursor for a while, and then you'll see the main window of the Say2.EXE program (Figure 11.1).

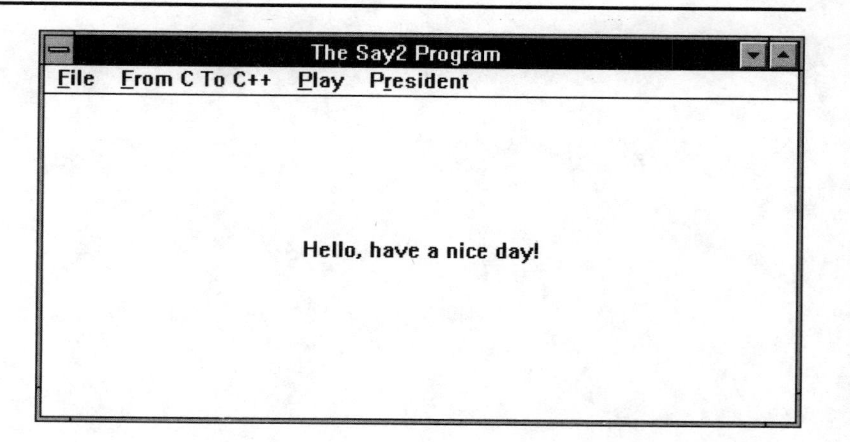

FIGURE 11.1: The main window of the Say2.EXE program.

The various menus of the Say2 program are shown in Figures 11.2, 11.3, 11.4, and 11.5.

- Select the About Say2 item from the File menu. Say2 responds by displaying the dialog box shown in Figure 11.6.

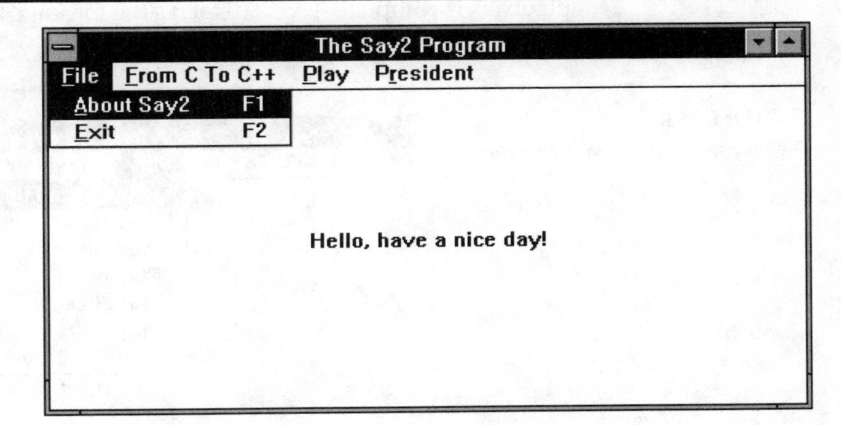

FIGURE 11.2:
The File menu of the Say2 program.

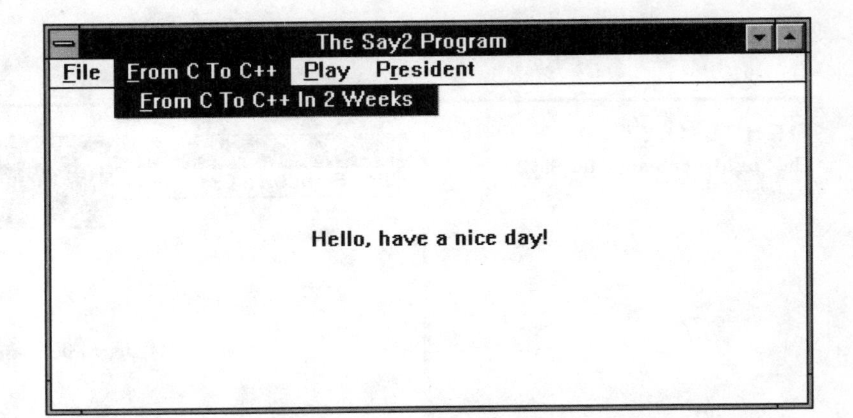

FIGURE 11.3:
The From C To C++ menu of the Say2 program.

- Click the OK button of the About Say2 dialog box. Say2 responds by closing the About dialog box and returning to the main window.
- Click the President Speaks menu item from the President menu. Say2 responds by displaying the dialog box shown in Figure 11.7.
- Click the Speech Button of the President dialog box. Say2 responds by playing a famous speech of former President Bush through the PC speaker. When the playback is completed, Say2 displays the message box shown in Figure 11.8.

FIGURE 11.4:
The Play menu of the Say2 program.

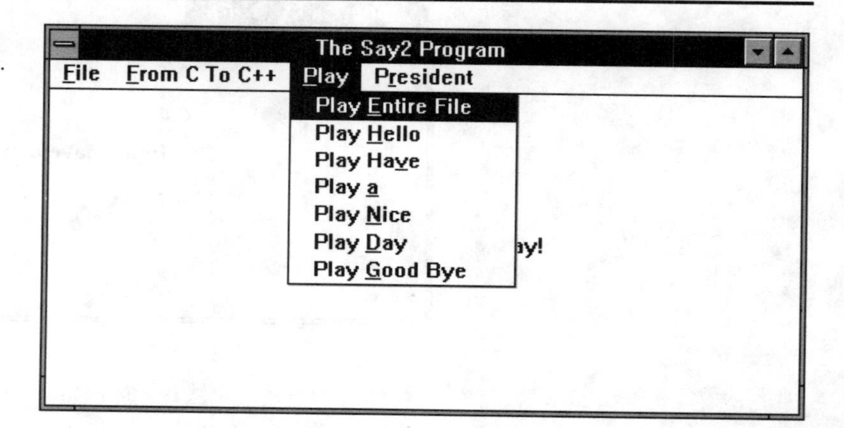

FIGURE 11.5:
The President menu of the Say2 program.

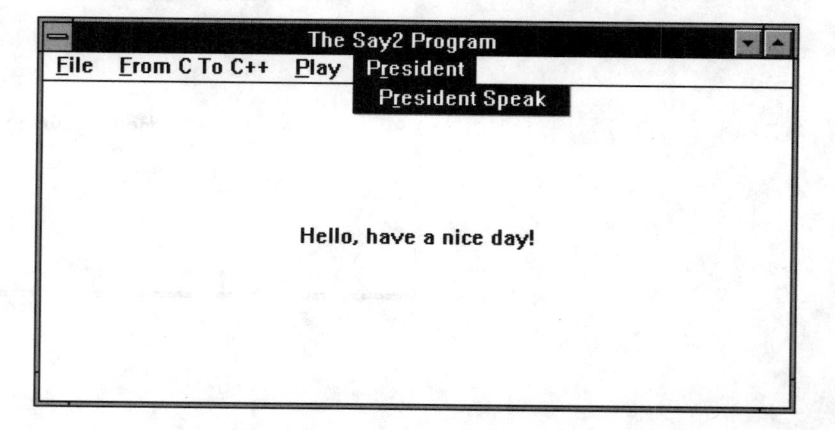

- Click the OK button of the box of Figure 11.8. Say2 responds by closing the box, and returning to the President Dialog box. You can now click the Speech Button to play the speech again, or close the President dialog box.
- Click the control-menu box in the upper-left corner of the President dialog box. Say2 responds by displaying the control menu of the President dialog box.
- Select Close from this menu. Say2 responds by closing the President dialog box and returning to the main window.

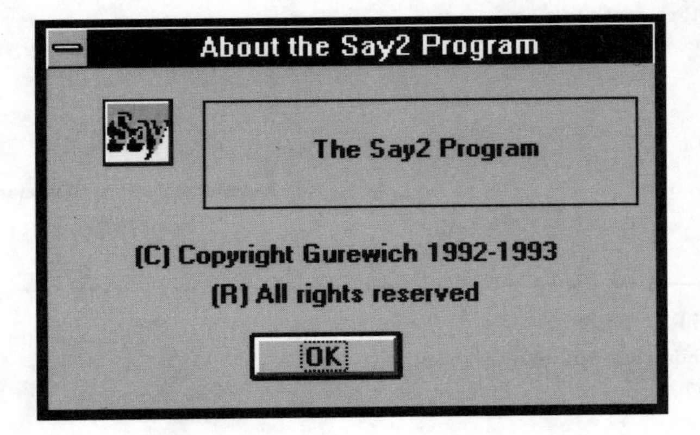

FIGURE 11.6:
The About dialog box of the Say2 program

FIGURE 11.7:
The President Speaks dialog box.

- Click the down arrow (minimize button) that appears in the upper-right corner of the main window. Say2 responds by minimizing the window as shown in Figure 11.9.
- Double-click the Say2 program icon to restore the Say2 window to its original size.

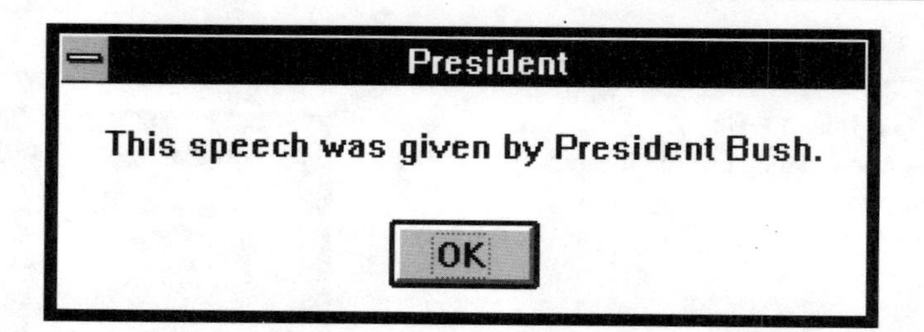

FIGURE 11.8: The message box that Say2 displays when President Bush's speech is completed.

FIGURE 11.9: The minimized window of the Say2 program

You can now use the other menus of the Say2 program to play other sounds through the PC speaker:

- Select the From C To C++ In 2 Weeks menu item. Say2 responds by playing the WAV file that corresponds to this menu item.
- Select the Play menu, and then select any of the items that appear in this menu. Say2 responds by playing the corresponding section from the WAV file.

To terminate the Say2 program:

- Select Exit from the File menu.

Using Functions That Reside in a DLL

The Say2 program uses functions that reside in a DLL called TegoPLUS.DLL. This DLL should have been copied to your Windows directory when you installed the book's disk. (If for some reason you can't find it there, copy it from the C:\C2CPLUS\DLL directory into the Windows directory.) The TegoPLUS.DLL file contains various functions that let you play WAV files through the PC speaker without special hardware or drivers.

The Tegoplus.DLL File The TegoPLUS.DLL file that is supplied with the book's disk is a limited version of the DLL; it lets you play only those WAV files that were supplied with the disk. To be able to play your own WAV files, you can purchase the full version directly from TegoSoft Inc.: address

TegoSoft Inc.
Box 389
Attn.: TegoPLUS.DLL
Bellmore, N.Y 11710
Phone: (516)783-4824

The TegoPLUS.DLL lets you write Windows programs that perform animation (play WAV files through the PC speaker in synchronization with moving text and moving graphic objects). The price of the full version of the TegoPLUS.DLL is $29.95 plus $5.00 shipping and handling.

Creating the DEF File from the Template File

As stated in Chapter 10, the Say1 files are designed to serve as templates for building other programs. We create the Say2.DEF file by copying the Say1.DEF file into the Say2.DEF file, and then replacing each occurrence of the text Say1 with Say2.

Because Say2 uses functions from the TegoPLUS.DLL file, you must specify inside the Say2.DEF file the name of the DLL file, and the names of the relevant functions in the DLL.

Listing 11.1 shows the code of the Say2.DEF file.

Listing 11.1: Source Code for the Say2.DEF File

```
;;;;;;;;;;;;;;;;;;;;;;;;;;;;;;
;; Filename: Say2.DEF
;;;;;;;;;;;;;;;;;;;;;;;;;;;;;;
NAME           Say2
DESCRIPTION    'The Say2.EXE Program (C) Copyright Gurewich'
EXETYPE         WINDOWS
STUB           'WINSTUB.EXE'

CODE           PRELOAD MOVEABLE DISCARDABLE
DATA           PRELOAD MOVEABLE MULTIPLE

HEAPSIZE       1024
STACKSIZE      4096

;=========================================
; sp_ functions from the TegoPLUS.DLL DLL.
;=========================================
IMPORTS
TegoPLUS.sp_OpenWaveSession
TegoPLUS.sp_PlaySnd
```

```
TegoPLUS.sp_MouseOn
TegoPLUS.sp_MouseOff
TegoPLUS.sp_CloseSession
```

As you can see from Listing 11.1, the Say2.DEF file includes the following statements:

```
IMPORTS
TegoPLUS.sp_OpenWaveSession
TegoPLUS.sp_PlaySnd
TegoPLUS.sp_MouseOn
TegoPLUS.sp_MouseOff
TegoPLUS.sp_CloseSession
```

The `IMPORTS` keyword tells the compiler that the lines following it specify functions that reside in a DLL. For example, this line:

```
TegoPLUS.sp_OpenWaveSession
```

says that the `sp_OpenWaveSession()` function resides in the TegoPLUS.DLL file.

Placing DLL Files in the Windows Directory

During its execution, the Say2 program will search through your Windows directory for the file TegoPLUS.DLL. The INSTALL program of the book's disk copied the file TegoPLUS.DLL from C:\C2Cplus\DLL to C:\Windows.

If, during the execution of the Say2.EXE program you receive a message that the DLL cannot be found, it means that your Windows directory does not contain the TegoPLUS.DLL file. If for some reason your Windows directory does not contain this file, then copy it to your Windows directory from your C:\C2Cplus\DLL directory.

The Say2.MAK File

The Say2.MAK file was created by copying the Say1.MAK file to Say2.MAK, and then replacing each occurrence of the string `Say1` with the string `Say2`. The Say2.MAK file is shown in Listing 11.2.

Listing 11.2: Source Code for the Say2.MAK File

```
#############################################################
# To create the file: Say2.EXE
# (with the Microsoft C/C++ compiler ver. 7.0):
#
# [] Make sure that your PC is in a DOS protected mode.
#
# [] Make sure that the current directory does not
#    contain any file with the name MAKEFILE.
#
# [] At the DOS prompt type:
#      NMAKE Say2.MAK  /A  {Enter}
#
#############################################################

CPPFLAGS=  /DWINVER=0x0300 /AS /W3 /Zp /GA /GEs /G2
LINKFLAGS=/NOD /ONERROR:NOEXE

!if "$(DEBUG)"=="1"
CPPFLAGS=/D_DEBUG $(CPPFLAGS) /Od /Zi /f
LINKFLAGS=$(LINKFLAGS) /COD
LIBS=safxcwd libw slibcew
!else
CPPFLAGS=$(CPPFLAGS) /Oselg /Gs
LINKFLAGS=$(LINKFLAGS)
LIBS=safxcw libw slibcew
!endif

say2.exe: say2.obj say2.def say2.res
     link $(LINKFLAGS) say2, say2, NUL, $(LIBS), say2.def;
     rc -30 /t say2.res
```

To compile and link the Say2 program with the Microsoft C++ version 7.0 compiler:

- Make sure that your PC is in a DOS protected mode.
- Log into the directory C:\C2Cplus\CH11.
- At the DOS prompt type:

  ```
  NMAKE SAY2.MAK /A
  ```

The Bush.ICO File

To create the Bush.ICO file, we began by loading into Paintbrush a BMP file containing a picture of the former president, and then copying the face portion into the Windows clipboard. We then used the Image Editor program of the Microsoft SDK to create a new icon file (ICO). We placed Mr. Bush's face inside the new icon by selecting Paste from Image Editor's Edit menu, as shown in (Figure 11.10).

FIGURE 11.10:
Creating the Bush.ICO file

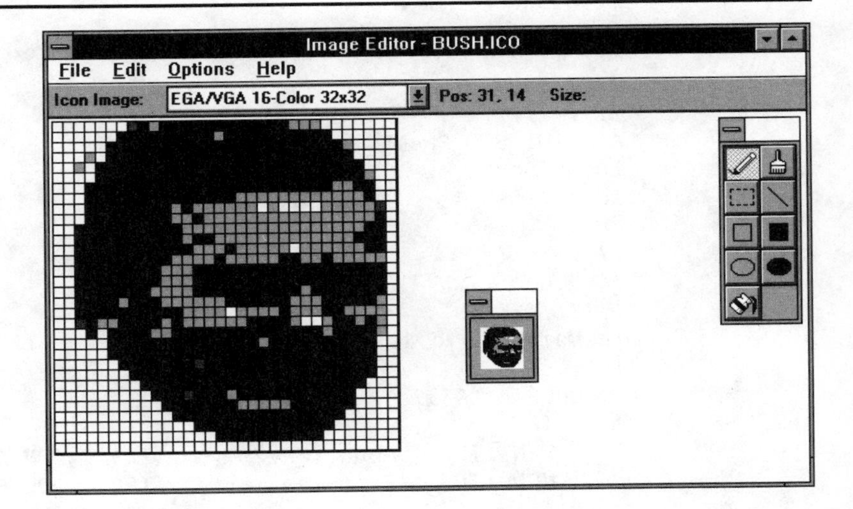

The Say2.RC File

The Say2.RC file was generated from the Say1.RC file by copying Say1.RC into Say2.RC, replacing each occurrence of the string `Say1` with the string `Say2`, and then making several modifications and additions to the Say2.RC file.

The Say2.RC file is shown in Listing 11.3.

Listing 11.3: Source Code for the Say2.RC File

```
////////////////////////////////////////////////////
// Filename: Say2.rc
////////////////////////////////////////////////////


/////////////
// #include
/////////////
#include <windows.h>
#include <afxres.h>
#include "say2.h"

//////////
// Icons
//////////
AFX_IDI_STD_FRAME   ICON    Say2.ico
IconOfSay2          ICON    Say2.ico
IconOfBush          ICON    Bush.ico

/////////
// Menu
/////////
TheMainMenu MENU
{
  POPUP   "&File"
     {
     MENUITEM "&About Say2        \tF1", IDM_ABOUT
     MENUITEM "&Exit              \tF2", IDM_EXIT
     }

  POPUP   "&From C To C++"
     {
     MENUITEM "&From C To C++ In 2 Weeks", IDM_FROM_C_TO_CPP
     }

  POPUP   "&Play"
     {
     MENUITEM "Play &Entire File ", IDM_ENTIRE
     MENUITEM "Play &Hello       ", IDM_HELLO
     MENUITEM "Play &Have        ", IDM_HAVE
     MENUITEM "Play &a           ", IDM_A
```

```
        MENUITEM "Play &Nice          ", IDM_NICE
        MENUITEM "Play &Day           ", IDM_DAY
        MENUITEM "Play &Good Bye      ", IDM_GOODBYE
        }

    POPUP   "P&resident"
        {
        MENUITEM "P&resident Speak", IDM_PRESIDENT
        }
}

//////////////////////
// Accelerator Keys
//////////////////////
MainAccelTable ACCELERATORS
{
     VK_F1, IDM_ABOUT,     VIRTKEY
     VK_F2, IDM_EXIT,      VIRTKEY
}

/////////////////////////////
// The AboutBox dialog box
/////////////////////////////
AboutBox DIALOG 63, 25, 160, 100
STYLE DS_MODALFRAME ¦ WS_POPUP ¦ WS_VISIBLE ¦ WS_CAPTION
                    ¦ WS_SYSMENU
CAPTION "About the Say2 Program"
FONT 8, "MS Sans Serif"
BEGIN
    PUSHBUTTON      "OK", 1, 53, 78, 40, 14
    ICON            "IconOfSay2", -1, 15, 9, 18, 20
    CTEXT           "(C) Copyright Gurewich 1992-1993", -1,
                     13, 51, 131, 8
    CTEXT           "(R) All rights reserved", -1, 15, 63,
                     127, 8
    CTEXT           "The Say2 Program", -1, 55, 20, 90, 8
    CONTROL         "", -1, "Static", SS_BLACKFRAME, 41, 10,
                     114, 32
END

////////////////////////////////////
// The PresidentDlgBox dialog box
////////////////////////////////////
PresidentDlgBox DIALOG 20,7,140,80
STYLE WS_OVERLAPPED ¦ WS_SYSMENU
```

```
CAPTION "President Speaks"
BEGIN
  ICON   "IconOfBush", -1, 15, 9, 18, 20
  PUSHBUTTON "&Speech button", ID_SPEECH_BUTTON,
             50,20,80,50, WS_GROUP
END
```

Stepping through the Say2.RC File

The Say2.RC file contains the statement:

```
#include "say2.h"
```

(instead of Say1.h).

The icons section of Say2.RC is:

```
AFX_IDI_STD_FRAME    ICON    Say2.ico
IconOfSay2           ICON    Say2.ico
IconOfBush           ICON    Bush.ico
```

Note that the IconOfBush was added to the list of icons.

The menu layout that corresponds to Figures 11.2 through 11.5 is:

```
TheMainMenu MENU
{
  POPUP   "&File"
     {
     MENUITEM "&About Say2       \tF1", IDM_ABOUT
     MENUITEM "&Exit             \tF2", IDM_EXIT
     }

  POPUP   "&From C To C++"
     {
     MENUITEM "&From C To C++ In 2 Weeks", IDM_FROM_C_TO_CPP
     }

  POPUP   "&Play"
     {
     MENUITEM "Play &Entire File ", IDM_ENTIRE
     MENUITEM "Play &Hello       ", IDM_HELLO
     MENUITEM "Play Ha&ve        ", IDM_HAVE
```

```
        MENUITEM "Play &a                ", IDM_A
        MENUITEM "Play &Nice             ", IDM_NICE
        MENUITEM "Play &Day              ", IDM_DAY
        MENUITEM "Play &Good Bye         ", IDM_GOODBYE
        }

    POPUP   "P&resident"
        {
        MENUITEM "P&resident Speak", IDM_PRESIDENT
        }
}
```

The accelerator keys that the Say2 program uses are F1 (for displaying the About dialog box), and F2 (for terminating the program):

```
MainAccelTable ACCELERATORS
{
        VK_F1, IDM_ABOUT,       VIRTKEY
        VK_F2, IDM_EXIT,        VIRTKEY
}
```

The layout of the About dialog box is the same as the layout of the About dialog box in the Say1 program:

```
AboutBox DIALOG 63, 25, 160, 100
STYLE DS_MODALFRAME | WS_POPUP | WS_VISIBLE | WS_CAPTION
                    | WS_SYSMENU
CAPTION "About the Say2 Program"
FONT 8, "MS Sans Serif"
BEGIN
    PUSHBUTTON      "OK", 1, 53, 78, 40, 14
    ICON            "IconOfSay2", -1, 15, 9, 18, 20
    CTEXT           "(C) Copyright Gurewich 1992-1993", -1,
                     13, 51, 131, 8
    CTEXT           "(R) All rights reserved", -1, 15, 63,
                     127, 8
    CTEXT           "The Say2 Program", -1, 55, 20, 90, 8
    CONTROL         "", -1, "Static", SS_BLACKFRAME, 41, 10,
                     114, 32
END
```

The Say2 program has a new dialog box (Figure 11.7). The layout of this dialog box is defined by the following code:

```
PresidentDlgBox DIALOG 20,7,140,80
STYLE WS_OVERLAPPED | WS_SYSMENU
CAPTION "President Speaks"
BEGIN
  ICON  "IconOfBush", -1, 15, 9, 18, 20
  PUSHBUTTON "&Speech button", ID_SPEECH_BUTTON,
             50,20,80,50, WS_GROUP
END
```

The Say2.H File

We generated the Say2.h file from the Say1.h file by copying Say1.h into Say2.h, changing each occurrence of the string Say1 to the string Say2, and then making modifications to the file.

Listing 11.4 shows the Say2.h file.

Listing 11.4: Source Code for the Say2.H File

```
////////////////////////////
//  Filename: Say2.h
////////////////////////////


//////////////////////////////////////////////////
// Make sure that this file is compiled only once.
//////////////////////////////////////////////////
#ifndef __SAY2_H__
#define __SAY2_H__   // Define the variable to prevent
                     // compiling more than once.

/////////////////////////////////////////////
// To be able to play WAV files through the PC
// speaker.
/////////////////////////////////////////////
#include "c:\c2cplus\include\TegoPLUS.h"
```

```
///////////////////////////
// define the menu IDs
///////////////////////////
#define IDM_ABOUT   200
#define IDM_EXIT    201
#define IDM_ABOUT   200
#define IDM_EXIT    201
#define IDM_ENTIRE  202
#define IDM_HELLO   203
#define IDM_HAVE    204
#define IDM_A       205
#define IDM_NICE    206
#define IDM_DAY     207
#define IDM_GOODBYE 208
#define IDM_FROM_C_TO_CPP 209
#define IDM_PRESIDENT     300

// The ID of the PresidentDlgBox button
#define ID_SPEECH_BUTTON 400


//////////////////////
// Global variables
//////////////////////
int giSessionHello;
int giSessionFromCToCPP;
int giSessionPresident;


///////////////////////////////
// Class name: CMainWindow
///////////////////////////////
class CMainWindow : public CFrameWnd
{
public:

     CMainWindow();  // Constructor.

     afx_msg void OnPaint(); // For WM_PAINT message.
     afx_msg void OnAbout(); // For the About dialog box.
     afx_msg void OnExit();  // For the Exit.

     afx_msg void OnPlayEntire();   // Play entire WAV file.
     afx_msg void OnPlayHello();    // Play Hello.
     afx_msg void OnPlayHave();     // Play Have.
```

```
     afx_msg void OnPlayA();           // Play A.
     afx_msg void OnPlayNice();        // Play Nice.
     afx_msg void OnPlayDay();         // Play Day.
     afx_msg void OnPlayGoodBye();     // Play Good Bye.

     afx_msg void OnPlayFromCToCPP(); // Play From C To C++

     afx_msg void OnSysCommand(UINT nID, LONG lParam);

     afx_msg void OnPlayPresident();


     DECLARE_MESSAGE_MAP()
};

////////////////////////////////////////////////////////
// Class name: CTheApp
// (derived from the MFC CWinApp)
// Purpose: To be able to use your own
// InitInstance() function.
////////////////////////////////////////////////////////
class CTheApp : public CWinApp
{
public:
     BOOL InitInstance();

};

////////////////////////////////////////////////////////
// Class name: CPresidentDialogBox
// (derived from the CModalDialog)
////////////////////////////////////////////////////////
class CPresidentDialogBox : public CModalDialog
{
public:
   CPresidentDialogBox ( CWnd* pParentWnd )
     : CModalDialog ( "PresidentDlgBox", pParentWnd) {}

   afx_msg void OnClickButton();
```

```
    DECLARE_MESSAGE_MAP()

};

#endif // __SAY2_H__
```

Stepping through the Say2.H File

Like Say1.h, the Say2.h file prevents itself from being compiled more than once, by using the following statements at the beginning and end of the file:

```
#ifndef __SAY2_H__
#define __SAY2_H__   // Define the variable to prevent
                     // compiling more than once.
.......
.......
.......
#endif // __SAY2_H__
```

To be able to play WAV files through the PC speaker, the Say2.h file #includes the TegoPLUS.h file:

```
#include "c:\c2cplus\include\TegoPLUS.h"
```

The Say2.h file then defines the various menu items with `#define` statements. Note that the button that appears in the President dialog box is defined as `ID_SPEECH_BUTTON`:

```
#define ID_SPEECH_BUTTON 400
```

The Say2.h file then declares three global variables:

```
int giSessionHello;
int giSessionFromCToCPP;
int giSessionPresident;
```

These global variables are used later in the Say2.CPP program. As you'll see, they are related to the sound sessions.

Say2.h then declares a derived class from the CFrameWnd MFC:

```
class CMainWindow : public CFrameWnd
{
public:
```

```
    CMainWindow();  // Constructor.

    afx_msg void OnPaint(); // For WM_PAINT message.
    afx_msg void OnAbout(); // For the About dialog box.
    afx_msg void OnExit();  // For the Exit.

    afx_msg void OnPlayEntire();    // Play entire WAV file.
    afx_msg void OnPlayHello();     // Play Hello.
    afx_msg void OnPlayHave();      // Play Have.
    afx_msg void OnPlayA();         // Play A.
    afx_msg void OnPlayNice();      // Play Nice.
    afx_msg void OnPlayDay();       // Play Day.
    afx_msg void OnPlayGoodBye();   // Play Good Bye.

    afx_msg void OnPlayFromCToCPP();    // Play FromC To C++

    afx_msg void OnSysCommand(UINT nID, LONG lParam);

    afx_msg void OnPlayPresident();


    DECLARE_MESSAGE_MAP()
};
```

Just as in the declaration of this derived class in Say1.h, this declaration defines the constructor function of this derived class:

```
CMainWindow();  // Constructor.
```

and the `afx` functions that will appear between the `BEGIN_MESSAGE_MAP()` line and the `END_MESSAGE_MAP()` line in Say2.CPP.

The class declaration also contains the statement:

```
DECLARE_MESSAGE_MAP()
```

which enables the Say2.CPP program to use the following code for trapping Windows messages:

```
BEGIN_MESSAGE_MAP()
.......
.......
.......
END_MESSAGE_MAP()
```

Say2.h then declares a derived class called `CTheApp` from the `CWinApp` MFC:

```
class CTheApp : public CWinApp
{
public:
    BOOL InitInstance();

};
```

Just as in the Say1.h file, the prototype of the `InitInstance()` function appears in the declaration. Say2.CPP contains the code of this member function.

Say2.h then declares a class called `CPresidentDialogBox` that is derived from the `CModalDialog` MFC class:

```
class CPresidentDialogBox : public CModalDialog
{
public:
   CPresidentDialogBox ( CWnd* pParentWnd )
     : CModalDialog ( "PresidentDlgBox", pParentWnd) {}

   afx_msg void OnClickButton();

   DECLARE_MESSAGE_MAP()

};
```

The `CPresidentDialogBox` derived class executes the constructor function of the `CModalDialog` class:

```
CPresidentDialogBox ( CWnd* pParentWnd )
     : CModalDialog ( "PresidentDlgBox", pParentWnd) {}
```

Note the first parameter of the constructor function of the `CModalDialog` class: `"PresidentDlgBox"`. Recall that this is also the name of the President dialog box as defined in the layout of this dialog box in the Say2.RC file.

Using an MFC Class Directly without a Derived Class

The Say1.h and Say2.h files do not have to declare a derived class for the About dialog box, because the Say1.CPP program and the Say2.CPP program use the `CModalDialog` class from the MFC as the class of the About dialog box without changing the behavior of the dialog box that is defined in the MFC `CModalDialog` class.

On the other hand, the President dialog box uses a class derived from the MFC `CModalDialog` class, because this dialog box behaves a little differently; it has a Speech button (see Figure 11.7).

The Say2.CPP File

The Say2.CPP file is shown in Listing 11.5.

Listing 11.5: Source Code for the Say2.CPP File

```
/////////////////////////////
// Filename: Say2.CPP
/////////////////////////////

//////////////
// #include
//////////////
#include <afxwin.h>   // Required when using the MFC.
#include "say2.h"

//////////////////////////////////
// Create the application object.
//////////////////////////////////
CTheApp theApp;
```

```
/////////////////////////////////////
// Function Name: CMainWindow()
// (The constructor function)
/////////////////////////////////////
CMainWindow::CMainWindow()
{

LoadAccelTable( "MainAccelTable" );

Create( NULL,
        "The Say2 Program",  // Caption of the main window.
         WS_OVERLAPPEDWINDOW,
         rectDefault,
         NULL,
        "TheMainMenu" ); // The name of the menu as
                         // it appears
                         // in the RC file.
}

/////////////////////////////////////////////////
// Function Name: CMainWindow::OnPaint()
// Purpose:
// Whenever there is a need to repaint the window,
// Windows sends a WM_PAINT message, and this
// function is executed
/////////////////////////////////////////////////
void CMainWindow::OnPaint()
{

CString s = "Hello, have a nice day!";
CPaintDC dc( this );
CRect rect;

GetClientRect( rect );
dc.SetTextAlign( TA_BASELINE ¦ TA_CENTER );
dc.SetTextColor( ::GetSysColor( COLOR_WINDOWTEXT ) );
dc.SetBkMode(TRANSPARENT);
dc.TextOut ( ( rect.right / 2 ),
             ( rect.bottom / 2 ),
             s,
             s.GetLength() );
}
```

```
////////////////////////////////////////////////////////////
// Function Name: CMainWindow::OnAbout()
// Purpose:
// Whenever the user clicks the About menu item,
// Windows sends a WM_COMMAND message with IDM_ABOUT,
// and this function is executed.
////////////////////////////////////////////////////////////
void CMainWindow::OnAbout()
{
// Create the "AboutBox" dialog box.
// Note: AboutBox appears in the RC file.
CModalDialog about( "AboutBox", this );

// Execute the DoModal() member function.
about.DoModal();
}

////////////////////////////////////////////////////////////
// Function Name: CMainWindow::OnExit()
// Purpose:
// Whenever the user clicks the Exit menu item,
// Windows sends a WM_COMMAND message with IDM_EXIT,
// and this function is executed.
////////////////////////////////////////////////////////////
void CMainWindow::OnExit()
{

OnPlayGoodBye();

sp_CloseSession ( giSessionHello);
sp_CloseSession ( giSessionFromCToCPP);
sp_CloseSession ( giSessionPresident);

SendMessage ( WM_CLOSE );
}

////////////////////////////////////////////////////////////
// Function Name: CMainWindow::OnPlayEntire()
// Purpose:
// Whenever Windows sends a WM_COMMAND message with
// IDM_ENTIRE code, this function is executed.
////////////////////////////////////////////////////////////
```

```
void CMainWindow::OnPlayEntire()
{
sp_PlaySnd (giSessionHello,
            SP_START_OF_FILE,
            SP_END_OF_FILE );
}

/////////////////////////////////////////////////////////////
// Function Name: CMainWindow::OnPlayHello()
// Purpose:
// Whenever Windows sends a WM_COMMAND message
// with IDM_HELLO code, this function is executed.
/////////////////////////////////////////////////////////////
void CMainWindow::OnPlayHello()
{
sp_PlaySnd (giSessionHello,
            SP_START_OF_FILE,
            28477L );
}

/////////////////////////////////////////////////////////////
// Function Name: CMainWindow::OnPlayHave()
// Purpose:
// Whenever Windows sends a WM_COMMAND message with
// IDM_HAVE code, this function is executed.
/////////////////////////////////////////////////////////////
void CMainWindow::OnPlayHave()
{
sp_PlaySnd (giSessionHello,
            50600L,
            55931L );
}

/////////////////////////////////////////////////////////////
// Function Name: CMainWindow::OnPlayA()
// Purpose:
// Whenever Windows sends a WM_COMMAND message with
// IDM_A code, this function is executed.
/////////////////////////////////////////////////////////////
void CMainWindow::OnPlayA()
{
sp_PlaySnd (giSessionHello,
            55931L,
            58786L );
}
```

```
/////////////////////////////////////////////////////////////
// Function Name: CMainWindow::OnPlayNice()
// Purpose:
// Whenever Windows sends a WM_COMMAND message with
// IDM_NICE code, this function is executed.
/////////////////////////////////////////////////////////////
void CMainWindow::OnPlayNice()
{
sp_PlaySnd (giSessionHello,
            58786L,
            65964L );
}

///////////////////////////////////////////////////////////
// Function Name: CMainWindow::OnPlayDay()
// Purpose:
// Whenever Windows sends a WM_COMMAND message with
// IDM_DAY code, this function is executed.
///////////////////////////////////////////////////////////
void CMainWindow::OnPlayDay()
{
sp_PlaySnd (giSessionHello,
            69577L,
            78826L );
}

////////////////////////////////////////////////////////////
// Function Name: CMainWindow::OnPlayGoodBye()
// Purpose:
// Whenever Windows sends a WM_COMMAND message
// with IDM_GOODBYE code, this function is executed.
////////////////////////////////////////////////////////////
void CMainWindow::OnPlayGoodBye()
{
sp_PlaySnd (giSessionHello,
            101381L,
            SP_END_OF_FILE );
}

///////////////////////////////////////////////////////////
// Function Name: CMainWindow::OnPlayFromCToCPP()
// Purpose:
// Whenever Windows sends a WM_COMMAND message
// with IDM_FROMCTOCPP code, this function is executed.
///////////////////////////////////////////////////////////
```

```
void CMainWindow::OnPlayFromCToCPP()
{
sp_PlaySnd (giSessionFromCToCPP,
            SP_START_OF_FILE,
            SP_END_OF_FILE );
}

////////////////////////////////////////////////////////
// Function Name: CMainWindow::OnPlayPresident()
// Purpose:
// Whenever Windows sends a WM_COMMAND message
// with IDM_PRESIDENT code, this function is executed.
////////////////////////////////////////////////////////
void CMainWindow::OnPlayPresident()
{

// Create the PresidentDlgBox dialog box
CPresidentDialogBox PresDlgBox (NULL);
PresDlgBox.DoModal();
}

////////////////////////////////////////////////////////
// Function Name: CMainWindow::OnSysCommand()
// Purpose:
// Whenever Windows sends a WM_SYSCOMMAND message
// with SC_CLOSE code, the code inside this function
// is executed.
////////////////////////////////////////////////////////
void CMainWindow::OnSysCommand (UINT nID, LONG lParam)
{
if (nID == SC_CLOSE )
   {
   sp_PlaySnd (giSessionHello,
               101381L,
               SP_END_OF_FILE );


   sp_CloseSession ( giSessionHello);
   sp_CloseSession ( giSessionFromCToCPP);
   sp_CloseSession ( giSessionPresident);

   }
Default();
}
```

```
///////////////////////////////////
// Process messages from Windows
///////////////////////////////////
BEGIN_MESSAGE_MAP( CMainWindow, CFrameWnd )

     ON_WM_PAINT()
     ON_COMMAND( IDM_ABOUT, OnAbout )
     ON_COMMAND( IDM_EXIT,  OnExit )

     ON_WM_SYSCOMMAND()

     ON_COMMAND( IDM_ENTIRE, OnPlayEntire  )
     ON_COMMAND( IDM_HELLO,  OnPlayHello   )
     ON_COMMAND( IDM_HAVE,   OnPlayHave    )
     ON_COMMAND( IDM_A,      OnPlayA       )
     ON_COMMAND( IDM_NICE,   OnPlayNice    )
     ON_COMMAND( IDM_DAY,    OnPlayDay     )
     ON_COMMAND( IDM_GOODBYE, OnPlayGoodBye )

     ON_COMMAND( IDM_FROM_C_TO_CPP, OnPlayFromCToCPP )

     ON_COMMAND( IDM_PRESIDENT, OnPlayPresident )


END_MESSAGE_MAP()

//////////////////////////////////////////////////
// Process messages from the CPresidentDialogBox
//////////////////////////////////////////////////
BEGIN_MESSAGE_MAP(CPresidentDialogBox, CModalDialog)
    ON_BN_CLICKED (ID_SPEECH_BUTTON, OnClickButton )
END_MESSAGE_MAP()

/////////////////////////////////////////////////////
// This function is executed when the ID_SPEECH_BUTTON
// in the PresidentDlgBox is clicked.
/////////////////////////////////////////////////////
void CPresidentDialogBox :: OnClickButton()
{
sp_PlaySnd (giSessionPresident,
            SP_START_OF_FILE,
            SP_END_OF_FILE );
```

```
MessageBox("This speech was given by President Bush.",
           "President");
}

/////////////////////////////////////////////////////////
// This function is automatically executed when the theApp
// object is created.
/////////////////////////////////////////////////////////
BOOL CTheApp::InitInstance()
{
// Create a window.
m_pMainWnd = new CMainWindow();

// Show the window.
m_pMainWnd->ShowWindow( m_nCmdShow );

// Paint the window.
m_pMainWnd->UpdateWindow();

/////////////////////////
// Open sound sessions.
/////////////////////////

giSessionHello =
   sp_OpenWaveSession ( m_pMainWnd->m_hWnd,
                        "c:\\c2cplus\\WAV\\Hello.WAV");

if ( giSessionHello < 0 )
   {
   MessageBox ( NULL,
                "Failed to open the sound session #1 !",
                "Message from SayHello.exe",
                 MB_ICONINFORMATION + MB_SYSTEMMODAL );
   }

giSessionFromCToCPP =
   sp_OpenWaveSession ( m_pMainWnd->m_hWnd,
                        "c:\\c2cplus\\WAV\\Move.WAV");

if ( giSessionFromCToCPP < 0 )
   {
   MessageBox ( NULL,
                "Failed to open the sound session #2 !",
                "Message from SayHello.exe",
```

```
                 MB_ICONINFORMATION + MB_SYSTEMMODAL );
   }

giSessionPresident =
   sp_OpenWaveSession ( m_pMainWnd->m_hWnd,
                        "c:\\c2cplus\\WAV\\8Bush.WAV");

if ( giSessionPresident < 0 )
   {
   MessageBox ( NULL,
                "Failed to open the sound session #3 !",
                "Message from SayHello.exe",
                 MB_ICONINFORMATION + MB_SYSTEMMODAL );
   }


return TRUE;
}
```

Stepping through the Say2.CPP File

The Say2.CPP file starts by #including the afxwin.h and say2.h files:

```
#include <afxwin.h>   // Required when using the MFC.
#include "say2.h"
```

As usual, the CPP file then creates the application object:

```
CTheApp theApp;
```

Just as in Say1.CPP, Say2.CPP then defines the constructor function of the derived class `CMainWindow`:

```
CMainWindow::CMainWindow()
{

LoadAccelTable( "MainAccelTable" );

Create( NULL,
        "The Say2 Program",  // Caption of the main window.
         WS_OVERLAPPEDWINDOW,
         rectDefault,
         NULL,
        "TheMainMenu" ); // The name of the menu as
                         // it appears
```

```
                                // in the RC file.
}
```

(Recall that Say2.h declares the `CMainWindow` class as a derived class from the MFC `CFrameWnd`.)

Just like Say1.CPP, Say2.CPP then lists the code of the `OnPaint()` member function of the `CMainWindow` class:

```
void CMainWindow::OnPaint()
{

CString s = "Hello, have a nice day!";
CPaintDC dc( this );
CRect rect;

GetClientRect( rect );
dc.SetTextAlign( TA_BASELINE | TA_CENTER );
dc.SetTextColor( ::GetSysColor( COLOR_WINDOWTEXT ) );
dc.SetBkMode(TRANSPARENT);
dc.TextOut ( ( rect.right / 2 ),
             ( rect.bottom / 2 ),
             s,
             s.GetLength() );
}
```

The `OnPaint()` functions in Say1.CPP and Say2.CPP are identical.

Say2.CPP then lists the code of the `OnAbout()` member function. The `OnAbout()` functions in Say1.CPP and Say2.CPP are identical.

```
void CMainWindow::OnAbout()
{
// Create the "AboutBox" dialog box.
// Note: AboutBox appears in the RC file.
CModalDialog about( "AboutBox", this );

// Execute the DoModal() member function.
about.DoModal();
}
```

Opening Sound Sessions

Just like Say1.CPP, Say2.CPP creates an object window of class `CMainWindow`:

```
BOOL CTheApp::InitInstance()
{
// Create a window.
m_pMainWnd = new CMainWindow();

// Show the window.
m_pMainWnd->ShowWindow( m_nCmdShow );

// Paint the window.
m_pMainWnd->UpdateWindow();
......
......
......
}
```

The difference between the `InitInstance()` function of Say1.CPP and the same function in Say2.CPP is that the new version also opens three sound sessions:

```
giSessionHello =
   sp_OpenWaveSession ( m_pMainWnd->m_hWnd,
                        "c:\\c2cplus\\WAV\\Hello.WAV");

if ( giSessionHello < 0 )
   {
   MessageBox ( NULL,
                "Failed to open the sound session #1 !",
                "Message from Say2.exe",
                 MB_ICONINFORMATION + MB_SYSTEMMODAL );
   }

giSessionFromCToCPP =
   sp_OpenWaveSession ( m_pMainWnd->m_hWnd,
                        "c:\\c2cplus\\WAV\\Move.WAV");

if ( giSessionFromCToCPP < 0 )
   {
   MessageBox ( NULL,
                "Failed to open the sound session #2 !",
                "Message from Say2.exe",
                 MB_ICONINFORMATION + MB_SYSTEMMODAL );
```

```
    }

giSessionPresident =
   sp_OpenWaveSession ( m_pMainWnd->m_hWnd,
                        "c:\\c2cplus\\WAV\\8Bush.WAV");

if ( giSessionPresident < 0 )
   {
   MessageBox ( NULL,
                "Failed to open the sound session #3 !",
                "Message from Say2.exe",
                 MB_ICONINFORMATION + MB_SYSTEMMODAL );
   }
```

To be able to play a WAV file, you must first open a WAV session for that file. You can open a WAV session by using the `sp_OpenWaveSession()` function. This function resides in the TegoPLUS.DLL file. (This is the reason for including the `IMPORTS` statements in the Say2.DEF file.)

Let's look at the first `sp_OpenWaveSession()` statement:

```
giSessionHello =
   sp_OpenWaveSession ( m_pMainWnd->m_hWnd,
                        "c:\\c2cplus\\WAV\\Hello.WAV");
```

The returned value from this `sp_` function is `giSessionHello`. From now on, you can refer to the Hello.WAV file as `giSessionHello`. Recall that the Say2.h file defines `giSessionHello` as a global variable.

The first parameter of the `sp_OpenWaveSession()` function is `m_pMainWnd->m_hWnd`. (i.e., the first parameter is the handler of the window that was created with the `new` operator).

The second parameter of the `sp_OpenWaveSession()` function is the name of the WAV file.

Opening a WAV Session

Before playing a WAV file, your program must open a WAV session. To do that, use the `sp_OpenWaveSession()` function from TegoPLUS.DLL.

You can open the WAV sessions at any point in the program. However, the `InitInstance()` function is a good place to do so, because you need to open the sound session only once during the life of the application.

As stated, the returned value of `sp_OpenWaveSession()` is the session number. If the sound session cannot be opened (for example, if the WAV file mentioned as the second parameter of the `sp_OpenWaveSession()` function can't be found), then the `sp_OpenWaveSession()` function returns a negative integer.

The code inside the `InitInstance()` function checks to see whether the sound session was opened successfully with the `if` statement:

```
if ( giSessionHello < 0 )
   {
   MessageBox ( NULL,
                "Failed to open the sound session #1 !",
                "Message from Say2.exe",
                 MB_ICONINFORMATION + MB_SYSTEMMODAL );
   }
```

That is, if the session was not opened successfully, the program displays a message box by using the `MessageBox()` function.

In a similar manner, the `InitInstance()` function of Say2.CPP opens sound sessions for the c:\c2cplus\WAV\Move.WAV file and for the c:\c2cplus\WAV\8Bush.WAV file.

Processing the Windows Messages from the Main Window of Say2

Just as in Say1.CPP, the statements that process the messages that Windows sends to Say2 appear between the `BEGIN_MESSAGE_MAP()` and `END_MESSAGE_MAP()` lines:

```
BEGIN_MESSAGE_MAP( CMainWindow, CFrameWnd )
......
......
......
END_MESSAGE_MAP()
```

Recall that between these two lines, you have to insert code to process any Windows messages that may be generated by events in the main window of Say2. For example, when the user selects the About Say2 menu item, Windows sends the message `IDM_ABOUT` to Say2. Thus, in between the `BEGIN_MESSAGE_MAP()` and the `END_MESSAGE_MAP()` lines, the following statement appears:

```
ON_COMMAND( IDM_ABOUT, OnAbout )
```

The code that processes messages from Windows looks as follows:

```
BEGIN_MESSAGE_MAP( CMainWindow, CFrameWnd )

     ON_WM_PAINT()
     ON_COMMAND( IDM_ABOUT, OnAbout )
     ON_COMMAND( IDM_EXIT,  OnExit )

     ON_WM_SYSCOMMAND()

     ON_COMMAND( IDM_ENTIRE,  OnPlayEntire   )
     ON_COMMAND( IDM_HELLO,   OnPlayHello    )
     ON_COMMAND( IDM_HAVE,    OnPlayHave     )
     ON_COMMAND( IDM_A,       OnPlayA        )
     ON_COMMAND( IDM_NICE,    OnPlayNice     )
     ON_COMMAND( IDM_DAY,     OnPlayDay      )
     ON_COMMAND( IDM_GOODBYE, OnPlayGoodBye )

     ON_COMMAND( IDM_FROM_C_TO_CPP, OnPlayFromCToCPP )

     ON_COMMAND( IDM_PRESIDENT, OnPlayPresident )


END_MESSAGE_MAP()
```

Specifying the Name of the Wav File

When specifying the name of the WAV file (as the second parameter of the `sp_OpenWaveSession()` function), don't forget to use a double backslash (as required by C/C++). **Example:**

```
giSessionHello =
   sp_OpenWaveSession ( m_pMainWnd->m_hWnd,
                        "c:\\c2cplus\\WAV\\Hello.WAV");
```

Recall from the discussion of Say1.CPP in Chapter 10 that `ON_WM_PAINT()` is executed whenever Windows sends the `WM_PAINT` message. Windows sends the `WM_PAINT` message whenever there is a need to repaint a window. The `ON_WM_SYSCOMMAND()` function is executed whenever the user clicks the control-menu box (the minus sign that appears in the upper-left corner of the main Say2 window) and then selects Close from the Control menu.

All the `ON_COMMAND()` functions are executed whenever the user selects an item from the menu of Say2.

Processing the Messages from the President Dialog Box

Say2.CPP also has a `BEGIN_MESSAGE_MAP()` and `END_MESSAGE_MAP()` block for processing messages generated by user actions in the President dialog box.

Why don't you need a `BEGIN_MESSAGE_MAP()` and `END_MESSAGE_MAP()` code for the About dialog box? Because the About dialog box is an object of the `CDialogModal` MFC class. This class automatically handles messages that occur when the user clicks the OK or Cancel buttons. On the other hand, the President dialog box (which is also a derived class from the `CDialogModal MFC` class) includes a button we've created, the Speech button. Thus, you must process the message that occurs whenever the user clicks the Speech button.

Here is how you process messages generated by user actions inside the President dialog box:

```
BEGIN_MESSAGE_MAP(CPresidentDialogBox, CModalDialog)
........
........
........
END_MESSAGE_MAP()
```

Notice that the BEGIN_MESSAGE_MAP( ) function for processing messages from the President dialog box uses different parameters than the same function when it's called for the main Say2 window. For the main window of Say2, the parameters are:

```
( CMainWindow, CFrameWnd )
```

and for the President dialog box, the parameters of `BEGIN_MESSAGE_MAP()` are:

```
(CPresidentDialogBox, CModalDialog)
```

Here is how you process messages generated by user actions inside the President dialog box:

```
BEGIN_MESSAGE_MAP(CPresidentDialogBox, CModalDialog)
   ON_BN_CLICKED (ID_SPEECH_BUTTON, OnClickButton )
END_MESSAGE_MAP()
```

That is, the code processes the `BN_CLICKED` message that Windows sends to Say2 whenever the user clicks the Speech button.

Because the message is `BN_CLICKED`, the code between the `BEGIN_MESSAGE_MAP()` and the `END_MESSAGE_MAP()` is this:

```
ON_BN_CLICKED (ID_SPEECH_BUTTON, OnClickButton )
```

That is, you add the characters `ON_` to the message itself, thus creating `ON_BN_CLICKED` from `BN_CLICKED`. The first parameter inside `ON_BN_CLICKED()` is the ID of the button that was clicked (as defined in the President layout dialog box in Say2.RC). The second parameter is the name of the function that will be executed whenever the user clicks the button. Whenever the user clicks the Speech button inside the President dialog box, the `OnClickButton()` function will be executed. Recall that you declared the `OnClickButton()` function as an `afx` member function of the `CPresidentDialogBox` class in Say2.h.

Here is the `OnClickButton()` `afx` member function:

```
void CPresidentDialogBox :: OnClickButton()
{
sp_PlaySnd (giSessionPresident,
            SP_START_OF_FILE,
            SP_END_OF_FILE );

MessageBox ("This speech was given by President Bush.",
            "President" );
}
```

The Sp_Playsnd() Function

The `sp_PlaySnd()` function plays a WAV file through the PC speaker. This function resides in the TegoPLUS.DLL file.

The first parameter of the `sp_PlaySnd()` function is the session number (returned from the `sp_OpenWaveSession()` function when the session was opened).

The second and third parameters of the `sp_PlaySnd()` function are the beginning and ending points of the section of the WAV file to be played.

Example 1: To play a WAV file from byte location 10,000 to byte location 10,000,000 use this statement:

```
sp_PlaySnd ( giSessionNumber,
             10000L,
             10000000L);
```

Example 2: To play a WAV file from byte 0, you can supply 0L as the second parameter of the `sp_PlaySnd()` function, or you can supply `SP_START_OF_FILE` as the second parameter of the `sp_PlaySnd()` function.

Example 3: To play a WAV file up to the very last byte of the WAV file, you can supply the last byte of the WAV file as the third parameter of the `sp_PlaySnd()` function, or you can supply `SP_END_OF_FILE` as the third parameter of the `sp_PlaySnd()` function.

`SP_START_OF_FILE` and `SP_END_OF_FILE` are defined in the c:\c2cplus\include\TegoPLUS.h that you `#included` in the Say2.h file.

The `OnClickButton()` function plays the WAV file that corresponds to the `giSessionPresident` session, and then uses the `MessageBox()` function to display the message:

```
This speech was given by President Bush
```

as shown earlier in Figure 11.8.

To summarize, whenever the user clicks the President menu item, the President dialog box is displayed because the `BEGIN_MESSAGE_MAP()` code of the main window processes the `IDM_PRESIDENT` message.

Whenever the user clicks the Speech button of the President dialog box, the speech of the President is played, because the `ID_SPEECH_PRESIDENT` message is processed by the `BEGIN_MESSAGE_MAP()` code of the President dialog box.

The Member Functions That Are Executed Whenever the User Selects Menu Items

The `OnExit()` `afx` member function is executed whenever the user selects the Exit menu item from the File menu:

```
void CMainWindow::OnExit()
{

OnPlayGoodBye();

sp_CloseSession ( giSessionHello);
sp_CloseSession ( giSessionFromCToCPP);
sp_CloseSession ( giSessionPresident);

SendMessage ( WM_CLOSE );
}
```

The `OnExit()` function uses the `sp_CloseSession()` functions to close the sessions that were opened with `sp_OpenWaveSession()`.

The `OnPlayEntire()` `afx` function is executed whenever the user selects Play Entire File from the Play menu (shown earlier in Figure 11.4). This function plays the entire WAV file:

```
void CMainWindow::OnPlayEntire()
{
sp_PlaySnd (giSessionHello,
            SP_START_OF_FILE,
            SP_END_OF_FILE );
}
```

The sp_CloseSession() Function

Use the `sp_CloseSession()` function from the TegoPLUS.DLL to close sound sessions that were opened with the `sp_OpenWaveSession()` function.This function takes one parameter, the session number that was returned by the `sp_OpenWaveSession()` function.

If the user selects any of the other items from the Play menu, the Say2 program plays the WAV section that corresponds to the selected item. For example, if the user selects the Play Hello menu item, the `OnPlayHello()` `afx` function is executed. This function plays the *Hello* section from the Hello.WAV file.

```
void CMainWindow::OnPlayHello()
{
sp_PlaySnd (giSessionHello,
            SP_START_OF_FILE,
            28477L );
}
```

The `OnPlayHave()` `afx` member function plays the audio section that corresponds to *Have*:

```
void CMainWindow::OnPlayHave()
{
sp_PlaySnd (giSessionHello,
            50600L,
            55931L );
}
```

In a similar manner the `OnPlayA()` `afx` member function plays the *a* from the Hello.WAV file, the `OnPlayNice()` `afx` member function plays *Nice,* `OnPlayDay()` `afx` plays *Day,* and `OnPlayGoodBye()` `afx` plays *Good-bye.*

The `OnPlayFromCToCPP()` `afx` member function plays the WAV file that corresponds to the `giSessionFromCToCPP` session:

```
void CMainWindow::OnPlayFromCToCPP()
{
sp_PlaySnd (giSessionFromCToCPP,
```

```
            SP_START_OF_FILE,
            SP_END_OF_FILE );
}
```

Displaying the President Dialog Box

The `OnPlayPresident()` afx member function is executed whenever the user selects the President menu item:

```
void CMainWindow::OnPlayPresident()
{

// Create the PresidentDlgBox dialog box
CPresidentDialogBox PresDlgBox (NULL);
PresDlgBox.DoModal();
}
```

This function creates an object `PresDlgBox` of class `CPresidentDialogBox` by using the statement:

```
CPresidentDialogBox PresDlgBox (NULL);
```

and then it displays the dialog box by using the `DoModal()` member function:

```
PresDlgBox.DoModal();
}
```

Playing Good-bye Upon Terminating the Say2 Program

Recall that whenever the user terminates the program by choosing Close from the Say2 window's control menu, the `OnSysSommand()` afx member function is executed:

```
void CMainWindow::OnSysCommand (UINT nID, LONG lParam)
{
if (nID == SC_CLOSE )
   {
```

```
    sp_PlaySnd (giSessionHello,
                101381L,
                SP_END_OF_FILE );


    sp_CloseSession ( giSessionHello);
    sp_CloseSession ( giSessionFromCToCPP);
    sp_CloseSession ( giSessionPresident);

    }
Default();
}
```

This function uses the `sp_PlaySnd()` function to play the audio message *Good-bye*, and then the `sp_CloseSession()` function is used three times to close the three sound sessions.

Where Do I Go from Here?

The remaining chapters of this book cover Windows programming with the Borland C++ compiler. So unless you're lucky enough to have access to that compiler as well as Microsoft's, you've completed your course of study with this book. Now you're ready to start exploring C++ on your own. A good way to begin is by experimenting with the sample programs—try modifying them in various ways and watch the results.

CHAPTER

TWELVE

Your First Borland C++ Windows Application

In this chapter you will write your first Borland C++ Windows application. This chapter and the following two are intended for readers who use the Borland C++ compiler version 3.1. If you use the Microsoft compiler, you should read Chapters 10 and 11.

Writing a C++ Windows Application with the Borland C++ Version 3.1 Compiler

The Borland C++ compiler includes a library called *ObjectWindows Library* (or *OWL* for short). OWL includes classes designed specifically for interfacing with the Windows operating system. Using objects of classes from OWL allows you to perform the common Windows operations with great ease: create windows, create controls like scroll bars and push buttons, respond to user's actions, and so on.

The following sections present the code of a very simple Windows application that uses some of the OWL classes. At the end of this chapter, you'll write your own Windows application.

The SAY1 Application

The SAY1 application is a very simple Windows application that uses classes from the ObjectWindows library (OWL). It consists of five files:

1. SAY1.PRJ, the project file.
2. SAY1.DEF, the module definition file.
3. SAY1.CPP, the program.
4. SAY1.H, the header file.
5. SAY1.RC, the resource file.

Much of the code in these files is overhead that is required for all Windows applications. Therefore, you can use the files of the SAY1 application as templates for your future applications. In the following sections you will run the SAY1 application and then go over its code. At the end of this chapter, you'll write your own Windows application by using the SAY1 application files as templates.

Running the SAY1 Application

Before you start going over the code of the SAY1 application, it's a good idea to first run it. This way, you will have a better understanding of what the program is supposed to do.

To run the SAY1 application:

- Start the IDE Project Manager by double-clicking the BCW icon (Figure 12.1). You'll see the IDE Project Manager main window, shown in Figure 12.2.

FIGURE 12.1:
The icon of the IDE Project Manager.

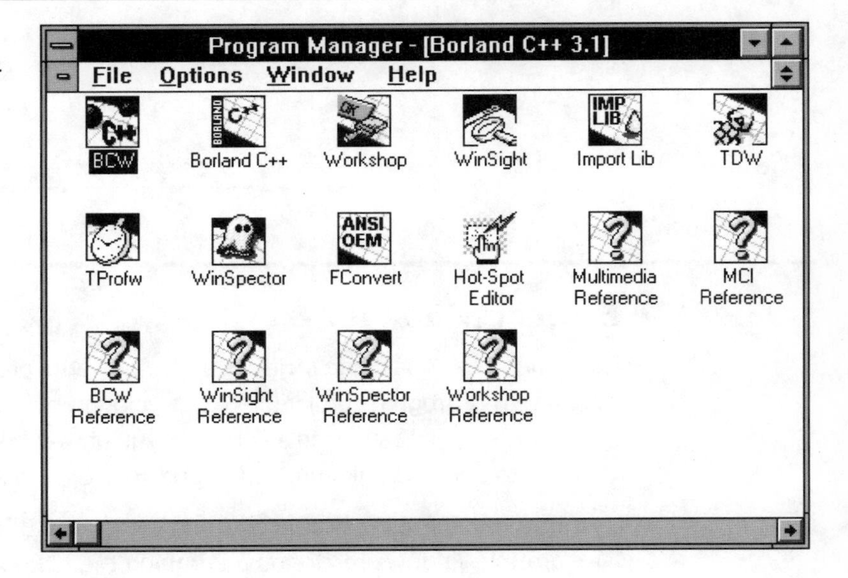

You can now open the project file of the SAY1 application:

- Select Open Project from the Project menu. The IDE responds by displaying the Open Project File dialog box (Figure 12.3).

FIGURE 12.2:
The main window of the IDE Project Manager.

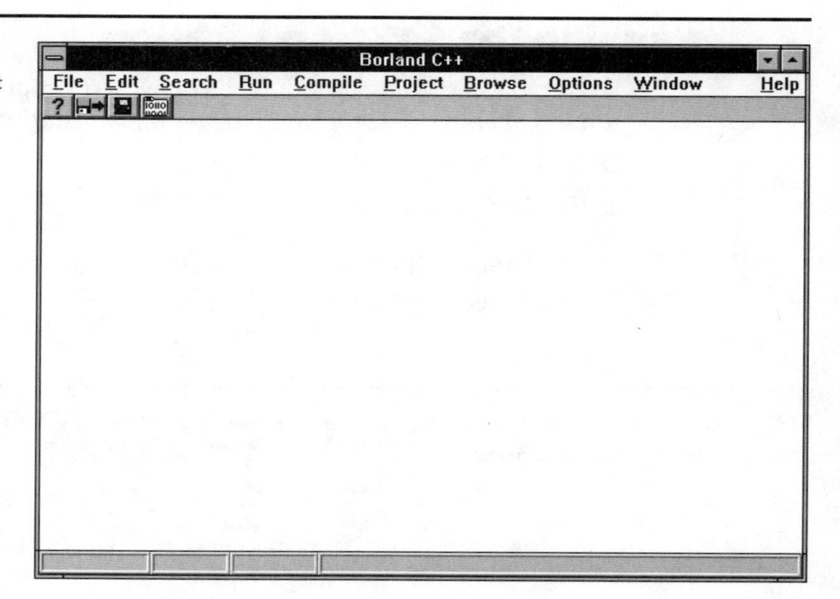

The IDE Project Manager

The Borland C++ package includes a very powerful program called IDE Project Manager. This program, an Integrated Development Environment, lets you manage your C++ applications in a very convenient way. You can use the IDE Project Manager to compile, link, run, and debug your C++ Windows applications.

To start the IDE Project Manager, double-click the BCW icon in the Borland C++ group. Windows responds by running the IDE Project Manager.

FIGURE 12.3:
The Open Project File dialog box.

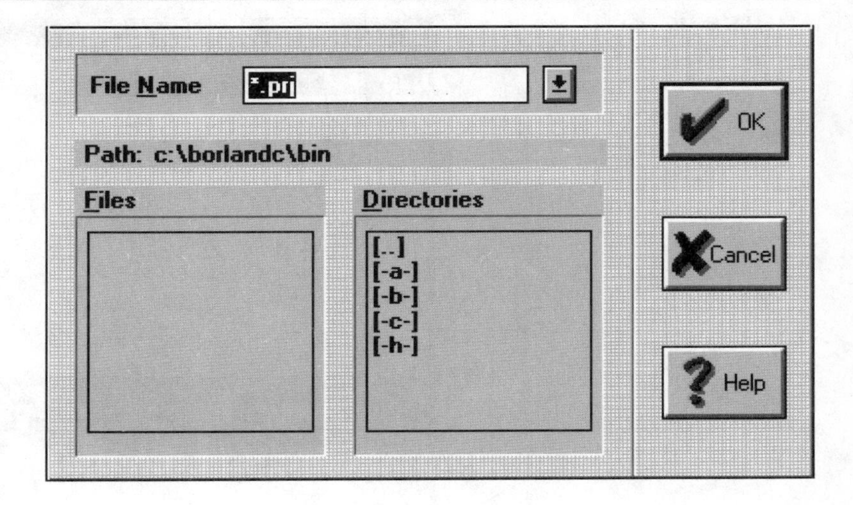

- Type inside the File Name box:

  `C:\C2CPLUS\CH12\SAY1.PRJ`

- Click the OK button. The IDE responds by opening the SAY1.PRJ project (Figure 12.4).

You can now run the SAY1 application:

- Select Run from the Run menu.

The IDE responds by running the SAY1 application. The main window of the SAY1 application appears, as shown in Figure 12.5.

As you can see from Figure 12.5, the SAY1 application has a menu bar with three menu titles: File, Beep, and About. These menus are shown in Figures 12.6, 12.7, and 12.8.

Experiment with the various menu options:

- Select Say Hello from the File menu. The SAY1 application responds by displaying a dialog box as shown in Figure 12.9.
- Click the OK button of the dialog box. SAY1 responds by closing the dialog box.

FIGURE 12.4:
The SAY1.PRJ project.

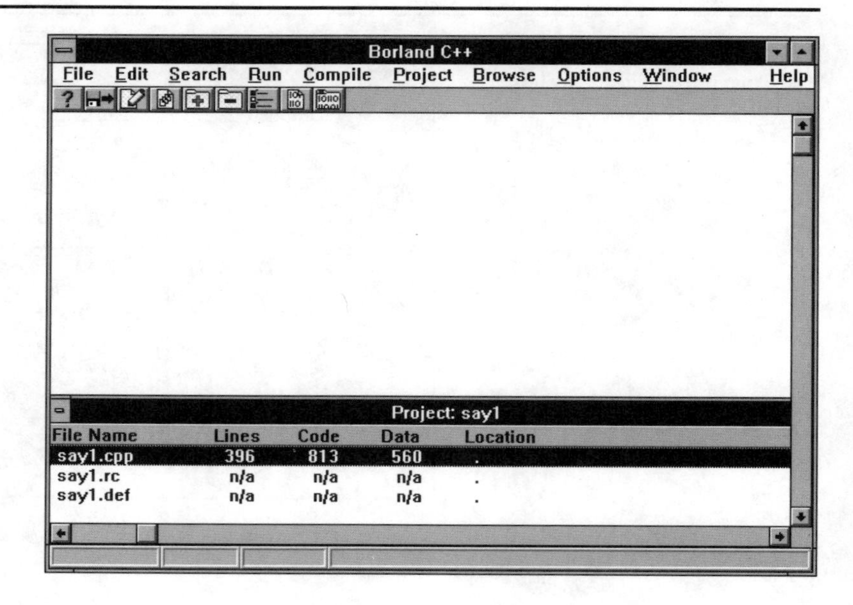

FIGURE 12.5:
The main window of the SAY1 application.

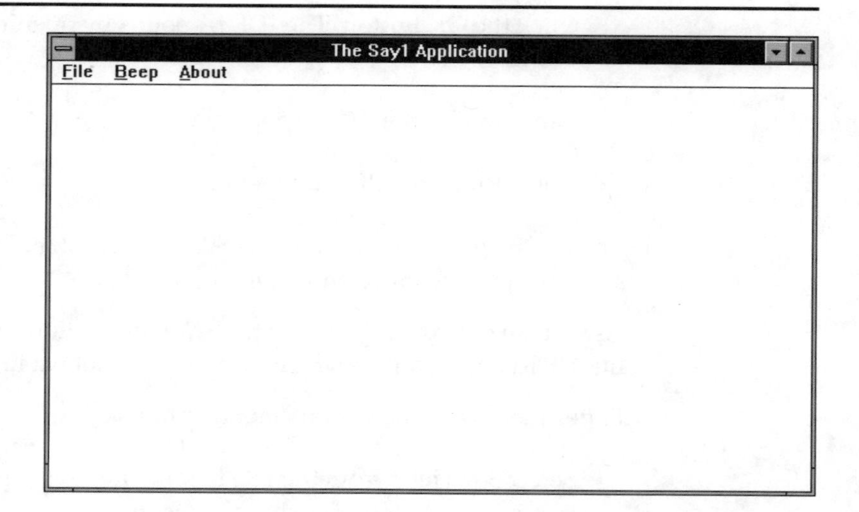

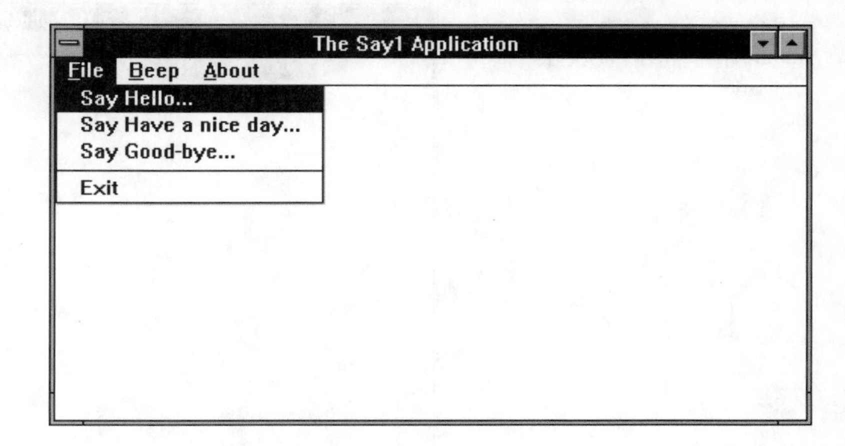

FIGURE 12.6:
The File menu of the SAY1 application.

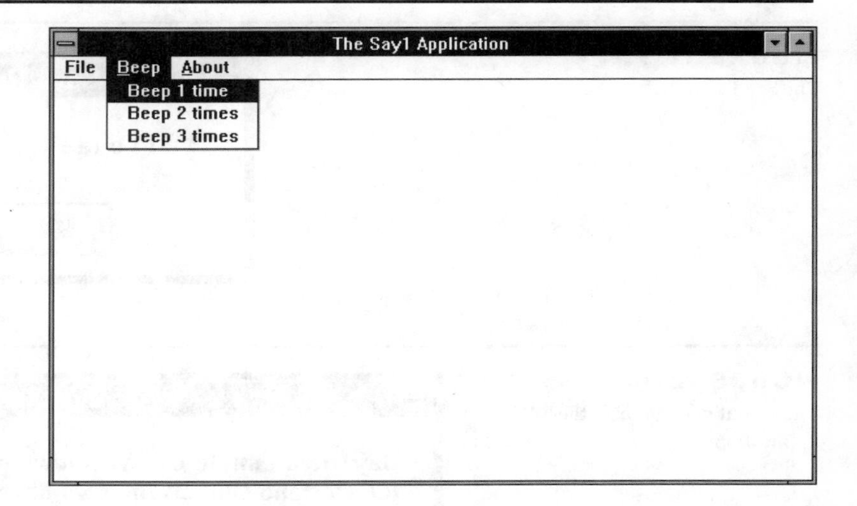

FIGURE 12.7:
The Beep menu of the SAY1 application.

In a similar manner, when you select the other Say options of the File menu, the SAY1 application displays other dialog boxes. When you select an option from the Beep menu, the SAY1 application beeps. For example, when you select the Beep 2 Times option, SAY1 responds by beeping twice. When you select the About Say1 option from the About menu, the Say1 application responds by displaying an About dialog box (Figure 12.10).

FIGURE 12.8:
The About menu of the SAY1 application.

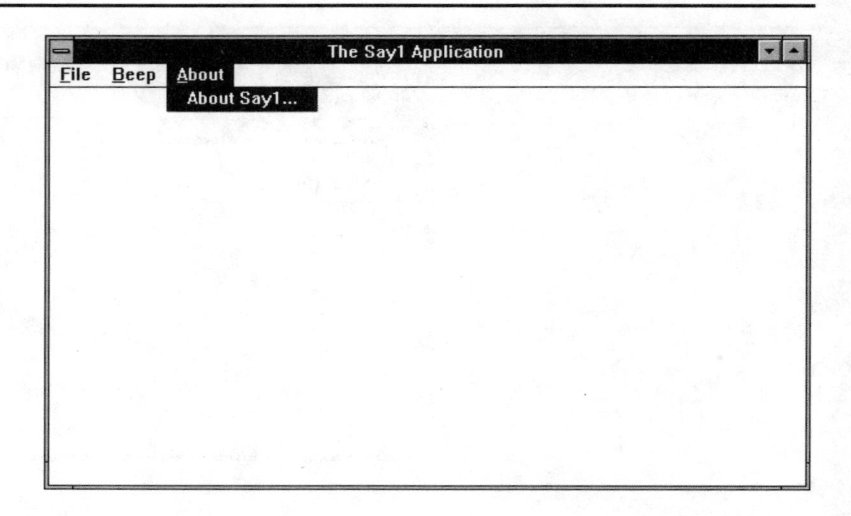

FIGURE 12.9:
The Say Hello dialog box.

FIGURE 12.10:
The About dialog box of the SAY1 application.

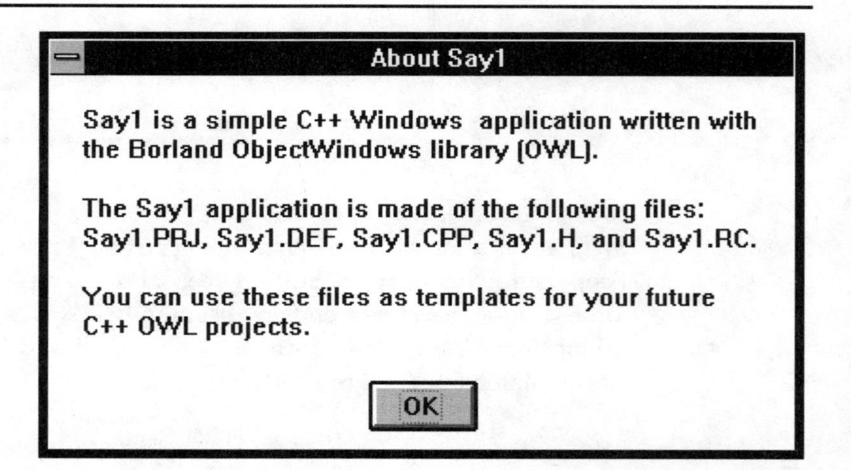

To terminate the SAY1 application:

- Select Exit from the File menu. SAY1 responds by displaying a dialog box with Yes and No buttons, prompting you to confirm that you want to quit (Figure 12.11).
- Click the Yes button. The SAY1 program responds by terminating.

Stepping through the SAY1 Application

The following sections discuss the contents of each of the SAY1 program's component files.

The Project File: SAY1.PRJ

The project file of an application is the file that contains the list of all the files that need to be compiled and linked in order to build the application.

As you can see from Figure 12.4, the SAY1.PRJ project includes three files: SAY1.CPP, SAY1.RC, and SAY1.DEF. Notice that the header file of the SAY1 application (say1.h) is not included in the SAY1 project. Header files should not be included in a project. Later in this chapter, you will learn how to add and remove files to and from the project.

Besides the names of the files that should be compiled and linked, the project file also specifies the various compile/link options that are used by the compiler during the compilation and linking process. You can set these options by using the Options menu of the IDE Project Manager. One of the options you can set is the Directories option, which lets you specify the directories in which the ObjectWindows libraries (OWL) and Include files are located.

FIGURE 12.11:
The Are You Sure You Want To Quit dialog box.

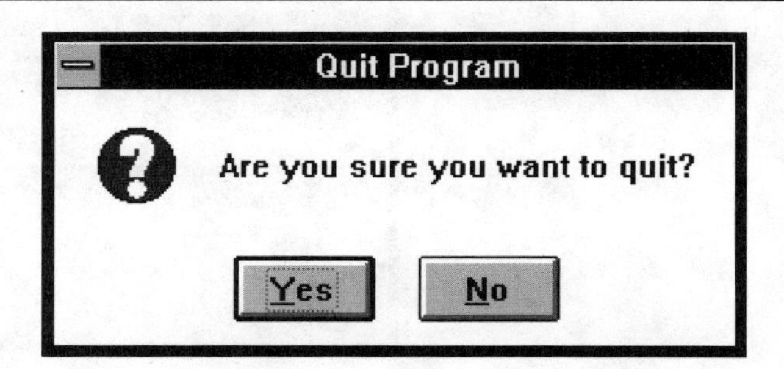

To see how the directories of the SAY1.PRJ project are set:

- Select Directories from the Options menu (Figure 12.12). The IDE Project Manager responds by displaying the Directories dialog box (Figure 12.13).

FIGURE 12.12:
The Options menu of the IDE Project Manager.

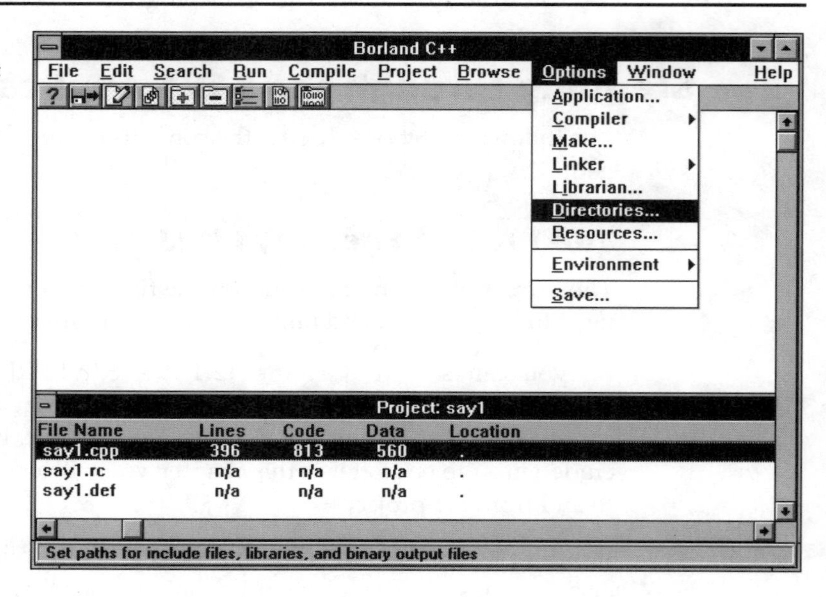

FIGURE 12.13:
The Directories dialog box.

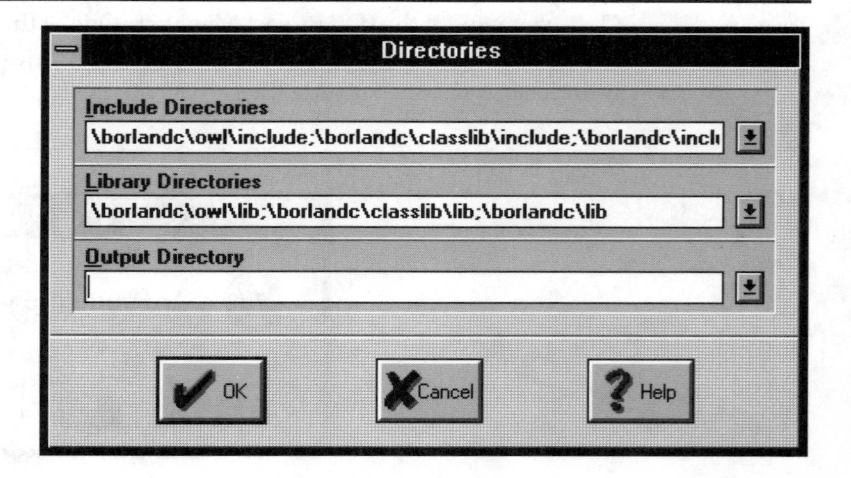

As you can see, the Directories dialog box specifies the directories of the Include files and of the Library files. Note that all the directories are inside subdirectories of the \BORLANDC directory. The SAY1.PRJ uses libraries and Include files that are located in these directories.

As you will see at the end of this chapter, you can use the SAY1.PRJ project file as a template for your future C++ projects.

Specifying the Drive Name in the Directories Dialog Box

Note that if your Borland compiler is located in a different drive than your project (for example, if the project is in drive C and your Borland compiler is installed in drive D), you must set the path of the directories shown in Figure 12.13 so that they include the drive name. For example, the first file mentioned in the Library Directories (Figure 12.13) should be:

```
d:\borlandc\owl\lib
```

In a similar manner, you have to specify the letter *d:* in all the other directory names inside the Library Directories and Include Directories boxes.

The bottom line is that the compiler must know the exact location of each file that it uses. If you don't specify the correct directory names, you'll get lots of errors—probably more than the number of lines of code in your program.

The Module Definition File: SAY1.DEF

All Windows applications must include a module-definition (DEF) file. As you can see from Figure 12.4, the DEF file of the SAY1 application is included in the project file of the SAY1 application.

The DEF file determines the type of .EXE file that will be generated. Listing 12.1 shows the contents of the SAY1 application's module-definition file.

Listing 12.1: The Module-Definition File of the SAY1 Application

```
;====================================
; SAY1.DEF: module-definition file.
;====================================
EXETYPE WINDOWS
CODE PRELOAD MOVEABLE DISCARDABLE
DATA PRELOAD MOVEABLE MULTIPLE
HEAPSIZE 4096
STACKSIZE 5120
```

You can use the SAY1.DEF file as a template for your future applications.

The Header File: SAY1.H

The SAY1.H header file (Listing 12.2) contains the declarations of constants that represent the various menu options of the SAY1 application. For example, the CM_SAYHELLO menu option (#defined as 201) represents the Say Hello menu option.

Listing 12.2: The Header File of the SAY1 Application

```
/////////////////////////
// SAY1.H: header file.
/////////////////////////

// Constant declarations for the menu options.
#define CM_SAYHELLO   201 // The Hello menu option.
#define CM_SAYHAVE    202 // The Have A Nice Day option.
#define CM_SAYGOODBYE 203 // The Say Goodbye menu option.
#define CM_BEEP1TIME  205 // The Beep 1 Time menu option.
#define CM_BEEP2TIMES 206 // The Beep 2 Times menu option.
#define CM_BEEP3TIMES 207 // The Beep 3 Times menu option.
#define CM_ABOUT      208 // The About Hello1 menu option.

// Note: The CM_EXIT constant (of the Exit menu option) is
//       not declared in this .h file, because it is
//       already declared inside the standard ObjectWindows
//       header file: owl.h
```

The values that are assigned to the menu-option constants are not important. What is important is that each constant of a menu option has a unique value. As you will soon see, the other files of the SAY1 application use these constants when referring to the menu options of the SAY1 application.

Note that there is no constant declaration for the Exit menu option. Why? Because, the CM_EXIT constant is already declared in the standard header file of the ObjectWindows library (OWL.h). If you try to assign a value to the CM_EXIT constant, as in:

```
#define CM_EXIT   209
```

the compiler will complain with an error message, saying that `CM_EXIT` is already defined with a different value.

As you can see from Listing 12.2, the names of all the menu-option constants start with the characters `CM_`. This naming convention is not required, but it is common practice. This way, whoever reads your code will be able to distinguish menu options from other constants.

The letters that follow the `CM_` characters of a menu constant should indicate the menu item that the constant represents. For example, the constant of the Beep 3 Times menu option is called `CM_BEEP3TIMES`.

The Resource File: SAY1.RC

The resource file (RC file) of a Windows application is used to define the resources of the application: the menus of the program, the custom dialog boxes of the program, the icons used by the program, and so on.

The resource file of the SAY1 application (SAY1.RC) is used to define the menu of the application. (It does not define any icons or dialog boxes, because the SAY1 application does not use any of these elements.)

The code of the SAY1.RC file appears in Listing 12.3.

Listing 12.3: The Resource File of the SAY1 Application

```
////////////////////////////////////////////////////
// SAY1.RC: The resource file of the application.
////////////////////////////////////////////////////

////////////
// #include
////////////
#include <windows.h>
#include <owlrc.h>
#include "say1.h"
```

```
// The main menu of the application.
MYMENU MENU LOADONCALL MOVEABLE PURE DISCARDABLE
BEGIN

  POPUP "&File"
  BEGIN
    MenuItem  "Say Hello...",           CM_SAYHELLO
    MenuItem  "Say Have a nice day...", CM_SAYHAVE
    MenuItem  "Say Good-bye...",        CM_SAYGOODBYE
    MenuItem  SEPARATOR
    MenuItem  "Exit",                   CM_EXIT
  END

  POPUP "&Beep"
  BEGIN
    MenuItem  "Beep 1 time",             CM_BEEP1TIME
    MenuItem  "Beep 2 times",            CM_BEEP2TIMES
    MenuItem  "Beep 3 times",            CM_BEEP3TIMES
  END

  POPUP "&About"
  BEGIN
    MenuItem  "About Say1...",           CM_ABOUT
  END

END
```

The code inside SAY1.RC begins by `#including` three header files:

```
#include <windows.h>
#include <owlrc.h>
#include "say1.h"
```

The windows.h and owlrc.h files are overhead header files that should be `#included` at the beginning of the RC file. The say1.h file is specific to the SAY1 application. Recall that say1.h (Listing 12.2) declares the constants that correspond to the menu items of the SAY1 application.

The SAY1.RC file defines the menu of the SAY1 application as follows:

```
MYMENU MENU LOADONCALL MOVEABLE PURE DISCARDABLE
BEGIN

  POPUP "&File"
  BEGIN
    MenuItem  "Say Hello...",           CM_SAYHELLO
```

```
    MenuItem  "Say Have a nice day...", CM_SAYHAVE
    MenuItem  "Say Good-bye...",        CM_SAYGOODBYE
    MenuItem  SEPARATOR
    MenuItem  "Exit",                   CM_EXIT
  END

  POPUP "&Beep"
  BEGIN
    MenuItem  "Beep 1 time",             CM_BEEP1TIME
    MenuItem  "Beep 2 times",            CM_BEEP2TIMES
    MenuItem  "Beep 3 times",            CM_BEEP3TIMES
  END

  POPUP "&About"
  BEGIN
    MenuItem  "About Say1...",           CM_ABOUT
  END

END
```

This declaration defines a menu bar (called MYMENU) with three pop-up menus: File, Beep, and About.

The declarations of the menu options use the constants that were defined in the SAY1.H file (Listing 12.2). For example, the first option of the File menu is defined as follows:

```
MenuItem  "Say Hello...",     CM_SAYHELLO
```

This statement identifies the Say Hello menu item as `CM_SAYHELLO`.

Note that the fourth menu item of the File menu is defined as a SEPARATOR:

```
MenuItem  SEPARATOR
```

The purpose of this statement is to display a separator bar. Recall from Figure 12.6 that when you run the SAY1 application, the File menu has a separator bar between the Say Goodbye menu item and the Exit menu item.

The Program File: SAY1.CPP

The SAY1.CPP file is the heart of the SAY1 application—it's where the code of the program is written.

Much of the code of SAY1.CPP is overhead that is required by all Windows applications. Thus, you can use the code of the SAY1.CPP program as a template for your future applications.

The following sections describe the code of the SAY1.CPP program. As you will soon see, the code uses classes from the ObjectWindows library (OWL). These classes may look complex because their constructor functions have many parameters with strange names. However, you should not worry about these parameters, because for the most part, you will simply use these classes in your future projects as templates.

At the end of this chapter, you will write your own ObjectWindows application by using the code of the SAY1 application as a template.

The code of the SAY1.CPP program appears in Listing 12.4.

Listing 12.4: The SAY1.CPP Program File

```
/////////////////////////////////////////////////////////////
//
// Program Name: SAY1.CPP
//
// Description:
// ------------
// This application is a simple C++ Windows application
// written with the Borland ObjectWindows library (OWL).
//
// The application is made of the following 5 files:
//
// 1. SAY1.PRJ - the project file.
// 2. SAY1.DEF - the module definition file.
// 3. SAY1.CPP - the program file (this file).
// 4. SAY1.H   - the header file.
// 5. SAY1.RC  - the resource file.
//
// You can use these files as templates for your
// future C++ OWL applications.
//
/////////////////////////////////////////////////////////////


////////////
// #include
////////////
```

```
#include <stdio.h>
#include <stdlib.h>
#include <owl.h>
#include "say1.h"


/////////////////////////////////////////////
// Define the TMyApp class
// (derived from the TApplication class).
/////////////////////////////////////////////
class TMyApp : public TApplication
{
public:
  TMyApp(LPSTR AName,
         HINSTANCE hInstance,
         HINSTANCE hPrevInstance,
         LPSTR lpCmdLine,
         int nCmdShow)
  :
  TApplication(AName,
               hInstance,
               hPrevInstance,
               lpCmdLine,
               nCmdShow) {};

  virtual void InitMainWindow();

};


/////////////////////////////////////////////
// Define the TMyWindow class
// (derived from the TWindow class).
/////////////////////////////////////////////
_CLASSDEF(TMyWindow)
class TMyWindow : public TWindow
{
public:

  // Prototype of the constructor.
  TMyWindow(PTWindowsObject AParent, LPSTR ATitle);


  // Prototype of the destructor.
  ~TMyWindow();
```

```
  // Prototypes of the message response member functions:

  virtual BOOL CanClose();

  virtual void CMSayHello(RTMessage Msg)
    = [CM_FIRST + CM_SAYHELLO];

  virtual void CMSayHave(RTMessage Msg)
    = [CM_FIRST + CM_SAYHAVE];

  virtual void CMSayGoodbye(RTMessage Msg)
    = [CM_FIRST + CM_SAYGOODBYE];

  virtual void CMExit(RTMessage Msg)
    = [CM_FIRST + CM_EXIT];

  virtual void CMBeep1Time(RTMessage Msg)
    = [CM_FIRST + CM_BEEP1TIME];

  virtual void CMBeep2Times(RTMessage Msg)
    = [CM_FIRST + CM_BEEP2TIMES];

  virtual void CMBeep3Times(RTMessage Msg)
    = [CM_FIRST + CM_BEEP3TIMES];

  virtual void CMAbout(RTMessage Msg)
    = [CM_FIRST + CM_ABOUT];

};


///////////////////////////////////////////
// The constructor function of TMyWindow.
///////////////////////////////////////////
TMyWindow::TMyWindow(PTWindowsObject AParent, LPSTR ATitle)
  : TWindow(AParent, ATitle)
{

// Set the menu of TmyWindow to MYMENU.
// (MYMENU is defined in the RC file>)
AssignMenu("MYMENU");

}
```

```
////////////////////////////////////////
// The destructor function of TMyWindow.
////////////////////////////////////////
TMyWindow::~TMyWindow()
{
}


//////////////////////////////////////////////////
// Function name: CanClose()
//
// Description:
//
// Member function of TMyWindow. This function is
// executed whenever the user tries to close the
// window, or whenever the function CloseWindow()
// is executed.
//
// If CanClose() returns TRUE, then the window will
// be closed and the program will terminate.
//////////////////////////////////////////////////
BOOL TMyWindow::CanClose()
{

int iResponse;

iResponse = MessageBox(HWindow,
                       "Are you sure you want to quit?",
                       "Quit Program",
                       MB_YESNO | MB_ICONQUESTION );

// If the user wants to quit, terminate the program.
if (iResponse == IDYES)
    return TRUE;
else
    return FALSE;

}
```

```
///////////////////////////////////////////////////////
// Function name: CMSayHello()
//
// Description:
// Member function of TMyWindow. This function is
// executed whenever the user selects the CM_SAYHELLO
// option of the MYMENU menu.
//
// The MYMENU menu is defined in the RC file.
///////////////////////////////////////////////////////
void TMyWindow::CMSayHello(RTMessage)
{

MessageBox(HWindow, "H e l l o ! ! !",
                    "The Say1 Program",
                    MB_OK);

}


///////////////////////////////////////////////////////
// Function name: CMSayHave()
//
// Description:
// Member function of TMyWindow. This function is
// executed whenever the user selects the CM_SAYHAVE
// option of the MYMENU menu.
//
// The MYMENU menu is defined in the RC file.
///////////////////////////////////////////////////////
void TMyWindow::CMSayHave(RTMessage)
{

MessageBox(HWindow, "H a v e  A  N i c e  D a y",
                    "The Say1 Program",
                    MB_OK);

}
```

```
////////////////////////////////////////////////////////////
// Function name: CMSayGoodbye()
//
// Description:
// Member function of TMyWindow. This function is
// executed whenever the user selects the CM_SAYGOODBYE
// option of the MYMENU menu.
//
// The MYMENU menu is defined in the RC file.
////////////////////////////////////////////////////////////
void TMyWindow::CMSayGoodbye(RTMessage)
{

MessageBox(HWindow, "G o o d - b y e",
                    "The Say1 Program",
                    MB_OK);

}


////////////////////////////////////////////////////////////
// Function name: CMBeep1Time()
//
// Description:
// Member function of TMyWindow. This function is
// executed whenever the user selects the CM_BEEP1TIME
// option of the MYMENU menu.
//
// The MYMENU menu is defined in the RC file.
////////////////////////////////////////////////////////////
void TMyWindow::CMBeep1Time(RTMessage)
{

// Beep
MessageBeep(-1);

}
```

```
//////////////////////////////////////////////////////////////
// Function name: CMBeep2Times()
//
// Description:
// Member function of TMyWindow. This function is
// executed whenever the user selects the CM_BEEP2TIMES
// option of the MYMENU menu.
//
// The MYMENU menu is defined in the RC file.
//////////////////////////////////////////////////////////////
void TMyWindow::CMBeep2Times(RTMessage)
{

DWORD dwStartTime;

// Beep
MessageBeep(-1);

// 1/2 second delay.
dwStartTime=GetCurrentTime();
while (GetCurrentTime()<=dwStartTime+500);

// Beep
MessageBeep(-1);

}


//////////////////////////////////////////////////////////////
// Function name: CMBeep3Times()
//
// Description:
// Member function of TMyWindow. This function is
// executed whenever the user selects the CM_BEEP3TIMES
// option of the MYMENU menu.
//
// The MYMENU menu is defined in the RC file.
//////////////////////////////////////////////////////////////
void TMyWindow::CMBeep3Times(RTMessage)
{

DWORD dwStartTime;

// Beep
MessageBeep(-1);
```

```
// 1/2 second delay.
dwStartTime=GetCurrentTime();
while (GetCurrentTime()<=dwStartTime+500);

// Beep
MessageBeep(-1);

// 1/2 second delay.
dwStartTime=GetCurrentTime();
while (GetCurrentTime()<=dwStartTime+500);

// Beep
MessageBeep(-1);

}


/////////////////////////////////////////////////////////
// Function name: CMAbout()
//
// Description:
// Member function of TMyWindow. This function is
// executed whenever the user selects the CM_ABOUT
// option of the MYMENU menu.
//
// The MYMENU menu is defined in the RC file.
/////////////////////////////////////////////////////////
void TMyWindow::CMAbout(RTMessage)
{

MessageBox (HWindow,
"Say1 is a simple C++ Windows  application written \
with the Borland ObjectWindows library (OWL).\n\n\
The Say1 application is made of the following files: \
Say1.PRJ, Say1.DEF, Say1.CPP, Say1.H, and Say1.RC.\n\n\
You can use these files as templates for your future C++ \
OWL projects.",
"About Say1",
MB_OK);

}
```

```
//////////////////////////////////////////////////////
// Function name: CMExit()
//
// Description:
// Member function of TMyWindow. This function is
// executed whenever the user selects the CM_EXIT
// option of the MYMENU menu.
//
// The MYMENU menu is defined in the RC file.
//////////////////////////////////////////////////////
void TMyWindow::CMExit(RTMessage)
{

CloseWindow ();

}



//////////////////////////////////////////////////////
// Function name: InitMainWindow()
//
// Description:
// Member function of TMyApp.
//
// This function is automatically executed when an
// object of class TMyApp is created.
//
// The purpose of this function is to create the main
// window of the application.
//////////////////////////////////////////////////////
void TMyApp::InitMainWindow()
{

// Create the main window of the application.
// (an object of class TMyWindow)
MainWindow = new TMyWindow(NULL, Name);

}
```

```
////////////////////////////////////////////////////////////
// Function name: WinMain()
//
// Description:
// The entry point of the program.
// This function is executed upon starting the program.
////////////////////////////////////////////////////////////
int PASCAL WinMain(HINSTANCE hInstance,
                   HINSTANCE hPrevInstance,
                   LPSTR lpCmdLine,
                   int nCmdShow)
{

// Create an object of class TMyApp (called MyApp).
TMyApp MyApp("The Say1 Application",
             hInstance,
             hPrevInstance,
             lpCmdLine,
             nCmdShow);

// Run the application.
MyApp.Run();

// Return to Windows.
return MyApp.Status;

}
```

Including The Header Files The SAY1.CPP program begins by #including four header files:

```
#include <stdio.h>
#include <stdlib.h>
#include <owl.h>
#include "say1.h"
```

The `stdio.h`, `stdlib.h`, and `owl.h` files are overhead files. The `say1.h` file is specific to the SAY1 application. Recall that `say1.h` contains the constant declarations of the menu items (Listing 12.2).

The TApplication Class As stated before, the SAY1 application is an ObjectWindows application. As such, it makes use of classes that are defined in the ObjectWindows library (OWL). Using objects of these classes in your program enables you to write true Windows applications.

The most important class from the ObjectWindows library is the TApplication class. Every OWL Windows program must use this class.

You cannot create objects of class TApplication directly. Instead, you must define a new application class that is derived from the TApplication class, and then create an application object from the derived class.

The SAY1.CPP program defines a class called TMyApp that is derived from the TApplication class as follows:

```
class TMyApp : public TApplication
{
public:
  TMyApp(LPSTR AName,
         HINSTANCE hInstance,
         HINSTANCE hPrevInstance,
         LPSTR lpCmdLine,
         int nCmdShow)
  :
  TApplication(AName,
               hInstance,
               hPrevInstance,
               lpCmdLine,
               nCmdShow) {};

  virtual void InitMainWindow();

};
```

Because the TMyApp class is derived from the ObjectWindows TApplication class, when you create an object of class TMyApp, this object will have the data members and member functions of the TApplication class.

The InitMainWindow() Member Function of TMyApp Note that within the declaration of TMyApp, a member function called InitMainWindow() is declared. The purpose of this function is to create the main window of the application. When you create an object of class TMyApp, the member function InitMainWindow() of TMyApp is executed automatically, and InitMainWindow() creates the main window of the application.

Here is the code of the InitMainWindow() function:

```
void TMyApp::InitMainWindow()
{

// Create the main window of the application.
// (an object of class TMyWindow)
MainWindow = new TMyWindow(NULL, Name);

}
```

As you can see, InitMainWindow() creates the main window of the application by creating an object of class TMyWindow.

What is the TMyWindow class? The following section discusses the TMyWindow class.

The TMyWindow Class The TMyWindow class is derived from the ObjectWindows class TWindow. An object of class TMyWindow represents a window. For example, the InitMainWindow() function created the main window of the application by creating an object of class TMyWindow.

Here is how SAY1.CPP defines TMyWindow:

```
_CLASSDEF(TMyWindow)
class TMyWindow : public TWindow
{
public:

  // Prototype of the constructor.
  TMyWindow(PTWindowsObject AParent, LPSTR ATitle);


  // Prototype of the destructor.
  ~TMyWindow();


  // Prototypes of the message response member functions:

  virtual BOOL CanClose();

  virtual void CMSayHello(RTMessage Msg)
    = [CM_FIRST + CM_SAYHELLO];

  virtual void CMSayHave(RTMessage Msg)
    = [CM_FIRST + CM_SAYHAVE];
```

```
  virtual void CMSayGoodbye(RTMessage Msg)
    = [CM_FIRST + CM_SAYGOODBYE];

  virtual void CMExit(RTMessage Msg)
    = [CM_FIRST + CM_EXIT];

  virtual void CMBeep1Time(RTMessage Msg)
    = [CM_FIRST + CM_BEEP1TIME];

  virtual void CMBeep2Times(RTMessage Msg)
    = [CM_FIRST + CM_BEEP2TIMES];

  virtual void CMBeep3Times(RTMessage Msg)
    = [CM_FIRST + CM_BEEP3TIMES];

  virtual void CMAbout(RTMessage Msg)
    = [CM_FIRST + CM_ABOUT];

};
```

Because the `TMyWindow` class is derived from the ObjectWindows `TWindow` class, when an object of class `TMyWindow` is created, this object inherits all the data members and member functions of the `TWindow` class.

Note that within the declaration of `TMyWindow`, several member functions are declared (for example, `CanClose()`). These functions are called *message-response member functions*. They are executed automatically when certain events take place. The following sections describe when each of these functions is executed, and what each one does.

The CanClose( ) Member Function of the TMyWindow Class The `CanClose()` member function of the `TMyWindow` class is executed automatically whenever the user double-clicks the control-box minus icon of the window.

Here is the code of the `CanClose()` function:

```
BOOL TMyWindow::CanClose()
{

int iResponse;

iResponse = MessageBox(HWindow,
                       "Are you sure you want to quit?",
```

```
                                "Quit Program",
                                MB_YESNO | MB_ICONQUESTION );

// If the user wants to quit, terminate the program.
if (iResponse == IDYES)
    return TRUE;
else
    return FALSE;

}
```

The `CanClose()` function uses the `MessageBox()` function to display the dialog box shown earlier, in Figure 12.11, asking whether the user really wants to quit.

The first parameter that is passed to the `MessageBox()` function is `HWindow`, a very important data member of the `TMyWindow` object. `HWindow` stores the handle of the window (that is, its identification number). Many useful Windows functions (like `MessageBox()`) need to know the handle of the window.

The second parameter that is passed to the `MessageBox()` function is the string:

```
"Are you sure you want to quit?"
```

This string is the text that the `MessageBox()` function displays inside the dialog box.

The third parameter passed to the `MessageBox()` function is the string

```
"Quit Program"
```

This string is the text that the `MessageBox()` function displays in the title of the dialog box.

The fourth (and last) parameter that is passed to the `MessageBox()` function is the OR expression:

```
MB_YESNO | MB_ICONQUESTION );
```

The `MB_YESNO` constant in this expression tells the `MessageBox()` function to display a Yes button and a No button. The `MB_ICONQUESTION` constant tells the `MessageBox()` function to display a question mark icon. As you can see from Figure 12.11, the dialog box includes these elements.

CanOpen() assigns the returned value of the MessageBox() function to the iResponse variable. If the user clicks the Yes button of the dialog box, iResponse will be equal to the constant ID_YES. CanOpen() checks the value of iResponse with an If statement:

```
// If the user wants to quit, terminate the program.
if (iResponse == IDYES)
    return TRUE;
else
    return FALSE;
```

If the user clicked the Yes button of the dialog box (that is, if iResponse is equal to IDYES), then the above if statement executes the statement:

```
return TRUE;
```

When CanOpen() returns True, the window will be closed and the application will terminate.

The CMSayHello() Member Function of the TMyWindow Class The CMSayHello() member function is executed whenever the user selects the Say Hello menu item. How does the program know to associate this event with the function CMSayHello()? The association between the Say Hello menu item and the CMSayHello() function is defined in the class declaration of the TMyWindow class. The member function CMSayHello() of the TMyWindow class is declared as follows:

```
  virtual void CMSayHello(RTMessage Msg)
    = [CM_FIRST + CM_SAYHELLO];
```

This declaration associates the CMSayHello() function with the CM_SAYHELLO menu item. Recall that in the SAY1.RC file (Listing 12.3), the CM_SAYHELLO constant represents the Say Hello menu item, and in the second line above, the second constant is also CM_SAYHELLO. (The other elements in the CMSayHello() function declaration, the CM_FIRST constant and the RTMessage Msg parameter, always appear as shown above; and so you can consider them as overhead code that must be included.)

Now, lets take a look at the CM_SayHello() function:

```
void TMyWindow::CMSayHello(RTMessage)
{
MessageBox(HWindow, "H e l l o ! ! !",
                    "The Say1 Program",
                    MB_OK);
}
```

As you can see, the CMSayHello() function is very simple. It uses the MessageBox() function to display the dialog box shown back in Figure 12.9, which displays the text "Hello!!!"

The CMExit() Member Function of the TMyWindow Class The CMExit() member function is executed whenever the user selects the Exit menu item. The association between the Exit menu item and the CMExit() function is defined in the class declaration of the TMyWindow class. The member function CMExit() of the TMyWindow class is declared as follows:

```
virtual void CMExit(RTMessage Msg)
    = [CM_FIRST + CM_EXIT];
```

This declaration associates the CMExit() function with the CM_EXIT menu item. Recall that in the SAY1.RC file (Listing 12.3), the CM_EXIT constant represents the Exit menu item. So whenever the user selects the Exit menu item, the CMExit() function will be executed automatically.

Here is the code of the CMExit() function:

```
void TMyWindow::CMExit(RTMessage)
{
CloseWindow ();
}
```

The CMExit() function executes the CloseWindow() function, which closes the window of the application. The CloseWindow() function also causes the automatic execution of the CanClose() function, discussed earlier. This explains why the dialog box of Figure 12.11 is displayed whenever you select Exit from the File menu.

The Other Member Functions of the TMyWindow Class The other member functions of the TMyWindow class are also associated with menu items. For example, the member function CMBeep1Time() is associated with the Beep 1 Time menu item. This association is defined in the class declaration of the TMyWindow class. The member function `CMBeep1Time()` of the `TMyWindow` class is declared as follows:

```
virtual void CMBeep1Time(RTMessage Msg)
    = [CM_FIRST + CM_BEEP1TIME];
```

This declaration associates the `CMBeep1Time()` function with the `CM_BEEP1TIME` menu item. Recall that in the SAY1.RC file (Listing 12.3), the `CM_BEEP1TIME` constant represents the Beep 1 Time menu item. So whenever the user selects this menu item, the `CMBeep1Time()` function will be executed automatically. This function uses the function `MessageBeep()` to beep:

```
void TMyWindow::CMBeep1Time(RTMessage)
{

// Beep
MessageBeep(-1);

}
```

The other member functions of the `TMyWindow` class are similar to the `CMSayHello()` and `CMBeep1Time()` functions.

Attaching the MYMENU Menu to the TMyWindow Class The code that is responsible for attaching a menu to the window of the SAY1 application resides in the constructor function of the `TMyWindow` class:

```
TMyWindow::TMyWindow(PTWindowsObject AParent, LPSTR ATitle)
  : TWindow(AParent, ATitle)
{

// Set the menu of TmyWindow to MYMENU.
// (MYMENU is defined in the RC file)
AssignMenu("MYMENU");

}
```

This code uses the `AssignMenu()` function to assign the menu `MYMENU` to `TMyWindow`. Recall that the `MYMENU` menu is defined in the SAY1.RC file (Listing 12.3).

The WinMain( ) Function Every ObjectWindows application must have a `WinMain()` function. The `WinMain()` function is the entry point of the program. That is, when you run the application, `WinMain()` is the first function that is executed.

Here is the code of WinMain( ):

```
int PASCAL WinMain(HINSTANCE hInstance,
                   HINSTANCE hPrevInstance,
                   LPSTR lpCmdLine,
                   int nCmdShow)
{

// Create an object of class TMyApp (called MyApp).
TMyApp MyApp("The Say1 Application",
             hInstance,
             hPrevInstance,
             lpCmdLine,
             nCmdShow);

// Run the application.
MyApp.Run();

// Return to Windows.
return MyApp.Status;

}
```

As you can see, the WinMain( ) function takes four parameters. These parameters are passed to the application from the Windows operating system.

WinMain( ) begins by creating an object of class TMyApp, called MyApp (the application object):

```
TMyApp MyApp("The Say1 Application",
             hInstance,
             hPrevInstance,
             lpCmdLine,
             nCmdShow);
```

The first parameter that is passed to the constructor of the MyApp object is the string:

```
"The Say1 Application"
```

This string is the name of the application.

The other parameters that are passed to the constructor of MyApp are the same parameters that were passed to WinMain( ) from the Windows operating system.

The next statement in WinMain() is:

```
MyApp.Run();
```

This statement executes the Run() member function of the MyApp object. The Run() function sets the application in motion.

When the user terminates the application, control is given to the statement that follows the MyApp.Run() statement:

```
return MyApp.Status;
```

This statement returns the Status data member of the MyApp object to the Windows operating system. MyApp.Status represents the final status of the application.

Note that in all the code of WinMain(), only an object of class TMyApp is created. An object of class TMyWindow is not even mentioned. Why is that? That's because, when you create an object of class TMyApp, an object of class TMyWindow is also created. Recall that when you create an object of class TMyApp, the member function InitMainWindow() of TMyApp is executed automatically, and InitMainWindow() creates an object of class TMyWindow (discussed earlier in this chapter). This object represents the main window of the application.

Writing Your Own ObjectWindows Application

Because much of the code of the SAY1 application is overhead shared by all ObjectWindows applications, you can use the files of the SAY1 application as templates for building other Windows programs. For example, let's say that you want to write a Windows application, called HOW, with the following specifications.

The application has a menu bar with one pop-up menu, File. This menu has two items:

- How Are You...
- Exit

The File menu of the HOW application is shown in Figure 12.14.

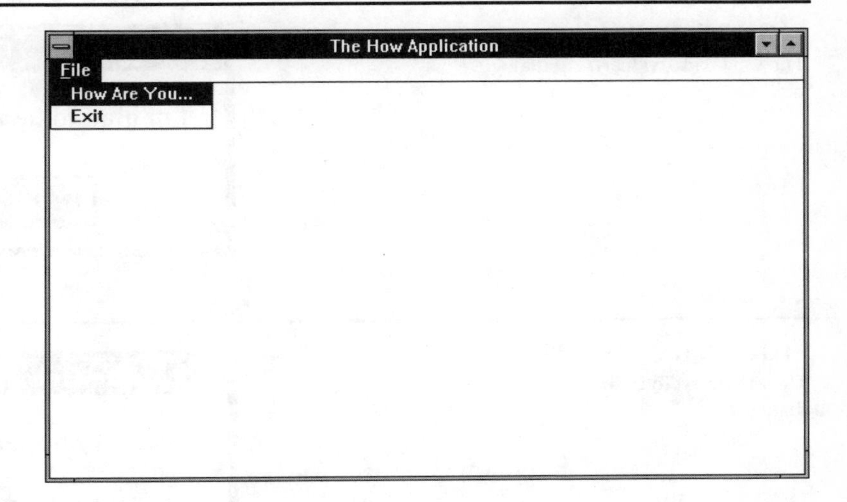

FIGURE 12.14:
The File menu of the HOW application.

When the user selects the How Are You menu item, the program responds by displaying a dialog box that asks how the user is doing (Figure 12.15).

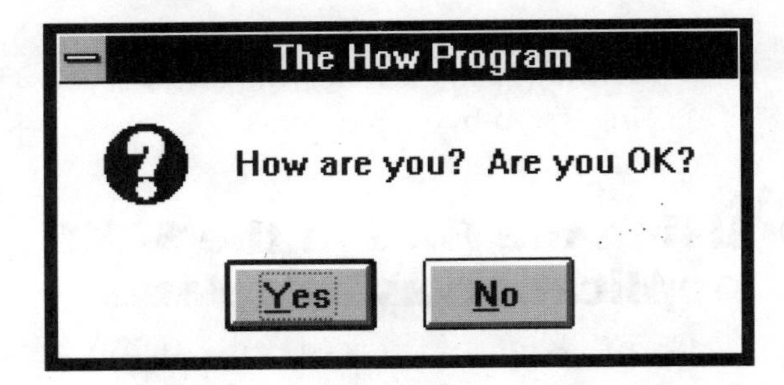

FIGURE 12.15:
The How Are You dialog box.

If the user clicks the Yes button of the dialog box, the program responds by displaying an I'm Glad To Hear That dialog box (Figure 12.16).

If the user clicks the No button, the program displays the I'm Sorry To Hear That dialog box (Figure 12.17).

FIGURE 12.16:
The I'm Glad To Hear That dialog box.

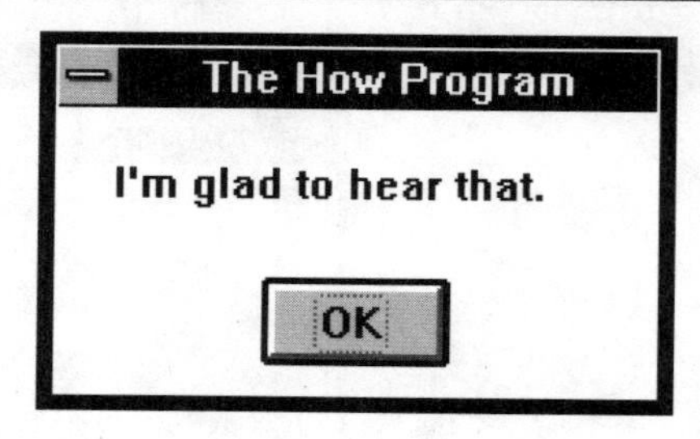

FIGURE 12.17:
The I'm Sorry To Hear That dialog box.

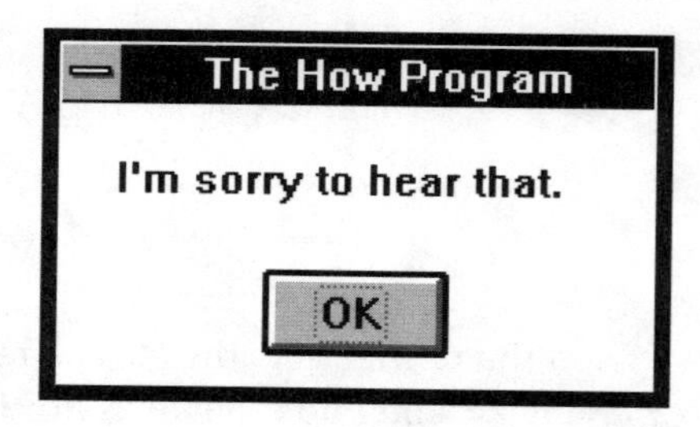

To exit the HOW application, the user needs to select Exit from the File menu.

Now that you know what the HOW application is supposed to do, it's time to start writing it. In the following sections you will build the HOW application by following a step-by-step process.

Using the Files of the SAY1 Application as Templates

To use the files of the SAY1 application as templates for the HOW application, take the following steps:

- Exit ("shell out") to the DOS prompt by double-clicking the MS-DOS Prompt icon, usually located inside the Main group of icons (Figure 12.18). Windows responds by displaying the DOS command line.

- Log into the C:\C2CPLUS\CH12 directory by typing at the DOS prompt:

  ```
  CD C:\C2CPLUS\CH12
  ```

- Create the HOW files from the SAY1 application files by typing at the DOS prompt:

  ```
  COPY SAY1.* HOW.*
  ```

  DOS responds by copying all the SAY1 files to the HOW files. That is, SAY1.PRJ is copied onto HOW.PRJ, SAY1.CPP is copied onto HOW.CPP, and so on.

- Exit from the DOS Shell by typing at the DOS prompt:

  ```
  EXIT
  ```

You now have the following six files:

1. HOW.PRJ, the project file.
2. HOW.DEF, the module definition file.
3. HOW.CPP, the program.
4. HOW.H, the header file.
5. HOW.RC, the resource file.
6. HOW.EXE, the executable file.

FIGURE 12.18:
The DOS Shell icon.

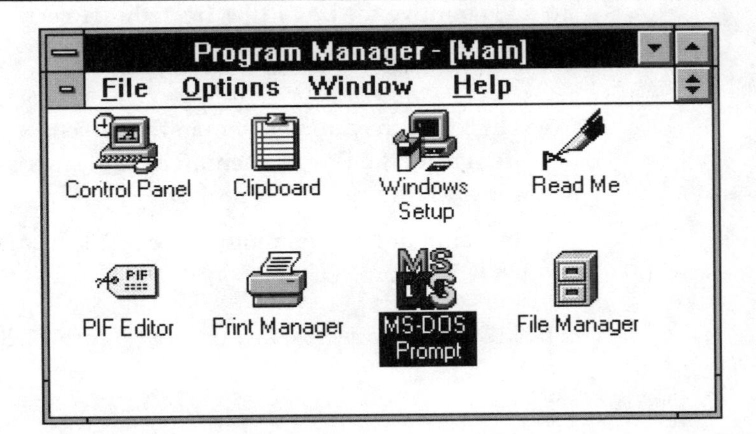

At this point, these files are identical to the SAY1 application files. In the following sections you will customize them to build the HOW application.

Customizing the HOW.PRJ file

Currently, the HOW.PRJ project file is identical to the SAY1.PRJ project file. This means that all the options of the HOW.PRJ file are set properly for an ObjectWindows application. For example, the directories for the libraries and the directories for the include files (shown earlier in Figure 12.13) are set properly. This, of course, saves you time because you don't have to reenter all the option settings that are required for ObjectWindows applications. However, you still need to customize the HOW.PRJ project so that it will list the files of the HOW application.

To customize the HOW.PRJ project file, you must first open it:

- Switch to the C++ IDE Project Manager.
- Select Open Project from the Project menu. The IDE responds by displaying the Open Project File dialog box (shown earlier in Figure 12.3).
- Type inside the File Name box:

  ```
  C:\C2CPLUS\CH12\HOW.PRJ
  ```

- Click the OK button. The IDE responds by opening the HOW.PRJ project (Figure 12.19).

As you can see, currently the HOW.PRJ project lists the SAY1 files. What you have to do is remove the SAY1 files from the project, and then add the HOW files.

To remove the SAY1 files:

- Highlight the *say1.cpp* item in the project window, and then select Delete Item from the Project menu. The IDE responds by removing the SAY1.CPP file from the HOW.PRJ project.
- In a similar manner, remove the SAY1.RC and the SAY1.DEF items from the HOW.PRJ project.

The HOW.PRJ project is now empty (Figure 12.20).

FIGURE 12.19:
The HOW.PRJ project

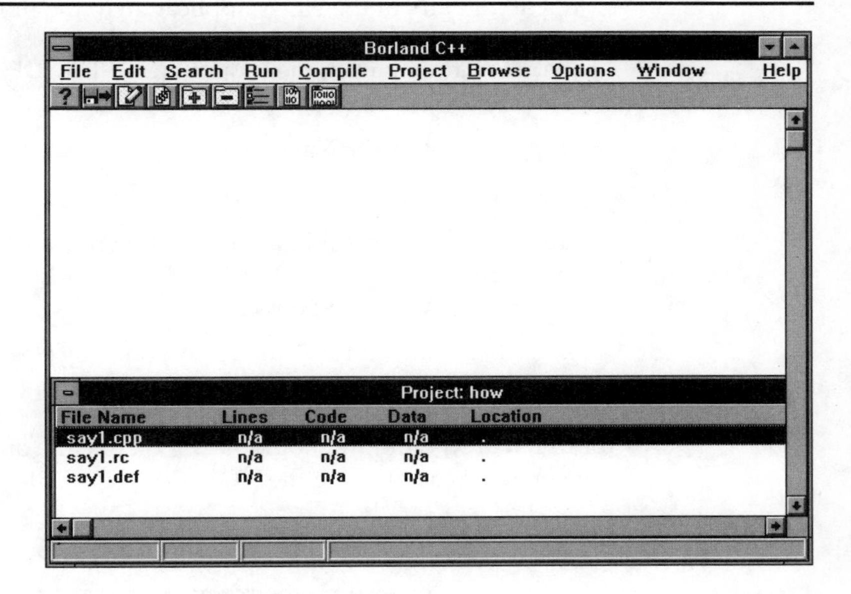

FIGURE 12.20:
The HOW.PRJ project after removing from it all the files.

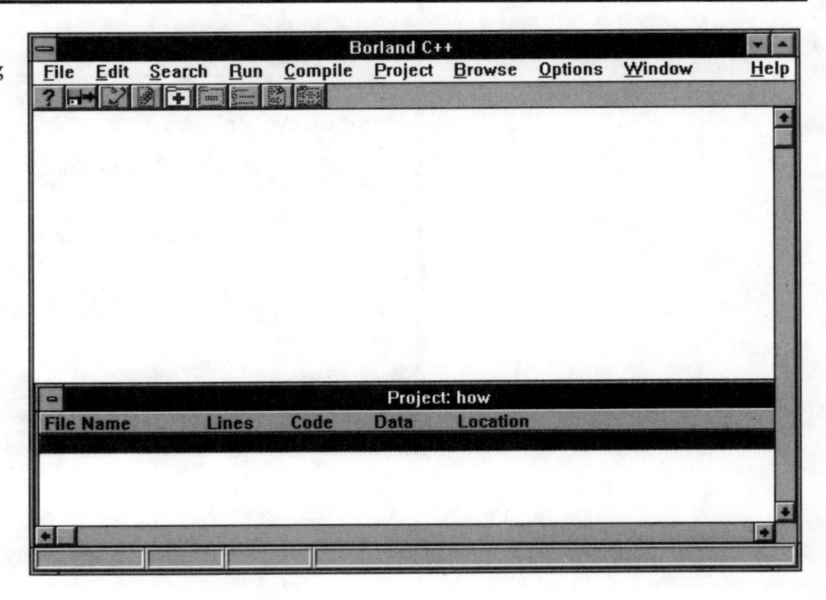

Now, add the files of the HOW application to the project:

- Select Add Item from the Project menu. The IDE responds by displaying the Add To Project List dialog box (Figure 12.21).
- Type inside the File Name box:

  ```
  HOW.CPP
  ```

  and then click the Add button. The IDE responds by adding HOW.CPP to the project and redisplaying the Add To Project List dialog box. Repeat this step for the HOW.RC and HOW.DEF files.
- Click the Done button.The IDE responds by closing the Add To Project List dialog box.

Your HOW.PRJ window should now look like the one shown in Figure 12.22. You have finished customizing the HOW.PRJ project file.

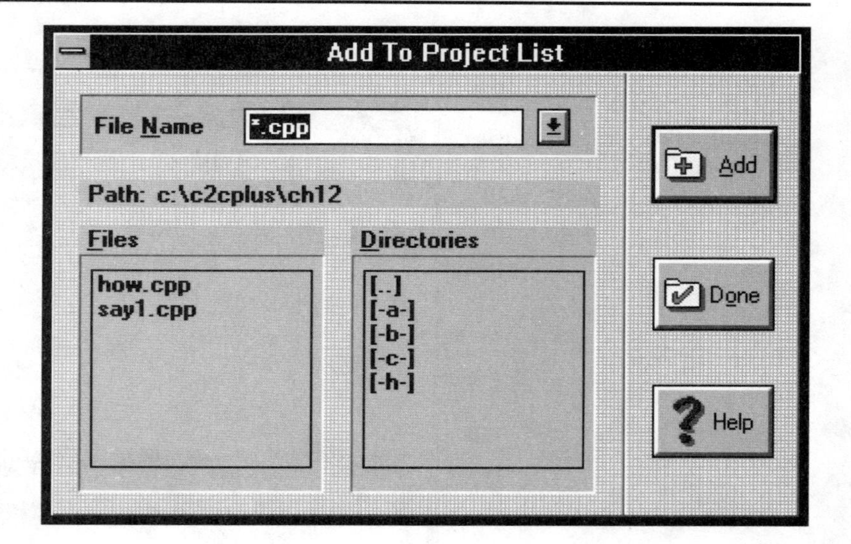

FIGURE 12.21:
The Add To Project List dialog box.

FIGURE 12.22:
The HOW.PRJ project after adding to it the HOW application files.

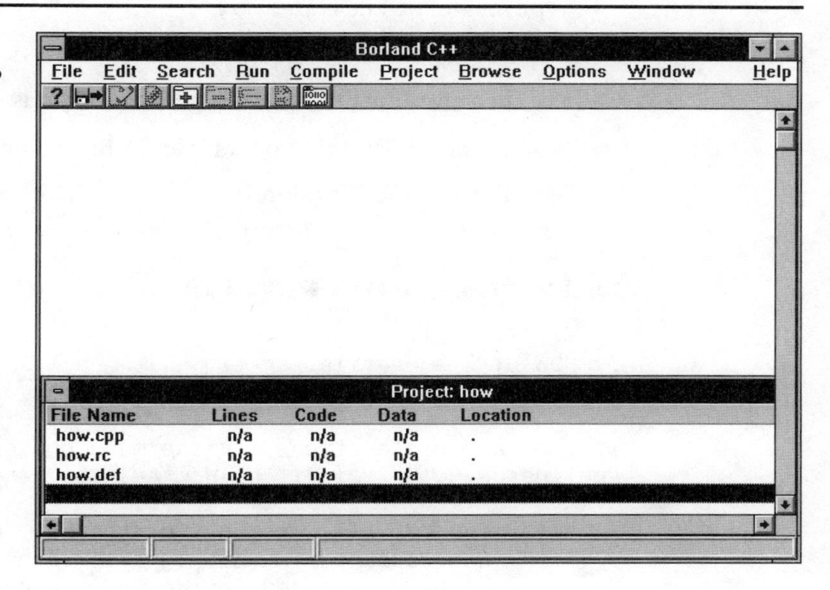

The HOW.DEF File

Currently, the HOW.DEF file is identical to the SAY1.DEF file. There is no need to customize the HOW.DEF file. You can use it just as it is for the HOW application.

Customizing the HOW.H File

Currently, the HOW.H file is identical to the SAY1.H file. You need to change the HOW.H file so that it will define the constants that are used by the HOW application. The HOW application has only two menu items: How Are You, and Exit (see Figure 12.14). So it needs to use only two menu option constants: CM_HOW, and CM_EXIT.

Change the HOW.H file as follows:

- Select Open from the File menu. The IDE responds by displaying an Open A File dialog box.

- Type inside the File Name box:

  `HOW.H`

  and then click the OK button. The IDE responds by opening the HOW.H file.
- Modify the HOW.H file so that it looks like Listing 12.5.
- Save the new modifications that you just made in the HOW.H file by selecting Save from the File menu.

Listing 12.5: The New HOW.H File

```
//////////////////////////
// HOW.H: header file.
//////////////////////////

// Constant declarations for the menu options.
#define CM_HOW   201 // The How Are You menu option.

// Note: The CM_EXIT constant (of the Exit menu option) is
//       not declared in this .h file, because it is
//       already declared inside the standard ObjectWindows
//       header file: owl.h
```

Customizing the HOW.RC file

Currently, the HOW.RC file is identical to the SAY1.RC file. You need to change the HOW.RC file so that it will define the menu of the HOW application. Recall that the menu of the HOW application should have one pop-up menu with two options in it, like the menu shown earlier in Figure 12.14.

Change the HOW.RC file as follows:

- Double-click the how.rc item inside the HOW.PRJ project window. The IDE responds by opening the HOW.RC file.
- Modify the HOW.RC file so that it looks like Listing 12.6. (Don't forget to change the `#include` statement from `#include say1.h` to `#include how.h`.)
- Save the new modifications that you just made in the HOW.RC file by selecting Save from the File menu.

Listing 12.6: The New HOW.RC File

```
/////////////////////////////////////////////////////
// HOW.RC: The resource file of the application.
/////////////////////////////////////////////////////

////////////
// #include
////////////
#include <windows.h>
#include <owlrc.h>
#include "how.h"

// The main menu of the application.
MYMENU MENU LOADONCALL MOVEABLE PURE DISCARDABLE
BEGIN

  POPUP "&File"
  BEGIN
    MenuItem  "How Are You...",  CM_HOW
    MenuItem  "Exit",            CM_EXIT
  END

END
```

Customizing the HOW.CPP File

Currently, the HOW.CPP file is identical to the SAY1.CPP file. You need to change the HOW.CPP file so that it will correspond to events of the HOW application. That is, currently the `TMyWindow` class in HOW.CPP declares many functions that are not relevant to the HOW application (for example, the `CM_SayHello()` function). Also, there is one function that you need to add to the `TMyWindow` class: the function that should be executed when the user selects the How Are You menu option. You can name this function `CM_HowAreYou()`.

Change the HOW.CPP file as follows:

- Double-click the *how.cpp* item inside the HOW.PRJ project window. The IDE responds by opening the HOW.CPP file.

- Change the fourth #include statement from:

  ```
  #include "say1.h"
  ```

  to:

  ```
  #include "how.h"
  ```

- Modify the class declaration of the TMyWindow class so that it looks as follows:

  ```
  ///////////////////////////////////////////
  // Define the TMyWindow class
  // (derived from the TWindow class)
  ///////////////////////////////////////////
  _CLASSDEF(TMyWindow)
  class TMyWindow : public TWindow
  {
  public:

    // Prototype of the constructor.
    TMyWindow(PTWindowsObject AParent, LPSTR ATitle);

    // Prototype of the destructor.
    ~TMyWindow();

    // Prototypes of the message response member functions:

    virtual BOOL CanClose();

    virtual void CMHowAreYou(RTMessage Msg)
      = [CM_FIRST + CM_HOW];

    virtual void CMExit(RTMessage Msg)
      = [CM_FIRST + CM_EXIT];
  };
  ```

  That is, all the declarations of the CM functions that are not used in the HOW application were removed, and the declaration of the CMHowAreYou() function was added.

- Delete all the CM functions that are not used in the HOW application: CMSayHello(), CMSayHave(), CMSayGoodbye(), CMBeep1Time(), CMBeep2Times(), CMBeep3Times(), and CMAbout().

- Write the CMHowAreYou() function, as follows, and place it before the CMExit( ) function:

```
//////////////////////////////////////////////////////
// Function name: CMHowAreYou()
//
// Description:
// Member function of TMyWindow. This function is
// executed whenever the user selects the CM_HOW
// option of the MYMENU menu.
//
// The MYMENU menu is defined in the RC file.
//////////////////////////////////////////////////////
void TMyWindow::CMHowAreYou(RTMessage)
{
int iResponse;

iResponse = MessageBox(HWindow,
                       "How are you?  Are you OK?",
                       "The How Program",
                       MB_YESNO | MB_ICONQUESTION );

if (iResponse == IDYES)
    MessageBox(HWindow, "I'm glad to hear that.",
               "The How Program",
               MB_OK);
else
    MessageBox(HWindow, "I'm sorry to hear that.",
               "The How Program",
               MB_OK);

}
```

- Modify the first statement in the `WinMain()` function to look as follows:

```
// Create an object of class TMyApp (called MyApp).
TMyApp MyApp("The How Application",
             hInstance,
             hPrevInstance,
             lpCmdLine,
             nCmdShow);
```

That is, change the first parameter from:

```
"The SAY1 Application"
```

to:

```
"The How Application"
```

- Save the modifications by selecting Save from the File menu.

You have just finished customizing the HOW application. As you have seen, much of the code of the HOW application is identical to the SAY application. This code is overhead that you can use in all your ObjectWindows applications.

The complete source code of the HOW.CPP file is shown in Listing 12.7.

Listing 12.7: The HOW.CPP File

```
/////////////////////////////////////////////////////////////
// Program Name: HOW.CPP
//
// Description:
// ------------
// This application is a simple C++ Windows application
// written with the Borland ObjectWindows library (OWL).
//
// The application consists of the following 5 files:
//
// 1. HOW.PRJ - the project file.
// 2. HOW.DEF - the module definition file.
// 3. HOW.CPP - the program file (this file).
// 4. HOW.H   - the header file.
// 5. HOW.RC  - the resource file.
//
// You can use these files as templates for your future C++
// OWL applications.
//
/////////////////////////////////////////////////////////////


///////////
// #include
///////////
#include <stdio.h>
#include <stdlib.h>
#include <owl.h>
#include "how.h"
```

```
/////////////////////////////////////////////
// Define the TMyApp class
// (derived from the TApplication class).
/////////////////////////////////////////////
class TMyApp : public TApplication
{
public:
  TMyApp(LPSTR AName,
         HINSTANCE hInstance,
         HINSTANCE hPrevInstance,
         LPSTR lpCmdLine,
      int nCmdShow)
  :
  TApplication(AName,
            hInstance,
            hPrevInstance,
            lpCmdLine,
            nCmdShow) {};

  virtual void InitMainWindow();

};


/////////////////////////////////////////////
// Define the TMyWindow class
// (derived from the TWindow class).
/////////////////////////////////////////////
_CLASSDEF(TMyWindow)
class TMyWindow : public TWindow
{
public:

  // Prototype of the constructor.
  TMyWindow(PTWindowsObject AParent, LPSTR ATitle);

  // Prototype of the destructor.
  ~TMyWindow();

  // Prototypes of the message response member functions:

  virtual BOOL CanClose();

  virtual void CMHowAreYou(RTMessage Msg)
    = [CM_FIRST + CM_HOW];
```

```
  virtual void CMExit(RTMessage Msg)
    = [CM_FIRST + CM_EXIT];
};


//////////////////////////////////////////
// The constructor function of TMyWindow.
//////////////////////////////////////////
TMyWindow::TMyWindow(PTWindowsObject AParent, LPSTR ATitle)
  : TWindow(AParent, ATitle)
{

// Set the menu of TmyWindow to MYMENU.
// (MYMENU is defined in the RC file).
AssignMenu("MYMENU");

}


/////////////////////////////////////////
// The destructor function of TMyWindow.
/////////////////////////////////////////
TMyWindow::~TMyWindow()
{
}


//////////////////////////////////////////////////
// Function name: CanClose()
//
// Description:
//
// Member function of TMyWindow. This function is
// executed whenever the user tries to close the
// window, or whenever the function CloseWindow()
// is executed.
//
// If CanClose() returns TRUE, then window will
// be closed and the program will terminate.
//////////////////////////////////////////////////
BOOL TMyWindow::CanClose()
{

int iResponse;
```

```
iResponse = MessageBox(HWindow,
                       "Are you sure you want to quit?",
                        "Quit Program",
                       MB_YESNO | MB_ICONQUESTION );

// If the user wants to quit, terminate the program.
if (iResponse == IDYES)
    return TRUE;
else
    return FALSE;
}


///////////////////////////////////////////////////////////
// Function name: CMHowAreYou()
//
// Description:
// Member function of TMyWindow. This function is
// executed whenever the user selects the CM_HOW
// option of the MYMENU menu.
//
// The MYMENU menu is defined in the RC file.
///////////////////////////////////////////////////////////
void TMyWindow::CMHowAreYou(RTMessage)
{
int iResponse;

iResponse = MessageBox(HWindow,
                       "How are you?  Are you OK?",
                       "The How Program",
                       MB_YESNO | MB_ICONQUESTION );

if (iResponse == IDYES)
    MessageBox(HWindow, "I'm glad to hear that.",
               "The How Program",
               MB_OK);
else
    MessageBox(HWindow, "I'm sorry to hear that.",
               "The How Program",
               MB_OK);

}
```

```
/////////////////////////////////////////////////////////
// Function name: CMExit()
//
// Description:
// Member function of TMyWindow. This function is
// executed whenever the user selects the CM_EXIT
// option of the MYMENU menu.
//
// The MYMENU menu is defined in the RC file.
/////////////////////////////////////////////////////////
void TMyWindow::CMExit(RTMessage)
{

CloseWindow ();

}

/////////////////////////////////////////////////////////
// Function name: InitMainWindow()
//
// Description:
// Member function of TMyApp.
//
// This function is automatically executed when an
// object of class TMyApp is created.
//
// The purpose of this function is to create the main
// window of the application.
/////////////////////////////////////////////////////////
void TMyApp::InitMainWindow()
{

// Create the main window of the application.
// (an object of class TMyWindow).
MainWindow = new TMyWindow(NULL, Name);

}
```

```
/////////////////////////////////////////////////////////////
// Function name: WinMain()
//
// Description:
// The entry point of the program.
// This function is executed upon starting the program.
/////////////////////////////////////////////////////////////
int PASCAL WinMain(HINSTANCE hInstance,
                   HINSTANCE hPrevInstance,
                   LPSTR lpCmdLine,
                   int nCmdShow)
{

// Create an object of class TMyApp (called MyApp).
TMyApp MyApp("The How Application",
                    hInstance,
                    hPrevInstance,
                    lpCmdLine,
                    nCmdShow);

// Run the application.
MyApp.Run();

// Return to Windows.
return MyApp.Status;

}
```

Running HOW.CPP

You can now run the HOW application:

- Select Run from the Run menu.

The IDE responds by first compiling and linking all the files of the HOW application, and then it executes the application.

Exercise

Problem

Currently the Beep menu in the Say1 application has three items:

Beep 1 time

Beep 2 times

Beep 3 times

Add a fourth item to the Beep menu:

Beep 4 times

When the user selects this item, the program should beep four times.

Solution

To add the fourth menu item to the menu of the SAY1 application, take the following steps:

- Add the following `#define` statement to the SAY1.H file:

```
#define CM_BEEP4TIMES  209 // The Beep 4 Times menu option.
```

- Modify the SAY1.RC file so that the Beep pop-up menu will include the menu item Beep 4 Times. After you make this modification, the Beep pop-up menu declaration should look as follows:

```
POPUP "&Beep"
BEGIN
    MenuItem  "Beep 1 time",              CM_BEEP1TIME
    MenuItem  "Beep 2 times",             CM_BEEP2TIMES
    MenuItem  "Beep 3 times",             CM_BEEP3TIMES
    MenuItem  "Beep 4 times",             CM_BEEP4TIMES
END
```

- Add the following function declaration to the `TMyWindow` class declaration (in SAY1.CPP):

```
virtual void CMBeep4Times(RTMessage Msg)
    = [CM_FIRST + CM_BEEP4TIMES];
```

- Add the `CMBeep4Times()` function to SAY1.CPP:

```
///////////////////////////////////////////////////////////
// Function name: CMBeep4Times()
//
// Description:
// Member function of TMyWindow. This function is
// executed whenever the user selects the CM_BEEP4TIMES
// option of the MYMENU menu.
//
// The MYMENU menu is defined in the RC file.
///////////////////////////////////////////////////////////
void TMyWindow::CMBeep4Times(RTMessage)
{

DWORD dwStartTime;

// Beep
MessageBeep(-1);

// 1/2 second delay.
dwStartTime=GetCurrentTime();
while (GetCurrentTime()<=dwStartTime+500);

// Beep
MessageBeep(-1);

// 1/2 second delay.
dwStartTime=GetCurrentTime();
while (GetCurrentTime()<=dwStartTime+500);

// Beep
MessageBeep(-1);

// 1/2 second delay.
dwStartTime=GetCurrentTime();
while (GetCurrentTime()<=dwStartTime+500);

// Beep
MessageBeep(-1);

}
```

CHAPTER THIRTEEN

More Borland C++ Windows Programming

This chapter covers more Borland C++ Windows programming. In particular, you will learn how to grant the power of speech (real human speech) to your Borland C++ Windows programs, *without* a sound card.

The SAY2 Application

The SAY2 application is an enhanced version of the SAY1 application. While the earlier program merely displays text prompts on the screen, the SAY2 application actually plays sound (a human voice) through the PC speaker.

Before you start going over the code of the SAY2 application, let's run the SAY2 application. This way, you will have a better understanding of what the code is supposed to do.

To run the SAY2 application:

- Double-click the BCW icon in the Borland C++ group (refer to Chapter 12, Figure 12.1). Windows responds by running the IDE Project Manager (refer to Chapter 12, Figure 12.2). You can now open the project file of the SAY2 application.
- Select Open Project from the Project menu. The IDE responds by displaying the Open Project File dialog box (refer to Chapter 12, Figure 12.3).
- Type inside the File Name box:

  ```
  C:\C2CPLUS\CH13\SAY2.PRJ
  ```
- Click the OK button. The IDE responds by opening the SAY2.PRJ project (Figure 13.1).

You can now run the SAY2 application:

- Select Run from the Run menu.

The IDE responds by running the SAY2 application. The main window of the SAY2 application appears, as shown in Figure 13.2.

FIGURE 13.1:
The SAY2.PRJ project.

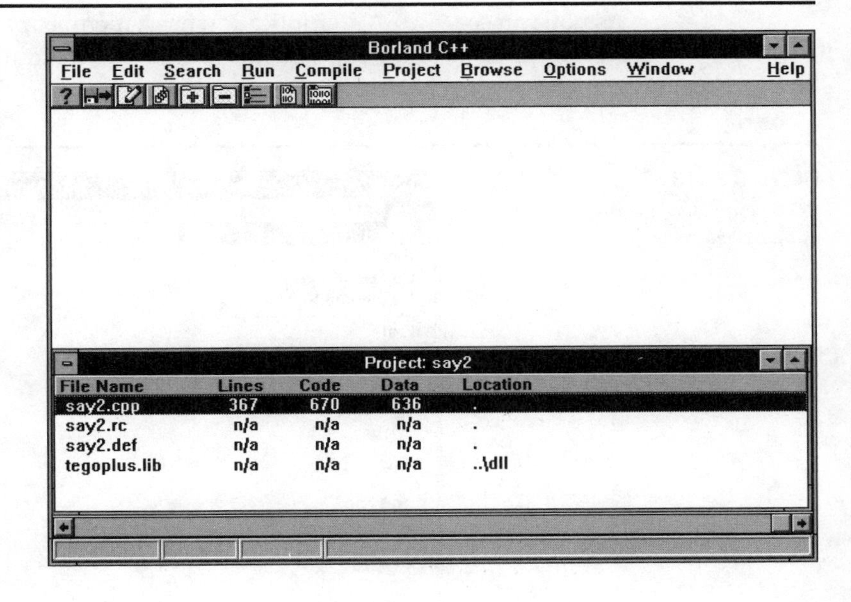

FIGURE 13.2:
The main window of the SAY2 application.

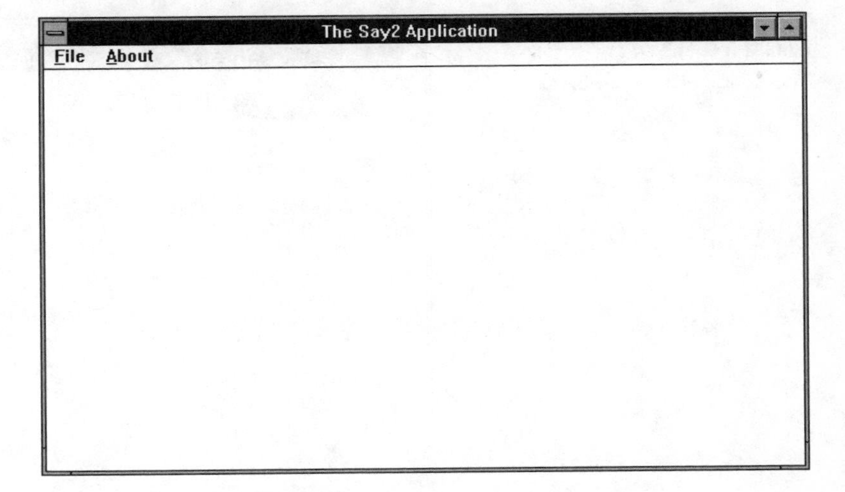

As you can see, the SAY2 application has a menu bar with two menu titles, File and About. The File and About menus are shown in Figures 13.3 and 13.4.

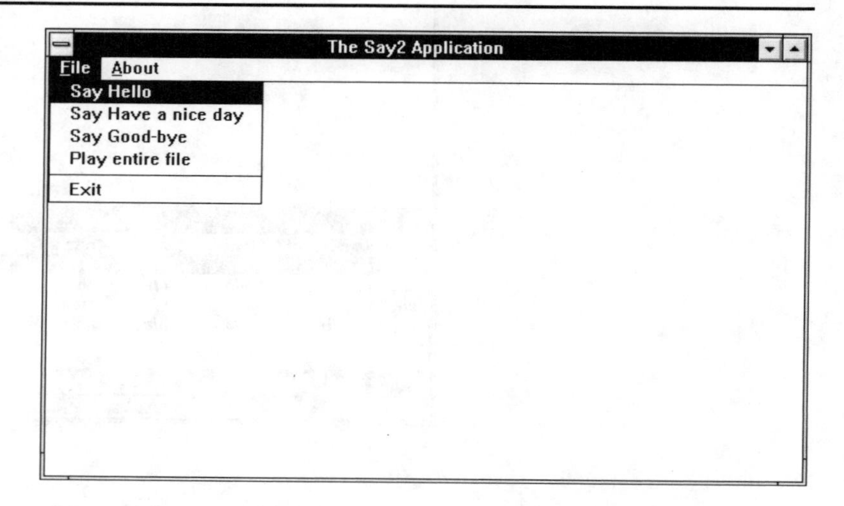

FIGURE 13.3: The File menu of the SAY2 application.

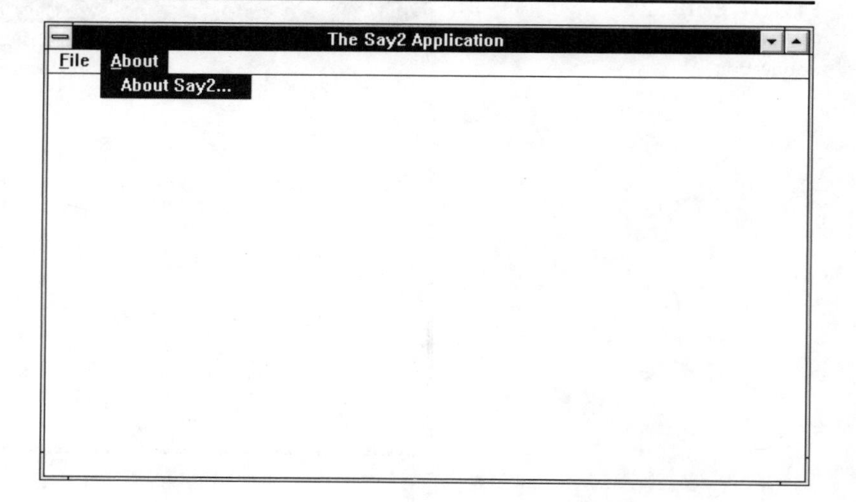

FIGURE 13.4: The About menu of the SAY2 application.

Experiment with the SAY2 application's various File menu options:

- Select Say Hello from the File menu. As you can hear, SAY2 responds by playing the audio prompt "HELLO" through the PC speaker.

In a similar manner, when you select other options in the File menu, SAY2 responds by playing other audio prompts through the PC speaker.

When you select About Say2 from the About menu, SAY2 responds by displaying an About dialog box (Figure 13.5).

To terminate the SAY2 application:

- Select Exit from the File menu. SAY2 responds by displaying a dialog box asking whether you are sure you want to quit (Figure 13.6).
- Click the Yes button. SAY2 responds by playing the audio prompt "GOODBYE" through the PC speaker and then terminates.

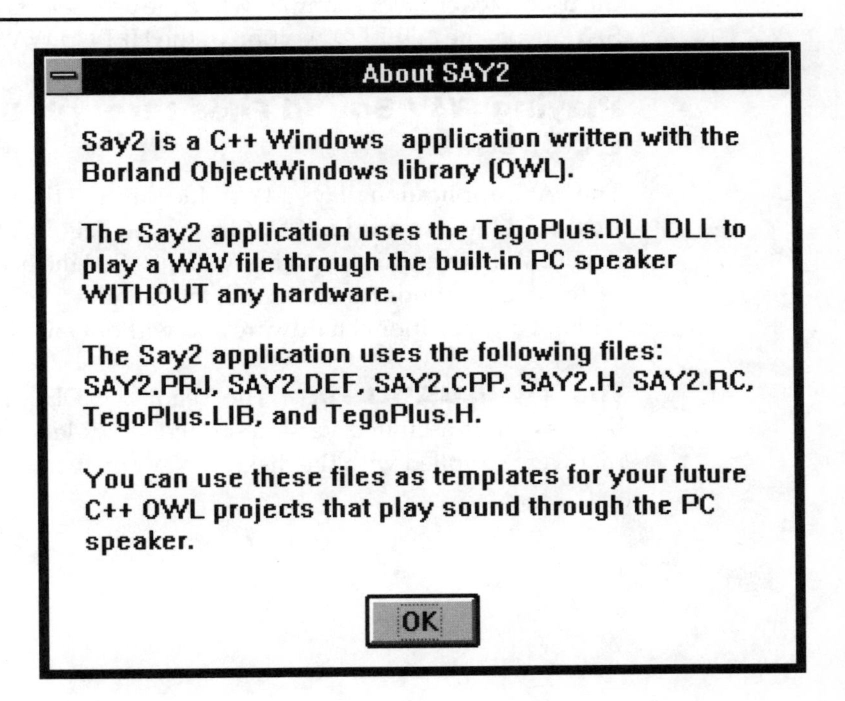

About SAY2
Say2 is a C++ Windows application written with the Borland ObjectWindows library (OWL).
The Say2 application uses the TegoPlus.DLL DLL to play a WAV file through the built-in PC speaker WITHOUT any hardware.
The Say2 application uses the following files: SAY2.PRJ, SAY2.DEF, SAY2.CPP, SAY2.H, SAY2.RC, TegoPlus.LIB, and TegoPlus.H.
You can use these files as templates for your future C++ OWL projects that play sound through the PC speaker.
OK

FIGURE 13.5:
The About dialog box of the SAY2 application.

FIGURE 13.6:
The Are You Sure You Want To Quit dialog box.

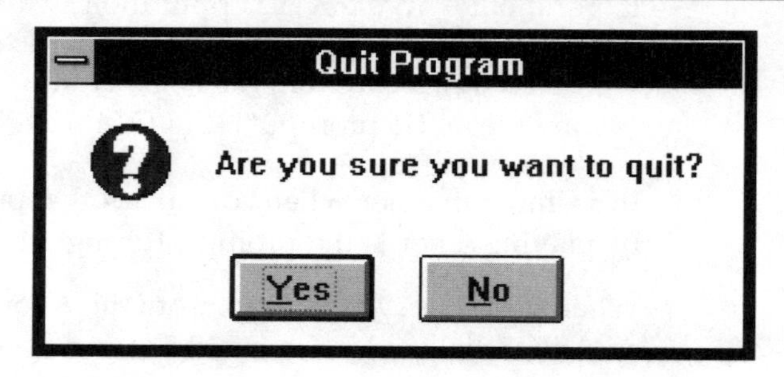

The Code of the SAY2 Application

The SAY2 application uses the HELLO.WAV sound file to play audio prompts through the PC speaker. The HELLO.WAV sound file contains an audio recording of a human voice saying: "HELLO, HAVE A NICE DAY. GOOD-BYE."

The SAY2 application plays different sections from the HELLO.WAV depending on the user's actions. For example, when the user selects Say Hello from the File menu, SAY2 plays the "HELLO" section of the HELLO.WAV sound file.

Playing WAV Sound Files through the PC Speaker

The SAY2 application plays a WAV file through the PC speaker by using functions from a DLL (Dynamic Link Library) called TegoPLUS.DLL. This DLL was copied to your Windows directory when you installed the book's disk. The TegoPLUS.DLL file contains various functions that let you play WAV files through the PC speaker without any additional hardware and without any drivers.

The TegoPLUS.DLL File The TegoPLUS.DLL file that is supplied with the book's disk is a limited version of the DLL; it lets you play only those WAV files that were supplied with the disk.

To be able to play your own WAV files, you can purchase the full version directly from TegoSoft Inc.:

TegoSoft Inc.
Box 389
Attn.: TegoPLUS.DLL
Bellmore, N.Y 11710
Phone: (516)783-4824

The price of the full version of the TegoPLUS.DLL is $29.95 plus $5.00 shipping and handling.

The Project File: SAY2.PRJ

As you can see from Figure 13.1, the SAY2.PRJ project includes four files: SAY2.CPP, SAY2.RC, SAY2.DEF, and TegoPLUS.LIB. The header file of the SAY2 application (SAY2.H) is not included in the SAY2 project. Recall that header files should not be included in a project.

The following sections describe each of the files of the SAY2 application.

The Module Definition File: SAY2.DEF

The module-definition (DEF) file of the SAY2 application is identical to that of the SAY1 application. Listing 13.1 shows the contents of the SAY2.DEF file.

Listing 13.1: The Module-Definition File of the SAY2 Application

```
;====================================
; SAY2.DEF: module-definition file.
;====================================
EXETYPE WINDOWS
CODE PRELOAD MOVEABLE DISCARDABLE
DATA PRELOAD MOVEABLE MULTIPLE
HEAPSIZE 4096
STACKSIZE 5120
```

The Header File: SAY2.H

The SAY2.H header file (Listing 13.2) contains the declarations of constants that represent the various menu options of the SAY2 application. For example, the CM_SAYHELLO menu option (#defined as 201) represents the Say Hello menu option.

Listing 13.2: The Header File of the SAY2 Application

```
//////////////////////////
// SAY2.H: header file.
//////////////////////////

// Constant declarations for the menu options.
#define CM_SAYHELLO   201 // The Say Hello menu option.
#define CM_SAYHAVE    202 // The Have A Nice Day option.
#define CM_SAYGOODBYE 203 // The Say Goodbye menu option.
#define CM_PLAYENTIRE 204 // The Play Entire File option.
#define CM_ABOUT      208 // The About Hello2 menu option.


// Note: The CM_EXIT constant (of the Exit menu option) is
//       not declared in this .h file, because it is
//       already declared inside the standard ObjectWindows
//       header file: owl.h
```

Note that there is no constant declaration for the Exit menu option. That's because the CM_EXIT constant is already declared in the standard header file of the ObjectWindows library (OWL.H).

The Resource File: SAY2.RC

The resource file of the SAY2 application (SAY2.RC) is used to define the menu of the application. The code of the SAY2.RC file appears in Listing 13.3.

Listing 13.3: The Resource File of the SAY2 Application

```
/////////////////////////////////////////////////////
// SAY2.RC: The resource file of the application.
/////////////////////////////////////////////////////

////////////
// #include
////////////
#include <windows.h>
#include <owlrc.h>
#include "say2.h"

// The main menu of the application.
MYMENU MENU LOADONCALL MOVEABLE PURE DISCARDABLE
BEGIN
```

```
  POPUP "&File"
  BEGIN
    MenuItem  "Say Hello",                CM_SAYHELLO
    MenuItem  "Say Have a nice day",      CM_SAYHAVE
    MenuItem  "Say Good-bye",             CM_SAYGOODBYE
    MenuItem  "Play entire file",         CM_PLAYENTIRE
    MenuItem  SEPARATOR
    MenuItem  "Exit",                     CM_EXIT
  END

  POPUP "&About"
  BEGIN
    MenuItem  "About Say2...",             CM_ABOUT
  END

END
```

As you can see, the code inside SAY2.RC defines a bar menu called MYMENU with two popup menus: File and About. These menus were shown in Figures 13.3 and 13.4.

Note that the menu items are defined with the constants that were declared in the SAY2.H file. For example, the Say Hello menu item is declared as:

```
MenuItem  "Say Hello",  CM_SAYHELLO
```

This means that the code in the SAY2.CPP program file will refer to the Say Hello menu option by using the CM_SAYHELLO constant.

The LIB File: TegoPLUS.LIB

The file TegoPLUS.LIB contains information about functions located in TegoPLUS.DLL. You must include the TegoPLUS.LIB file in any project that uses functions from TegoPLUS.DLL. As you can see from Figure 13.1, the TegoPLUS.LIB file is included in the project. The file TegoPLUS.LIB was copied to your C:\C2CPLUS\DLL directory when you installed the book's disk.

The Program File: SAY2.CPP

The SAY2.CPP program (Listing 13.4) is very similar to the SAY1.CPP program (most of the code is identical). The only difference between the two programs is that SAY2.CPP uses functions from TegoPLUS.DLL to play sound through the PC speaker. The following sections describe how the SAY2.CPP program uses the functions of TegoPLUS.DLL.

Listing 13.4: The SAY2.CPP Program

```
////////////////////////////////////////////////////////////////
//
// Program Name: SAY2.CPP
//
// Description:
// ------------
// This application is a C++ Windows application written
// with the Borland ObjectWindows library (OWL).
//
// The SAY2 application uses the TegoPLUS.DLL DLL to play
// a WAV file through the PC built-in speaker WITHOUT any
// hardware.
//
// The application is made of the following 7 files:
//
// 1. SAY2.PRJ      - the project file.
// 2. SAY2.DEF      - the module definition file.
// 3. SAY2.CPP      - the program file (this file).
// 4. SAY2.H        - the header file.
// 5. SAY2.RC       - the resource file.
// 6. TegoPLUS.LIB - the LIB file for the TegoPLUS.DLL DLL.
// 7. TegoPLUS.H   - the header file for TegoPLUS.DLL.
//
// You can use these files as templates for your future C++
// OWL applications that play WAV files through the PC
// speaker.
//
////////////////////////////////////////////////////////////////


////////////
// #include
////////////
#include <stdio.h>
#include <stdlib.h>
#include <owl.h>
#include "say2.h"

// The Include file for the TegoPLUS.DLL DLL.
// (for playing WAV files through the PC speaker).
#include "c:\c2cplus\include\TegoPLUS.h"
```

```
/////////////////////
// Global Variables
/////////////////////
// The sound session I.D.
int giHelloSession;


/////////////////////////////////////////////
// Define the TMyApp class
// (derived from the TApplication class).
/////////////////////////////////////////////
class TMyApp : public TApplication
{
public:
  TMyApp(LPSTR AName,
         HINSTANCE hInstance,
         HINSTANCE hPrevInstance,
         LPSTR lpCmdLine,
         int nCmdShow)
  :
  TApplication(AName,
               hInstance,
               hPrevInstance,
               lpCmdLine,
               nCmdShow) {};

  virtual void InitMainWindow();

};


/////////////////////////////////////////////
// Define the TMyWindow class
// (derived from the TWindow class).
/////////////////////////////////////////////
_CLASSDEF(TMyWindow)
class TMyWindow : public TWindow
{
public:

  // Prototype of the constructor.
  TMyWindow(PTWindowsObject AParent, LPSTR ATitle);
```

```
   // Prototype of the destructor.
   ~TMyWindow();


   // Prototypes of the message response member functions:

   virtual BOOL CanClose();

   virtual void CMSayHello(RTMessage Msg)
     = [CM_FIRST + CM_SAYHELLO];

   virtual void CMSayHave(RTMessage Msg)
     = [CM_FIRST + CM_SAYHAVE];

   virtual void CMSayGoodbye(RTMessage Msg)
     = [CM_FIRST + CM_SAYGOODBYE];

   virtual void CMPlayEntireFile(RTMessage Msg)
     = [CM_FIRST + CM_PLAYENTIRE];

   virtual void CMExit(RTMessage Msg)
     = [CM_FIRST + CM_EXIT];

   virtual void CMAbout(RTMessage Msg)
     = [CM_FIRST + CM_ABOUT];

};


//////////////////////////////////////////
// The constructor function of TMyWindow.
//////////////////////////////////////////
TMyWindow::TMyWindow(PTWindowsObject AParent, LPSTR ATitle)
  : TWindow(AParent, ATitle)
{

// Set the menu of TmyWindow to MYMENU.
// (MYMENU is defined in the RC file).
AssignMenu("MYMENU");


// Open a sound session with the WAV file HELLO.WAV.
giHelloSession =
   sp_OpenWaveSession ( HWindow,
                        "c:\\c2cplus\\wav\\hello.wav");
```

```
}


//////////////////////////////////////////
// The destructor function of TMyWindow.
//////////////////////////////////////////
TMyWindow::~TMyWindow()
{
// Close the sound session of HELLO.WAV.
sp_CloseSession (giHelloSession);
}


//////////////////////////////////////////////////
// Function name: CanClose()
//
// Description:
//
// Member function of TMyWindow. This function is
// executed whenever the user tries to close the
// window, or whenever the function CloseWindow()
// is executed.
//
// If CanClose() returns TRUE, then window will
// be closed and the program will terminate.
//////////////////////////////////////////////////
BOOL TMyWindow::CanClose()
{

int iResponse;

iResponse = MessageBox(HWindow,
                       "Are you sure you want to quit?",
                       "Quit Program",
                       MB_YESNO | MB_ICONQUESTION );

// If the user wants to quit, terminate the program.
if (iResponse == IDYES)
   {
   // Play the Good-bye section of HELLO.WAV.
   sp_PlaySnd (giHelloSession,
               102000L,
               120000L );
```

```
    // Terminate the program.
    return TRUE;
    }
else
    return FALSE;
}


//////////////////////////////////////////////////////
// Function name: CMSayHello()
//
// Description:
// Member function of TMyWindow. This function is
// executed whenever the user selects the CM_SAYHELLO
// option of the MYMENU menu.
//
// The MYMENU menu is defined in the RC file.
//////////////////////////////////////////////////////
void TMyWindow::CMSayHello(RTMessage)
{

// Play the HELLO section of HELLO.WAV.
sp_PlaySnd (giHelloSession,
            0L,
            25000L );

}


//////////////////////////////////////////////////////
// Function name: CMSayHave()
//
// Description:
// Member function of TMyWindow. This function is
// executed whenever the user selects the CM_SAYHAVE
// option of the MYMENU menu.
//
// The MYMENU menu is defined in the RC file.
//////////////////////////////////////////////////////
void TMyWindow::CMSayHave(RTMessage)
{

// Play the Have A Nice Day section of HELLO.WAV.
sp_PlaySnd (giHelloSession,
```

```
            50000L,
            79000L );

}


/////////////////////////////////////////////////////
// Function name: CMSayGoodbye()
//
// Description:
// Member function of TMyWindow. This function is
// executed whenever the user selects the CM_SAYGOODBYE
// option of the MYMENU menu.
//
// The MYMENU menu is defined in the RC file.
/////////////////////////////////////////////////////
void TMyWindow::CMSayGoodbye(RTMessage)
{

// Play the Good-bye section of HELLO.WAV.
sp_PlaySnd (giHelloSession,
            102000L,
            120000L );

}


/////////////////////////////////////////////////////
// Function name: CMPlayEntireFile()
//
// Description:
// Member function of TMyWindow. This function is
// executed whenever the user selects the CM_SAYHELLO
// option of the MYMENU menu.
//
// The MYMENU menu is defined in the RC file.
/////////////////////////////////////////////////////
void TMyWindow::CMPlayEntireFile(RTMessage)
{

// Play the entire HELLO.WAV file.
sp_PlaySnd (giHelloSession,
```

```
            SP_START_OF_FILE,
            SP_END_OF_FILE );

}


/////////////////////////////////////////////////////////
// Function name: CMAbout()
//
// Description:
// Member function of TMyWindow. This function is
// executed whenever the user selects the CM_ABOUT
// option of the MYMENU menu.
//
// The MYMENU menu is defined in the RC file.
/////////////////////////////////////////////////////////
void TMyWindow::CMAbout(RTMessage)
{

MessageBox (HWindow,
"Say2 is a C++ Windows  application written \
with the Borland ObjectWindows library (OWL).\n\n\
The Say2 application uses the TegoPLUS.DLL DLL to \
play a WAV file through the built-in PC speaker \
WITHOUT any hardware.\n\n\
The Say2 application uses the following files: \
SAY2.PRJ, SAY2.DEF, SAY2.CPP, SAY2.H, SAY2.RC, \
TegoPLUS.LIB, and TegoPLUS.H.\n\n\
You can use these files as templates for your future C++ \
OWL projects that play sound through the PC speaker.",
"About SAY2",
MB_OK);

}

/////////////////////////////////////////////////////////
// Function name: CMExit()
//
// Description:
// Member function of TMyWindow. This function is
// executed whenever the user selects the CM_EXIT
// option of the MYMENU menu.
//
// The MYMENU menu is defined in the RC file.
/////////////////////////////////////////////////////////
```

```
void TMyWindow::CMExit(RTMessage)
{

CloseWindow ();

}

/////////////////////////////////////////////////////////
// Function name: InitMainWindow()
//
// Description:
// Member function of TMyApp.
//
// This function is automatically executed when an
// object of class TMyApp is created.
//
// The purpose of this function is to create the main
// window of the application.
/////////////////////////////////////////////////////////
void TMyApp::InitMainWindow()
{

// Create the main window of the application.
// (an object of class TMyWindow).
MainWindow = new TMyWindow(NULL, Name);

}

/////////////////////////////////////////////////////////
// Function name: WinMain()
//
// Description:
// The entry point of the program.
// This function is executed upon starting the program.
/////////////////////////////////////////////////////////
int PASCAL WinMain(HINSTANCE hInstance,
                   HINSTANCE hPrevInstance,
                   LPSTR lpCmdLine,
                   int nCmdShow)
{

// Create an object of class TMyApp (called MyApp).
TMyApp MyApp("The Say2 Application",
             hInstance,
             hPrevInstance,
```

```
            lpCmdLine,
            nCmdShow);

// Run the application.
MyApp.Run();

// Return to Windows.
return MyApp.Status;

}
```

Header Files SAY2.CPP #includes the same header files that SAY1.CPP #includes. In addition, SAY2.CPP also #includes the TegoPLUS.H header file. TegoPLUS.H contains prototype declarations of all the constants and functions in TegoPLUS.DLL.

Here is the `#include` section of SAY2.CPP:

```
////////////
// #include
////////////
#include <stdio.h>
#include <stdlib.h>
#include <owl.h>
#include "say2.h"

// The Include file for the TegoPLUS.DLL DLL.
// (for playing WAV files through the PC speaker).
#include "c:\c2cplus\include\TegoPLUS.h"
```

Opening a Sound Session Before you can play a WAV file, you must first open a sound session with the WAV file to be played.

SAY2.CPP opens a sound session with the WAV file HELLO.WAV inside the constructor function of the `TMyWindow` class:

```
//////////////////////////////////////////
// The constructor function of TMyWindow.
//////////////////////////////////////////
TMyWindow::TMyWindow(PTWindowsObject AParent, LPSTR ATitle)
  : TWindow(AParent, ATitle)
{

// Set the menu of TMyWindow to MYMENU.
```

```
// (MYMENU is defined in the RC file).
AssignMenu("MYMENU");


// Open a sound session with the WAV file HELLO.WAV.
giHelloSession =
    sp_OpenWaveSession ( HWindow,
                         "c:\\c2cplus\\wav\\hello.wav");

}
```

As you can see, the sound session is opened by using the `sp_OpenWaveSession()` function. This function is from TegoPLUS.DLL. Notice that the first three characters of the function name are `sp_`. All functions from TegoPLUS.DLL have names that begin with this prefix.

`sp_OpenWaveSession()` takes two parameters. The first parameter that is passed to `sp_OpenWaveSession()` is `HWindow`. Recall that `HWindow` is a very important data member of the `TMyWindow` class. It stores the handle of the window (that is, the window's identification number). Many useful Windows functions (for example, `MessageBox()`) need this handle.

The second parameter that is passed to `sp_OpenWavSession()` is the string `"c:\\c2cplus\\wav\\hello.wav"`. This string specifies the name of the WAV file to be opened.

The returned value of the `sp_OpenWavSession()` function is assigned to the global variable `giHelloSession`. As you will soon see, subsequent code in the SAY2.CPP program will use the `giHelloSession` variable to refer to the Hello.WAV sound file.

The global variable `giHelloSession` is declared at the beginning of the SAY2.CPP program (right after the `#include` section). It is declared as follows:

```
// The sound session I.D.
int giHelloSession;
```

Playing a Section of the WAV File Whenever the user selects Say Hello from the File menu, the `CMSayHello()` member function of the `TMyWindow` class is automatically executed.

Opening a Sound Session

The *sp_OpenWaveSession()* function is used for opening a WAV session. You have to open a session only once during the life of the program. Thus, a good place to execute this function is from within the constructor function of the *TMyWindow* class.

This association between the Say Hello menu item and the CMSayHello() function is defined in the class declaration of the TMyWindow class. CMSayHello() is declared as follows:

```
virtual void CMSayHello(RTMessage Msg)
     = [CM_FIRST + CM_SAYHELLO];
```

This declaration associates the CMSayHello() function with the CM_SAYHELLO constant. Recall that in the SAY2.RC file (shown earlier in Listing 13.3), the CM_SAYHELLO constant represents the Say Hello menu item.

So whenever the user selects Say Hello from the File menu, CMSayHello() is automatically executed. Now, let's look at the CMSayHello() function:

```
void TMyWindow::CMSayHello(RTMessage)
{

// Play the HELLO section of HELLO.WAV.
sp_PlaySnd (giHelloSession,
            0L,
            25000L );
}
```

CMSayHello() uses the function sp_PlaySnd(), from TegoPLUS.DLL, to play a section from the HELLO.WAV sound file.

The sp_PlaySnd() function takes three parameters. The first is the session number of the WAV file to be played. In the above code, the first parameter is giHelloSession. Recall that giHelloSession is the session number of the HELLO.WAV sound file. (That is, giHelloSession was assigned the returned value of sp_OpenWaveSession() when the HELLO.WAV file was opened.)

The second and third parameters of the sp_PlaySnd() function specify the range of bytes to be played. For example, in the above code, the second parameter of sp_PlaySnd() is 0, and the third parameter is 25000. This means, that sp_PlaySnd() will play the sound file from byte number 0 through byte number 25000. The range 0 through 25000 in the HELLO.WAV file contains the recording of the audio prompt "HELLO." So when the statement:

```
sp_PlaySnd (giHelloSession,
            0L,
            25000L );
```

is executed, the audio prompt "HELLO" is played through the PC speaker.

When the user selects other Say options in the File menu, the SAY2.CPP program plays other sound sections of the HELLO.WAV file. For example, when the user selects Say Have A Nice Day from the File menu, the CMSayHave() function is automatically executed, and the CMSayHello() function plays another section from the HELLO.WAV file:

```
void TMyWindow::CMSayHave(RTMessage)
{

// Play the Have A Nice Day section of HELLO.WAV.
sp_PlaySnd (giHelloSession,
            50000L,
            79000L );

}
```

As you can see, CMSayHave() uses the sp_PlaySnd() function to play the byte range 50000 through 79000 of the HELLO.WAV file. This range contains the audio prompt "HAVE A NICE DAY."

Playing the Entire WAV File Whenever the user selects Play Entire File from the File menu, the CMPlayEntireFile() member function of the TMyWindow class is automatically executed.

This association between the Play Entire File menu item and the CMPlayEntireFile() function is defined in the class declaration of the TMyWindow class. The member function CMPlayEntireFile() of the TMyWindow class is declared as follows:

```
virtual void CMPlayEntireFile(RTMessage Msg)
    = [CM_FIRST + CM_PLAYENTIRE];
```

This declaration associates the `CMPlayEntireFile()` function with the CM_PLAYENTIRE constant. Recall that in the SAY2.RC file (Listing 13.3), the CM_PLAYENTIRE constant represents the Play Entire File menu item.

Now, let's take a look at the `CMPlayEntireFile()` function:

```
void TMyWindow::CMPlayEntireFile(RTMessage)
{

// Play the entire HELLO.WAV file.
sp_PlaySnd (giHelloSession,
            SP_START_OF_FILE,
            SP_END_OF_FILE );
}
```

As you can see, `CMPlayEntireFile()` uses the `sp_PlaySnd()` function to play the byte range SP_START_OF_FILE through SP_END_OF_FILE of the HELLO.WAV file. `SP_START_OF_FILE` is a constant that represents the start of the file (byte location 0), and `SP_END_OF_FILE` is a constant that represent the last byte of the file.

So the statement:

```
sp_PlaySnd (giHelloSession,
            SP_START_OF_FILE,
            SP_END_OF_FILE );
```

plays the HELLO.WAV file from start to finish.

Note that specifying SP_START_OF_FILE is the same as specifying 0. That is, the statement:

```
sp_PlaySnd (giHelloSession,
            SP_START_OF_FILE,
            SP_END_OF_FILE );
```

and the statement:

```
sp_PlaySnd (giHelloSession,
            0L,
            SP_END_OF_FILE );
```

both produce the same result. Both statements will play the sound file from byte 0 to the end of the file.

The SP_START_OF_FILE and SP_END_OF_FILE constants are declared inside the TegoPLUS.H header file. Recall that TegoPLUS.H is #included at the beginning of SAY2.CPP.

Closing the Sound Session The sound session that was opened in the constructor function of the TMyWindow class should remain open for as long as the SAY2.CPP program is running. This way, whenever the user selects one of the Say options of the File menu, the sound can be played immediately with no delays.

However, once the user closes the main window of the application (terminates the program), there is no need to keep the sound session open. When the user closes the main window, the program should close the sound session. It is very important to close a sound session upon terminating the program, because a sound session occupies some memory, and once you close it, its memory is made available for the system.

Whenever the user closes the main window of the application, the destructor function of the TMyWindow class is automatically executed. Thus, a good place to put the code that closes the sound session is inside the destructor function of the TMyWindow class.

Here is the code of the destructor function of TMyWindow:

```
TMyWindow::~TMyWindow()
{

// Close the sound session of HELLO.WAV.
sp_CloseSession (giHelloSession);

}
```

The destructor function uses the sp_CloseSession() function to close the sound session of HELLO.WAV. This function takes one parameter—the session number of the sound session to be closed. In the above code, the parameter that is passed to sp_CloseSession() is giHelloSession (the session number of HELLO.WAV). Thus, the above code closes the sound session of HELLO.WAV.

Opening Multiple Sound Sessions

The SAY2.CPP program opened a single sound session, and then played sound sections from the opened sound file. In your future projects, you may have the need to open more than one sound session. For example, you may have to write an application that plays sound sections from two separate sound files: MyMusic.WAV and MySpeech.WAV.

At the beginning of the application (that is, inside the constructor function of the TMyWindow class) you can open the two sound sessions:

```
// Open a sound session with the file MyMusic.WAV.
giMusicSession =
   sp_OpenWaveSession ( HWindow,
                        "MyMusic.wav");

// Open a sound session with the file MySpeech.WAV
giSpeechSession =
   sp_OpenWaveSession ( HWindow,
                        "MySpeech.wav");
```

After the two sessions are opened, you can play different sections from the two sound files. For example, to play the byte range 3000 through 7000 of the file MySpeech.WAV, followed by the byte range 9000 through 20,000 of the MyMusic.WAV file, you should use the following two statements:

```
// Play the byte range 3,000 through 7,000 of MySpeech.WAV
sp_PlaySnd ( giSpeechSession, 3000, 7000 );

// Play the byte range 9,000 through 20,000 of MyMusic.WAV
sp_PlaySnd ( giMusicSession, 9000, 20000 );
```

At the end of the program (that is, inside the destructor function of the TMyWindow class), you should close BOTH sound sessions:

```
// Close the sound session of MySpeech.WAV.
sp_CloseSession(giSpeechSession);

// Close the sound session of MyMUSIC.WAV.
sp_CloseSession(giMusicSession);
```

Exercise

Problem

Currently the File menu in the SAY2 application has three Say items:

```
Say Hello
Say Have a nice day
Say Good-bye
```

Add a fourth Say item to the File menu:

```
Say Nice day
```

When the user selects this item, the program should play through the PC speaker the audio prompt: "NICE DAY". (Hint: The byte range 60,000 through 79,000 in HELLO.WAV contains the audio phrase "NICE DAY.")

Solution

To add the Say Nice Day menu item to the File menu of the SAY2 application, take the following steps:

- Add the following `#define` statement to the SAY2.H file:

  ```
  #define CM_SAYNICEDAY 209 // The Say Nice Day option.
  ```

- Modify the SAY2.RC file so that the File popup menu includes the menu item Say Nice Day. After you make this modification, the File popup menu declaration should look as follows:

  ```
  POPUP "&File"
  BEGIN
      MenuItem  "Say Hello",              CM_SAYHELLO
      MenuItem  "Say Have a nice day",    CM_SAYHAVE
      MenuItem  "Say Good-bye",           CM_SAYGOODBYE
      MenuItem  "Say Nice day",           CM_SAYNICEDAY
      MenuItem  "Play entire file",       CM_PLAYENTIRE
      MenuItem  SEPARATOR
      MenuItem  "Exit",                   CM_EXIT
   END
  ```

- Add the following function declaration to the TMyWindow class declaration (in SAY2.CPP):

```
virtual void CMSayNiceDay(RTMessage Msg)
    = [CM_FIRST + CM_SAYNICEDAY];
```

- Add the CMSayNiceDay() function to SAY2.CPP:

```
//////////////////////////////////////////////////////////
// Function name: CMSayNiceDay()
//
// Description:
// Member function of TMyWindow. This function is
// executed whenever the user selects the CM_SAYNICEDAY
// option of the MYMENU menu.
//
// The MYMENU menu is defined in the RC file.
//////////////////////////////////////////////////////////
void TMyWindow::CMSayNiceDay(RTMessage)
{

// Play the Nice Day section of HELLO.WAV.
sp_PlaySnd (giHelloSession,
            60000L,
            79000L );
}
```

CHAPTER FOURTEEN

Animation and Sound

This chapter covers more programming with the Borland C++ version 3.1 Windows compiler. In particular, you will learn how to incorporate simple animation into your Borland C++ Windows programs with sound.

The DOG Application

The DOG application is similar to the SAY2 application. Unlike the SAY2 application, which only plays sound, however, the DOG application also displays an animation show.

Before you start going over the code of the DOG application, let's run it. This way, you will have a better understanding of what the code is supposed to do.

To run the DOG application:

- Double-click the BCW icon in the Borland C++ group (shown in Chapter 12, Figure 12.1).

Window responds by running the IDE Project Manager (shown in Chapter 12, Figure 12.2).

You can now open the project file of the DOG application:

- Select Open Project from the Project menu. The IDE responds by displaying the Open Project File dialog box (Chapter 12, Figure 12.3).
- Type inside the File Name box:

  `C:\C2CPLUS\CH14\DOG.PRJ`

- Click the OK button. The IDE responds by opening the DOG.PRJ project (Figure 14.1).

You can now run the DOG application:

- Select Run from the Run menu. The IDE responds by running the DOG application. The main window of the DOG application appears as shown in Figure 14.2.

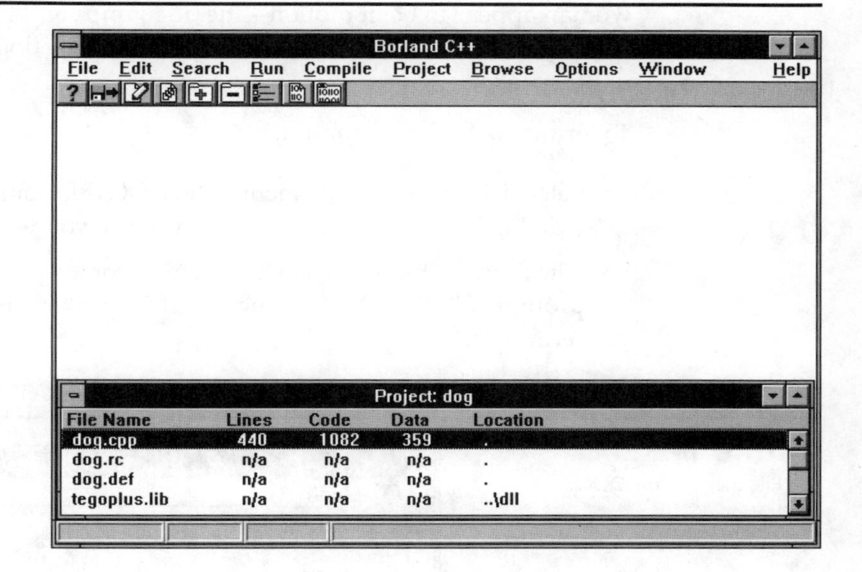

FIGURE 14.1:
The DOG.PRJ project.

FIGURE 14.2:
The main window of the DOG application.

As you can see from Figure 14.2, the DOG application displays a picture of a woman and a dog. Currently, the woman and dog are not in motion. To start the animation:

- Select Start Show from the File menu (Figure 14.3).

The DOG application responds by starting an animation show. The dog and the woman appear to be in motion—the dog jumps and barks, and the woman jumps to escape a serious injury. The sound of the barking dog is played through the built-in PC speaker.

To terminate the DOG application:

- Select Exit from the File menu. The DOG application responds by displaying a dialog box, asking whether you are sure you want to quit.
- Click the Yes button. The DOG application responds by playing the audio prompt "GOOD-BYE" through the PC speaker, and then the program terminates.

FIGURE 14.3:
The File menu of the DOG application.

The Code of the DOG Application

The DOG application uses six bitmap (.BMP) files to display an animation show. The application displays the BMP files one after the other, giving the illusion of motion. The application also uses a WAV file (BARK2.WAV) to play the sound of a barking dog through the PC speaker.

The following sections describe the code inside the files of the DOG application.

The Module Definition File: DOG.DEF

The module-definition (.DEF) file of the DOG application is identical to the module-definition file of the SAY1 and SAY2 applications that were discussed in Chapters 12 and 13. Listing 14.1 shows the contents of the DOG.DEF file.

Listing 14.1: The Module-Definition File of the DOG Application

```
;=====================================
; DOG.DEF: module-definition file.
;=====================================
EXETYPE WINDOWS
CODE PRELOAD MOVEABLE DISCARDABLE
DATA PRELOAD MOVEABLE MULTIPLE
HEAPSIZE 4096
STACKSIZE 5120
```

The Header File: DOG.H

The DOG.H header file (Listing 14.2) contains the declarations of constants that represent the various menu options of the DOG application. For example, the CM_START menu option (#defined as 201) represents the Start Show menu option.

Listing 14.2: The Header File of the DOG Application

```
//////////////////////////
// DOG.H: header file.
//////////////////////////

// Constants declarations for the menu options.
#define CM_START      201 // The Start Show menu option.
#define CM_ABOUT      202 // The About Dog menu option.

// Note: The CM_EXIT constant (of the Exit menu option) is
```

```
//        not declared in this .h file, because it is
//        already declared inside the standard ObjectWindows
//        header file: owl.h
```

Note that there is no constant declaration for the Exit menu option. That's because the CM_EXIT constant is already declared in the standard header file of the ObjectWindows library (OWL.H).

The Resource File: DOG.RC

The resource file of the DOG application (DOG.RC) is used to define the bitmaps that are used by the application, and the application's menu.

Listing 14.3 shows the code of the DOG.RC file.

Listing 14.3: The Resource File of the DOG Application

```
////////////////////////////////////////////////////
// DOG.RC: The resource file of the application.
////////////////////////////////////////////////////

////////////
// #include
////////////
#include <windows.h>
#include <owlrc.h>
#include "dog.h"

// The bitmaps that are used by the application.
Dog0 BITMAP c:\c2cplus\bmp\Dog0.BMP
Dog1 BITMAP c:\c2cplus\bmp\Dog1.BMP
Dog2 BITMAP c:\c2cplus\bmp\Dog2.BMP
Dog3 BITMAP c:\c2cplus\bmp\Dog3.BMP
Dog4 BITMAP c:\c2cplus\bmp\Dog4.BMP
Dog5 BITMAP c:\c2cplus\bmp\Dog5.BMP

// The main menu of the application.
MYMENU MENU LOADONCALL MOVEABLE PURE DISCARDABLE
BEGIN

  POPUP "&File"
  BEGIN
    MenuItem  "Start Show",            CM_START
    MenuItem  SEPARATOR
```

```
    MenuItem  "Exit",                        CM_EXIT
  END

  POPUP "&About"
  BEGIN
    MenuItem  "About Dog...",                 CM_ABOUT
  END

END
```

Six bitmaps are defined: Dog0, Dog1, Dog2, Dog3, Dog4, and Dog5. Each bitmap is defined as a different .BMP file. For example Dog0 is defined as follows:

```
Dog0 BITMAP c:\c2cplus\bmp\Dog0.BMP
```

This means that the code inside the DOG.CPP program file will refer to the bitmap file c:\c2cplus\bmp\Dog0.BMP as Dog0.

The six BMP images are shown in Figures 14.4 through 14.9.

FIGURE 14.4:
The Dog0.BMP File.

FIGURE 14.5:
The Dog1.BMP File.

FIGURE 14.6:
The Dog2.BMP File.

FIGURE 14.7:
The Dog3.BMP File.

FIGURE 14.8:
The Dog4.BMP File.

FIGURE 14.9:
The Dog5.BMP File.

The DOG.RC file also defines a bar menu called MYMENU with two popup menus: File and About. The options on these menus are defined with the constants that were declared in the DOG.H file. For example, the Start Show menu item is declared as:

```
MenuItem  "Start Show",  CM_START
```

This means that the code in the DOG.CPP program file will refer to the Start Show menu option by using the CM_START constant.

The LIB File: TegoPlus.LIB

Because the DOG application uses functions from TegoPLUS.DLL (to play WAV files through the PC speaker), the TegoPlus.LIB file is included in the project (see Figure 14.1).

The file TegoPlus.LIB was copied to your C:\C2CPLUS\DLL directory when you installed the book's disk.

The Program File: DOG.CPP

DOG.CPP (Listing 14.4)is the complete animation program. It uses the six BMP files shown in Figures 14.4 through 14.9 and the WAV file C:\C2CPLUS\WAV\BARK2.WAV.

The following sections describe the code of the DOG.CPP program.

Listing 14.4: Source Code for the DOG.CPP Program

```
/////////////////////////////////////////////////////////
//
// Program Name: DOG.CPP
//
// Description:
// ------------
// This application is a C++ Windows application written
// with the Borland ObjectWindows library (OWL).
//
// The DOG application uses TegoPLUS.DLL to play
// a WAV file. While the WAV file is played, the program
// displays an animation show.
//
// The application consists of the following files:
//
// - DOG.PRJ       - the project file.
// - DOG.DEF       - the module definition file.
// - DOG.CPP       - the program file (this file).
// - DOG.H         - the header file.
// - DOG.RC        - the resource file.
// - TegoPlus.LIB - the LIB file for the TegoPLUS.DLL DLL.
// - TegoPlus.H   - the header file for the TegoPLUS.DLL
// - DOG0.BMP      - Frame #0 of the show.
// - DOG1.BMP      - Frame #1 of the show.
// - DOG2.BMP      - Frame #2 of the show.
// - DOG3.BMP      - Frame #3 of the show.
// - DOG4.BMP      - Frame #4 of the show.
// - DOG5.BMP      - Frame #5 of the show.
//
/////////////////////////////////////////////////////////


///////////
// #include
///////////
#include <stdio.h>
```

```
#include <stdlib.h>
#include <owl.h>
#include "dog.h"

// The include file for TegoPLUS.DLL.
// (for playing WAV files through the PC speaker).
#include "c:\c2cplus\include\TegoPLUS.h"


/////////////////////
// Global Variables
/////////////////////
HINSTANCE ghInstance; // The Instance of the application.
int giHelloSession;   // Sound session ID for HELLO.WAV.
int giDogSession;     // Sound session ID for DOG2.WAV.
HBITMAP ghFrame[6];   // The 6 frames of the show.


////////////////
// Prototypes
////////////////
void TheShow ( HDC, HDC );

//////////////////////////////////////////
// Define the TMyApp class
// (derived from the TApplication class).
//////////////////////////////////////////
class TMyApp : public TApplication
{
public:
  TMyApp(LPSTR AName,
         HINSTANCE hInstance,
         HINSTANCE hPrevInstance,
         LPSTR lpCmdLine,
     int nCmdShow)
  :
  TApplication(AName,
       hInstance,
       hPrevInstance,
       lpCmdLine,
       nCmdShow) {};

  virtual void InitMainWindow();

};
```

```
//////////////////////////////////////////////
// Define the TMyWindow class
// (derived from the TWindow class).
//////////////////////////////////////////////
_CLASSDEF(TMyWindow)
class TMyWindow : public TWindow
{
public:

  // Prototype of the constructor.
  TMyWindow(PTWindowsObject AParent, LPSTR ATitle);


  // Prototype of the destructor.
  ~TMyWindow();


  // Prototypes of the message response member functions:

  virtual void Paint(HDC PaintDC,
                     PAINTSTRUCT _FAR & PaintInfo);

  virtual BOOL CanClose();

  virtual void CMStartShow(RTMessage Msg)
    = [CM_FIRST + CM_START];

  virtual void CMExit(RTMessage Msg)
    = [CM_FIRST + CM_EXIT];

  virtual void CMAbout(RTMessage Msg)
    = [CM_FIRST + CM_ABOUT];

};


/////////////////////////////////////////////
// The constructor function of TMyWindow.
/////////////////////////////////////////////
TMyWindow::TMyWindow(PTWindowsObject AParent, LPSTR ATitle)
         : TWindow(AParent, ATitle)
{
```

```
// Set the menu of TmyWindow to MYMENU.
// (MYMENU is defined in the RC file).
AssignMenu("MYMENU");

// Open a sound session with HELLO.WAV.
giHelloSession =
       sp_OpenWaveSession (HWindow,
                           "c:\\c2cplus\\wav\\hello.wav");

// Open a sound session with BARK2.WAV.
giDogSession =
       sp_OpenWaveSession (HWindow,
                           "c:\\c2cplus\\wav\\Bark2.wav");

// Load 6 the bitmaps (frames) of the show.
ghFrame[0] = LoadBitmap ( ghInstance, "Dog0" );
ghFrame[1] = LoadBitmap ( ghInstance, "Dog1" );
ghFrame[2] = LoadBitmap ( ghInstance, "Dog2" );
ghFrame[3] = LoadBitmap ( ghInstance, "Dog3" );
ghFrame[4] = LoadBitmap ( ghInstance, "Dog4" );
ghFrame[5] = LoadBitmap ( ghInstance, "Dog5" );

}

/////////////////////////////////////////
// The destructor function of TMyWindow.
/////////////////////////////////////////
TMyWindow::~TMyWindow()
{
int i;

// Close the sound sessions of HELLO.WAV and BARK2.WAV.
sp_CloseSession (giHelloSession);
sp_CloseSession (giDogSession);

// Delete the 6 bitmaps of the show.
for (i = 0; i<6 ; i++ )
   DeleteObject ( ghFrame[i]);

}
```

```
////////////////////////////////////////////////////////////
// Function name: Paint()
//
// Description:
// Member function of TMyWindow.
// This function is executed whenever there is a need to
// repaint the window.
////////////////////////////////////////////////////////////
void TMyWindow::Paint(HDC PaintDC, PAINTSTRUCT _FAR &
                      PaintInfo)
{

PAINTSTRUCT PS;
HDC hMemDC;

// Start a painting cycle.
BeginPaint(HWindow, &PS);

// Create a device context.
// (needed for displaying a bitmap).
hMemDC = CreateCompatibleDC ( PaintDC );

// Display Frame #0 of the show.
SelectObject(hMemDC, ghFrame[0]);
BitBlt ( PaintDC,
         100,
         10,
         180,
         200,
         hMemDC,
         0,
         0,
         SRCCOPY );

// Delete the device context hMemDC.
DeleteDC ( hMemDC );

// End the painting cycle.
EndPaint(HWindow, &PS);

}
```

```
//////////////////////////////////////////////////////
// Function name: CanClose()
//
// Description:
//
// Member function of TMyWindow. This function is
// executed whenever the user tries to close the
// window, or whenever the function CloseWindow()
// is executed.
//
// If CanClose() returns TRUE, then window will
// be closed and the program will terminate.
//////////////////////////////////////////////////////
BOOL TMyWindow::CanClose()
{

int iResponse;

iResponse = MessageBox(HWindow,
                       "Are you sure you want to quit?",
                       "Quit Program",
                       MB_YESNO | MB_ICONQUESTION );

// If the user wants to quit, terminate the program.
if (iResponse == IDYES)
   {
   // Play the Good-bye section of HELLO.WAV.
   sp_PlaySnd (giHelloSession,
               102000L,
               120000L );

   return TRUE;
   }
else
   return FALSE;

}
```

```
////////////////////////////////////////////////////////////
// Function name: CMStartShow()
//
// Description:
// Member function of TMyWindow. This function is
// executed whenever the user selects the CM_START
// option of the MYMENU menu (Start Show).
//
// The MYMENU menu is defined in the RC file.
////////////////////////////////////////////////////////////
void TMyWindow::CMStartShow(RTMessage)
{
HDC hdc;
HDC hMemDC;
int i;

// Retrieve hdc and create hMemDC
// (needed for displaying the bitmaps).
hdc = GetDC ( HWindow );
hMemDC = CreateCompatibleDC ( hdc );

// Execute the TheShow() function 4 times.
for ( i=0; i<4; i++ )
    TheShow ( hMemDC, hdc );


// Finally, display Frame #0 of the show.
SelectObject ( hMemDC, ghFrame[0] );
BitBlt ( hdc,
         100,
         10,
         180,
         200,
         hMemDC,
         0,
         0,
         SRCCOPY );

// Delete hMemDC and release hdc.
DeleteDC ( hMemDC );
ReleaseDC ( HWindow, hdc   );

}
```

```
/////////////////////////////////////////////////////////
// Function Name: TheShow()
//
// Description:
// This function displays an animation show.
// The function displays 6 bitmaps one after the other
// giving the illusion that the objects shown in the
// bitmaps are moving. The function also plays a WAV
// file in between the display of the bitmaps, adding
// sound to the show.
//
/////////////////////////////////////////////////////////
void TheShow ( HDC hMemDC, HDC hdc )
{
long lLastBytePlayed = 0;
int i;

for (i=1; i<6; i++ )
     {

     // Display the next frame of the show.
     SelectObject ( hMemDC, ghFrame[i] );
     BitBlt ( hdc,
              100,
              10,
              180,
              200,
              hMemDC,
              0,
              0,
              SRCCOPY );

     // Play the next 10,000 bytes of BARK2.WAV.
     lLastBytePlayed = sp_PlaySnd (giDogSession,
                                    lLastBytePlayed,
                                    lLastBytePlayed + 10000);

     // If the last byte of BARK2.WAV was played, start
     // to play from byte 0.
     if (lLastBytePlayed == -1 )
        lLastBytePlayed = 0L;

     }
}
```

```
///////////////////////////////////////////////////////
// Function name: CMAbout()
//
// Description:
// Member function of TMyWindow. This function is
// executed whenever the user selects the CM_ABOUT
// option of the MYMENU menu.
//
// The MYMENU menu is defined in the RC file.
///////////////////////////////////////////////////////
void TMyWindow::CMAbout(RTMessage)
{

MessageBox (HWindow,
"Dog is a C++ Windows  application written \
with the Borland ObjectWindows library (OWL).",
"About DOG",
MB_OK);

}


//////////////////////////////////////////////////////
// Function name: CMExit()
//
// Description:
// Member function of TMyWindow. This function is
// executed whenever the user selects the CM_EXIT
// option of the MYMENU menu.
//
// The MYMENU menu is defined in the RC file.
///////////////////////////////////////////////////////
void TMyWindow::CMExit(RTMessage)
{

CloseWindow ();

}
```

```
/////////////////////////////////////////////////////////////
// Function name: InitMainWindow()
//
// Description:
// Member function of TMyApp.
//
// This function is automatically executed when an
// object of class TMyApp is created.
//
// The purpose of this function is to create the main
// window of the application.
/////////////////////////////////////////////////////////////
void TMyApp::InitMainWindow()
{

// Create the main window of the application.
// (an object of class TMyWindow).
MainWindow = new TMyWindow(NULL, Name);

}


/////////////////////////////////////////////////////////////
// Function name: WinMain()
//
// Description:
// The entry point of the program.
// This function is executed upon starting the program.
/////////////////////////////////////////////////////////////
int PASCAL WinMain(HINSTANCE hInstance,
                   HINSTANCE hPrevInstance,
                   LPSTR lpCmdLine,
                   int nCmdShow)
{

// Store the instance of the application inside the
// global variable ghInstance.
ghInstance = hInstance;

// Create an object of class TMyApp (called MyApp).
TMyApp MyApp("The DOG Application",
     hInstance,
     hPrevInstance,
     lpCmdLine,
     nCmdShow);
```

```
// Run the application.
MyApp.Run();

// Return to Windows.
return MyApp.Status;

}
```

Header Files DOG.CPP #includes the same header files as SAY2.CPP:

```
////////////
// #include
////////////
#include <stdio.h>
#include <stdlib.h>
#include <owl.h>
#include "say2.h"

// The include file for TegoPLUS.DLL.
// (for playing WAV files through the PC speaker).
#include "c:\c2cplus\include\TegoPLUS.h"
```

Recall that TegoPlus.H contains prototype declarations of all the constants and functions in TegoPLUS.DLL.

Global Variables The DOG application uses several global variables. These variables are declared at the beginning of DOG.CPP (below the `#include` section):

```
////////////////////
// Global Variables
////////////////////
HINSTANCE ghInstance; // The Instance of the application.
int giHelloSession;   // Sound session ID for HELLO.WAV.
int giDogSession;     // Sound session ID for DOG2.WAV.
HBITMAP ghFrame[6];   // The 6 frames of the show.
```

The global variable `ghInstance` is assigned with the instance of the application inside the `WinMain()` function:

```
int PASCAL WinMain(HINSTANCE hInstance,
                   HINSTANCE hPrevInstance,
                   LPSTR lpCmdLine,
                   int nCmdShow)
{
```

```
// Store the instance of the application inside the
// global variable ghInstance.
ghInstance = hInstance;

...................................
...... The rest of WinMain() ......
...................................

}
```

As you can see, the first statement in `WinMain()` updates the global variable `ghInstance` with `hInstance`. `hInstance` is the first parameter of `WinMain()`. It is passed to `WinMain()` from the Windows operating system upon starting the application. As you will soon see, `ghInstance` is needed later by the program. The *instance* of an application is a unique number that Windows assigns to the application whenever the application is started. Windows needs to maintain these numbers because, as you know, a Windows application can be designed so that the user can execute it several times concurrently. An application run in this way is said to have several concurrent instances.

Loading the Bitmaps and Opening the Sound Sessions The DOG application uses two WAV files and six BMP files. These files are opened and loaded inside the constructor function of the `TMyWindow` class:

```
//////////////////////////////////////////////
// The constructor function of TMyWindow.
//////////////////////////////////////////////
TMyWindow::TMyWindow(PTWindowsObject AParent, LPSTR ATitle)
         : TWindow(AParent, ATitle)
{

// Set the menu of TmyWindow to MYMENU.
// (MYMENU is defined in the RC file).
AssignMenu("MYMENU");

// Open a sound session with HELLO.WAV.
giHelloSession =
       sp_OpenWaveSession (HWindow,
                           "c:\\c2cplus\\wav\\hello.wav");

// Open a sound session with BARK2.WAV.
```

```
giDogSession =
       sp_OpenWaveSession (HWindow,
                              "c:\\c2cplus\\wav\\Bark2.wav");

// Load the 6 bitmaps (frames) of the show.
ghFrame[0] = LoadBitmap ( ghInstance, "Dog0" );
ghFrame[1] = LoadBitmap ( ghInstance, "Dog1" );
ghFrame[2] = LoadBitmap ( ghInstance, "Dog2" );
ghFrame[3] = LoadBitmap ( ghInstance, "Dog3" );
ghFrame[4] = LoadBitmap ( ghInstance, "Dog4" );
ghFrame[5] = LoadBitmap ( ghInstance, "Dog5" );

}
```

Two sound sessions are opened; one with HELLO.WAV, and one with BARK2.WAV. The HELLO.WAV sound file is used to play the audio prompt "GOOD-BYE" (when the user selects Exit from the File menu), and the BARK2.WAV file is used to play the sound of a barking dog (when the user selects Start Show from the File menu).

The session number of HELLO.WAV is assigned to the global variable `giHello-Session`, and the session number of BARK2.WAV is assigned to the global variable `giDogSession`.

The above code also uses the `LoadBitmap()` function six times to load the six bitmaps:

```
ghFrame[0] = LoadBitmap ( ghInstance, "Dog0" );
ghFrame[1] = LoadBitmap ( ghInstance, "Dog1" );
ghFrame[2] = LoadBitmap ( ghInstance, "Dog2" );
ghFrame[3] = LoadBitmap ( ghInstance, "Dog3" );
ghFrame[4] = LoadBitmap ( ghInstance, "Dog4" );
ghFrame[5] = LoadBitmap ( ghInstance, "Dog5" );
```

As you can see, `LoadBitmap()` takes two parameters. The first parameter (`ghIn-stance`) is a global variable that stores the instance of the application. Recall that `ghInstance` is updated inside the `WinMain()` function. The second parameter is the bitmap to be loaded. The above statements load six bitmaps: `Dog0`, `Dog1`, `Dog2`, `Dog3`, `Dog4`, and `Dog5`. Recall that these bitmaps are defined inside the DOG.RC file (Listing 14.3).

The returned value of `LoadBitmap()` is the handle of the loaded bitmap. In the above code, the returned value of the `LoadBitmap()` of each bitmap is assigned to a different element of the global array `ghFrame[]`. For example, `ghFrame[0]` is assigned the handle of the `Dog0` bitmap:

```
ghFrame[0] = LoadBitmap ( ghInstance, "Dog0" );
```

Thus, subsequent code in the DOG.CPP program will refer to the handle `ghFrame[0]` in order to display the `Dog0` bitmap.

In a similar manner, `ghFrame[1]` is the handle of the `Dog1` bitmap, `ghFrame[2]` is the handle of the `Dog2` bitmap, and so on.

The Paint() Member Function of TMyWindow One of the member functions of the `TMyWindow` class is `Paint()`. This function is automatically executed whenever there is a need to redraw the window. For example, if during the execution of the program the user first minimizes and then maximizes the application window, the `Paint()` function is automatically executed. The `Paint()` function is also executed upon starting the application (when we need to draw the window initially).

The `Paint()` function of the DOG application displays the `DOG0` bitmap inside the main window. This is why the bitmap `DOG0` is displayed inside the application's window (as shown in Figure 14.2) whenever you start the application.

Here is the code of the `Paint()` function:

```
void TMyWindow::Paint(HDC PaintDC, PAINTSTRUCT _FAR &
                      PaintInfo)
{

PAINTSTRUCT PS;
HDC hMemDC;

// Start a painting cycle.
BeginPaint(HWindow, &PS);

// Create a device context.
// (needed for displaying a bitmap).
hMemDC = CreateCompatibleDC ( PaintDC );

// Display Frame #0 of the show.
SelectObject(hMemDC, ghFrame[0]);
BitBlt ( PaintDC,
         100,
         10,
```

```
            180,
            200,
            hMemDC,
            0,
            0,
            SRCCOPY );

// Delete the device context hMemDC.
DeleteDC ( hMemDC );

// End the painting cycle.
EndPaint(HWindow, &PS);

}
```

Note that in the statement:

```
SelectObject(hMemDC, ghFrame[0]);
```

the second parameter is `ghFrame[0]`. Recall that `ghFrame[0]` is the handle of the `DOGO` bitmap. Thus, the above code displays the `DOGO` bitmap.

The CMStartShow() Function Whenever the user selects Start Show from the File menu, the `CMStartShow()` member function of the `TMyWindow` class is automatically executed.

This association between the Start Show menu item and the `CMStartShow()` function is defined in the class declaration of the `TMyWindow` class. The member function `CMStartShow()` of the `TMyWindow` class is declared as follows:

```
virtual void CMStartShow(RTMessage Msg)
    = [CM_FIRST + CM_START];
```

This declaration associates the `CMStartShow()` function with the `CM_START` constant. Recall that in DOG.RC (Listing 14.3), the `CM_START` constant represents the Start Show menu item.

Now, let's look at the `CMStartShow()` function:

```
void TMyWindow::CMStartShow(RTMessage)
{
HDC hdc;
HDC hMemDC;
int i;

// Retrieve hdc and create hMemDC
```

```
// (needed for displaying the bitmaps).
hdc = GetDC ( HWindow );
hMemDC = CreateCompatibleDC ( hdc );

// Execute the TheShow() function 4 times.
for ( i=0; i<4; i++ )
    TheShow ( hMemDC, hdc );


// Finally, display Frame #0 of the show.
SelectObject ( hMemDC, ghFrame[0] );
BitBlt ( hdc,
         100,
         10,
         180,
         200,
         hMemDC,
         0,
         0,
         SRCCOPY );

// Delete hMemDC and release hdc.
DeleteDC ( hMemDC );
ReleaseDC ( HWindow, hdc   );

}
```

`CMStartShow()` begins by retrieving `hdc` and creating `hMemDC`:

```
hdc = GetDC ( HWindow );
hMemDC = CreateCompatibleDC ( hdc );
```

`hdc` and `hMemDC` are needed for displaying the bitmaps.

The code that performs the actual animation show is inside the `TheShow()` function. The `CMStartShow()` function executes the `TheShow()` function four times:

```
// Execute the TheShow() function 4 times.
for ( i=0; i<4; i++ )
    TheShow ( hMemDC, hdc );
```

Upon completing the animation show, `CMStartShow()` displays the DOG0 bitmap again:

```
SelectObject ( hMemDC, ghFrame[0] );
BitBlt ( hdc,
         100,
```

```
        10,
        180,
        200,
        hMemDC,
        0,
        0,
        SRCCOPY );
```

The TheShow() Function As stated above, the function that actually performs the animation show is the `TheShow()` function. Here is the code of the `TheShow()` function:

```
void TheShow ( HDC hMemDC, HDC hdc )
{
long lLastBytePlayed = 0;
int i;

for (i=1; i<6; i++ )
    {

    // Display the next frame of the show.
    SelectObject ( hMemDC, ghFrame[i] );
    BitBlt ( hdc,
             100,
             10,
             180,
             200,
             hMemDC,
             0,
             0,
             SRCCOPY );

    // Play the next 10,000 bytes of BARK2.WAV.
    lLastBytePlayed = sp_PlaySnd (giDogSession,
                                  lLastBytePlayed,
                                  lLastBytePlayed + 10000);

    // If the last byte of BARK2.WAV was played, start
    // to play from byte 0.
    if (lLastBytePlayed == -1 )
       lLastBytePlayed = 0L;

    }
}
```

The TheShow() function uses a for() loop to display five bitmaps, one after the other. This creates the illusion that the objects shown in the bitmaps are moving.

In the first iteration of the for loop i is equal to 1, and the statement:

```
SelectObject ( hMemDC, ghFrame[i] );
```

selects the ghFrame[1] bitmap. Thus, the first time through the loop, the DOG1 bitmap is displayed (recall that ghFrame[1] is the handle of the DOG1 bitmap). In a similar manner, in the second iteration of the for loop the DOG2 bitmap is displayed, in the third iteration the DOG3 bitmap is displayed, and so on.

After displaying each bitmap, the for loop plays the next 10,000 bytes from the BARK2.WAV file:

```
lLastBytePlayed = sp_PlaySnd (giDogSession,
                              lLastBytePlayed,
                              lLastBytePlayed + 10000);
```

In every iteration of the loop, the next batch of 10,000 bytes is played. Initially, lLastBytePlayed is equal to 0, so in the first iteration of the loop sp_PlaySnd() plays the byte range 0 through 10,000.

Note that the returned value of sp_PlaySnd() is assigned to lLastBytePlayed. The returned value of sp_PlaySnd() is the byte number of the last byte played. Thus, in the first iteration of the loop, lLastBytePlayed is assigned the number 10,000. So in the second iteration of the loop, sp_PlaySnd() plays the byte range 10,000 through 20,000. In the third iteration, sp_PlaySnd() plays the byte range 20,000 through 30,000, and so on.

When sp_PlaySnd() completes playing the entire WAV file, it returns -1. Thus, the last statement in the for() loop is an if statement that checks for this condition:

```
if (lLastBytePlayed == -1 )
   lLastBytePlayed = 0L;
```

If the entire WAV file has been played (that is, if lLastBytePlayed is equal to -1), then the above if condition is satisfied and lLastBytePlayed is assigned the value 0. As a result, in the next iteration of the loop, the sp_PlaySnd() function will play the byte range 0 through 10,000.

NOTE

The `sp_PlaySnd()` function plays from the byte location specified in its second parameter up to the byte location specified in its third parameter. If the third parameter of the `sp_PlaySnd()` function is smaller than the size of the WAV file, the returned value from `sp_PlaySnd()` is the location of the last byte played. If the third parameter is larger than the size of the WAV file, the `sp_PlaySnd()` function plays up to the last byte of the WAV file, and it returns `-1`. This `-1` is often used in animation programs to test whether the last byte of the WAV file has been played.

Closing the Sound Sessions and Deleting the Bitmaps The code that is responsible for closing the two sound sessions and deleting the six bitmaps resides in the destructor function of the `TMyWindow` class:

```
TMyWindow::~TMyWindow()
{
int i;

// Close the sound sessions of HELLO.WAV and BARK2.WAV.
sp_CloseSession (giHelloSession);
sp_CloseSession (giDogSession);

// Delete the 6 bitmaps of the show.*
for (i = 0; i<6 ; i++ )
   DeleteObject ( ghFrame[i]);
}
```

INDEX

Boldface page numbers indicate definitions and principal discussions of primary topics and subtopics.

Italic page numbers indicate illustrations.

Special Characters

A

B

C

D

G

H

I

L

M

P

Q

R

S

T

V

y

NLMs desmystified.

Novell's Guide to NetWare 4.0 NLM Programming — from Novell Press

Novell's® Guide to

NetWare® 4.0 NLM™ Programming

Michael Day Michael Koontz Daniel Marshall

550pp. ISBN: 1205-6

Novell's Guide to NetWare 4.0 NLM Programming, written by members of the NetWare 4.0 development team, is a valuable resource for anyone interested in state-of-the art network programming techniques.

You'll find out about every aspect of NetWare Loadable Modules and distributed application design, the new features of NetWare 4.0 and get guidelines for cross-platform compatibility. You'll also find practical examples and sample code — including valuable ready-made utilities.

Novell Press, in partnership with SYBEX, offers a wide range of books about Novell network products and issues. To order your copy of ***Novell's Guide to NetWare 4.0 NLM Programming,*** call SYBEX Computer Books today.

Novell. The Inside Story.

SYBEX Computer Books
2021 Challenger Drive
Alameda, CA 94501
(510) 523-8233
(800) 227-2346

SYBEX. Help Yourself.

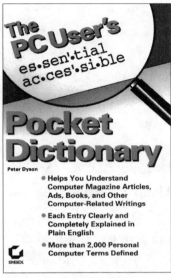

Mastering C++ (From C to C++ in 2 Weeks)

GET A FREE CATALOG JUST FOR EXPRESSING YOUR OPINION.

Help us improve our books and get a ***FREE*** full-color catalog in the bargain. Please complete this form, pull out this page and send it in today. The address is on the reverse side.

Name ______________________ **Company** ______________

Address ______________________ **City** ________ **State** ____ **Zip** ______

Phone ( ) ______________

1. How would you rate the overall quality of this book?

- ❑ Excellent
- ❑ Very Good
- ❑ Good
- ❑ Fair
- ❑ Below Average
- ❑ Poor

2. What were the things you liked most about the book? (Check all that apply)

- ❑ Pace
- ❑ Format
- ❑ Writing Style
- ❑ Examples
- ❑ Table of Contents
- ❑ Index
- ❑ Price
- ❑ Illustrations
- ❑ Type Style
- ❑ Cover
- ❑ Depth of Coverage
- ❑ Fast Track Notes

3. What were the things you liked *least* about the book? (Check all that apply)

- ❑ Pace
- ❑ Format
- ❑ Writing Style
- ❑ Examples
- ❑ Table of Contents
- ❑ Index
- ❑ Price
- ❑ Illustrations
- ❑ Type Style
- ❑ Cover
- ❑ Depth of Coverage
- ❑ Fast Track Notes

4. Where did you buy this book?

- ❑ Bookstore chain
- ❑ Small independent bookstore
- ❑ Computer store
- ❑ Wholesale club
- ❑ College bookstore
- ❑ Technical bookstore
- ❑ Other ______________

5. How did you decide to buy this particular book?

- ❑ Recommended by friend
- ❑ Recommended by store personnel
- ❑ Author's reputation
- ❑ Sybex's reputation
- ❑ Read book review in ________
- ❑ Other ______________

6. How did you pay for this book?

- ❑ Used own funds
- ❑ Reimbursed by company
- ❑ Received book as a gift

7. What is your level of experience with the subject covered in this book?

- ❑ Beginner
- ❑ Intermediate
- ❑ Advanced

8. How long have you been using a computer?

years ______________

months ______________

9. Where do you most often use your computer?

- ❑ Home
- ❑ Work
- ❑ Both
- ❑ Other ______________

10. What kind of computer equipment do you have? (Check all that apply)

- ❑ PC Compatible Desktop Computer
- ❑ PC Compatible Laptop Computer
- ❑ Apple/Mac Computer
- ❑ Apple/Mac Laptop Computer
- ❑ CD ROM
- ❑ Fax Modem
- ❑ Data Modem
- ❑ Scanner
- ❑ Sound Card
- ❑ Other ______________

11. What other kinds of software packages do you ordinarily use?

- ❑ Accounting
- ❑ Databases
- ❑ Networks
- ❑ Apple/Mac
- ❑ Desktop Publishing
- ❑ Spreadsheets
- ❑ CAD
- ❑ Games
- ❑ Word Processing
- ❑ Communications
- ❑ Money Management
- ❑ Other ______________

12. What operating systems do you ordinarily use?

- ❑ DOS
- ❑ OS/2
- ❑ Windows
- ❑ Apple/Mac
- ❑ Windows NT
- ❑ Other ______________

13. **On what computer-related subject(s) would you like to see more books?**

____

____

____

____

14. **Do you have any other comments about this book? (Please feel free to use a separate piece of paper if you need more room)**

____

____

____

____

PLEASE FOLD, SEAL, AND MAIL TO SYBEX

SYBEX INC.
Department M
2021 Challenger Drive
Alameda, CA
94501

About the Disk

What's on the Disk?

Once you've installed the disk, you'll find the following directories:

Directory	Description
C:\C2CPLUS\CH01	Programs for Chapter 1
C:\C2CPLUS\CH02	Programs for Chapter 2
C:\C2CPLUS\CH03	Programs for Chapter 3
C:\C2CPLUS\CH04	Programs for Chapter 4
C:\C2CPLUS\CH05	Programs for Chapter 5
C:\C2CPLUS\CH06	Programs for Chapter 6
C:\C2CPLUS\CH07	Programs for Chapter 7
C:\C2CPLUS\CH08	Programs for Chapter 8
C:\C2CPLUS\CH09	Programs for Chapter 9
C:\C2CPLUS\CH10	Programs for Chapter 10
C:\C2CPLUS\CH11	Programs for Chapter 11
C:\C2CPLUS\CH12	Programs for Chapter 12
C:\C2CPLUS\CH13	Programs for Chapter 13
C:\C2CPLUS\CH14	Programs for Chapter 14
C:\C2CPLUS\WAV	Wave (sound) files
C:\C2CPLUS\TEGOMS	Library to be used with Microsoft compiler. Enables you to play the WAV files that are included on the book's disk through the PC speaker without any additional hardware.
C:\C2CPLUS\TEGOBL	Library to be used with Borland compiler. Enables you to play the WAV files that are included on the book's disk through the PC speaker without any additional hardware.
C:\C2CPLUS\LICENSE	Software License
C:\C2CPLUS\MORE	More files needed for compiling
C:\C2CPLUS\LHA	LHA compression\decompression utility with complete documentation.
C:\C2CPLUS\INCLUDE	Include files needed for the sample programs.
C:\C2CPLUS\DLL	DLL file. Enables you to play the WAV files that are included on the book's disk through the PC speaker without any additional hardware.
C:\C2CPLUS\BMP	BMP files
C:\C2CPLUS\INFO	Additional information file

What about Installation?

For instructions on installing the disk, see Chapter 1.
A high-density drive is required.